LES HÉRITIERS d'Enkidiev

TOME 12

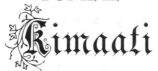

Kimaati

* * *

À ce jour, Anne Robillard a publié plus d'une cinquantaine de romans, dont la saga à succès *Les Chevaliers d'Émeraude*, la mystérieuse série *A.N.G.E.*, *Qui est Terra Wilder ?*, *Capitaine Wilder*, les séries ésotériques *Les ailes d'Alexanne* et *Le retour de l'oiseau-tonnerre*, la série rock and roll *Les cordes de cristal* ainsi que plusieurs livres compagnons et BD.

Ses œuvres ont maintenant franchi les frontières du Québec et font la joie de lecteurs partout dans le monde.

Pour obtenir plus de détails sur ces autres parutions, n'hésitez pas à consulter son site officiel et sa boutique en ligne :

www.anne-robillard.com / www.parandar.com

ANNE ROBILLARD

LES HÉRITIERS d'Enkidiev

TOME 12

Kimaati

Catalogage avant publication de Bibliothèque et Archives nationales du Québec et Bibliothèque et Archives Canada

Robillard, Anne

    Les héritiers d'Enkidiev
    Sommaire : t. 12. Kimaati.

       ISBN 978-2-924442-45-6 (v. 12)

       I. Titre. II. Titre : Kimaati.

PS8585.O325H47 2009   C843'.6   C2009-942695-1
PS9585.O325H47 2009

WELLAN INC.
C.P. 85059
345, boul. Sir-Wilfrid-Laurier
Mont-Saint-Hilaire (Québec) J3H 5W1
Courriel : info@anne-robillard.com

Couverture : Aurélie Laget
Cartes : Jean-Pierre Lapointe
Mise en pages : Claudia Robillard
Révision : Annie Pronovost
Correction d'épreuves : Myriam Jacob

Distribution : Prologue
1650, boul. Lionel-Bertrand
Boisbriand (Québec) J7H 1N7
Téléphone : 450 434-0306 / 1 800 363-2864

Dépôt légal - Bibliothèque et Archives nationales du Québec, 2015
Dépôt légal - Bibliothèque et Archives Canada, 2015

« La différence entre une personne dotée d'une volonté forte et une personne faible de ce côté-là, c'est que le fort s'accroche tandis que le faible lâche prise. L'échec est une chose. C'est l'abandon qui n'est pas acceptable. »

— Neil Strauss

ENKIDIEV

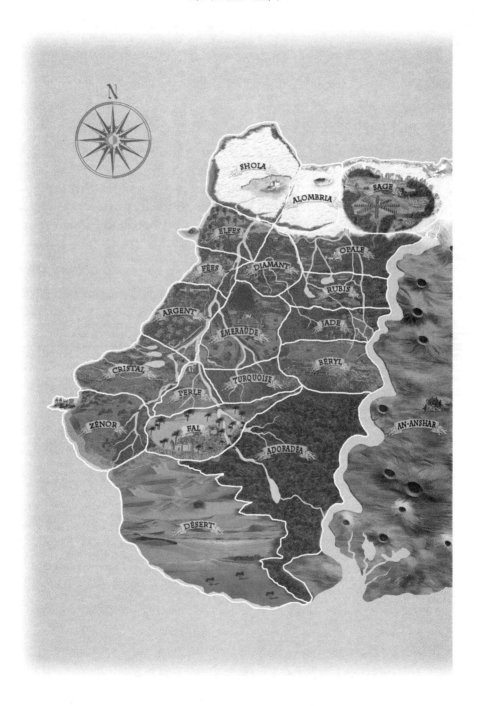

ENLILKISAR

PANTHÉON D'ABUSSOS

LES DIEUX FONDATEURS

ABUSSOS
dieu-hippocampe

LESSIEN IDRIL
déesse-louve blanche ailée

LES DIEUX CATALYSTES

LAZULI
dieu-phénix
(Kaolin)

NAALNISH
déesse-licorne
(Kaliska)

NAHÉLÉ
dieu-dauphin ailé
(Lassa)

NAPASHNI
déesse-griffon
(Swan/Napalhuaca)

NASHOBA
dieu-loup noir
(Onyx)

NAYATI
dieu-dragon bleu
(Nemeroff)

LES DIEUX CRÉATEURS

AUFANIAE ET AIAPAEC
déesse-dragon et dieu-dragon dorés

OBSIDIA
déesse-fennec ailée

PANTHÉON MIXTE

Dieux et déesses ayant gardé leur divinité à la suite de la colère d'Abussos grâce à leur appartenance au panthéon d'Achéron.

ANYAGUARA
déesse-panthère noire,
fille de feue la déesse-jaguar Étanna
et du dieu-lion Kimaati

LAZULI
dieu (anciennement dieu-gerfaut),
fils de la déesse-théropode Kira
et de l'ex-dieu épervier Sparwari

MYRIALUNA
déesse-eyra,
fille de l'ex-déesse reptilienne Fan
et du dieu-lion Kimaati

CORNÉLIANE
déesse-guépard,
fille de la déesse-griffon Napashni
et du dieu-jaguar Solis

MAÉLYS ET KYLIAN
déesse-pliosaure et dieu-pliosaure,
fille et fils de la déesse-théropode Kira et du
dieu-dauphin ailé Nahélé

SASHA, STANISLAV ET SERGUEÏ
dieux-lions,
fils de la déesse-eyra Myrialuna
et de feu l'Immortel reptilien Abnar

KIRA
déesse-théropode,
fille de l'ex-déesse reptilienne Fan
et de feu le dieu-scarabée Amecareth

MAHITO
dieu-tigre,
fils de la déesse-panthère noire Anyaguara
et de l'ex-Immortel reptilien Danalieth

SOLIS
dieu-jaguar,
fils de feue la déesse-jaguar Étanna
et du dieu-lion Kimaati

**LARISSA, LAVRA, LÉIA, LIDIA,
LÉONILLA ET LUDMILA**
déesses-eyras,
filles de la déesse-eyra Myrialuna
et de feu l'Immortel reptilien Abnar

MAREK
dieu-léopard des neiges,
fils de la déesse-théropode Kira
et du dieu-jaguar Solis

WELLAN
Dieu-ptérodactyle,
fils de la déesse-théropode Kira
et du dieu-phénix Lazuli

PANTHÉON D'ACHÉRON

LES DIEUX FONDATEURS

ACHÉRON
dieu-rhinocéros

VIATLA
déesse-hippopotame

JAVAD
dieu-rhinocéros,
fils de la déesse-hippopotame Viatla
et du dieu-rhinocéros Achéron

KIMAATI
dieu-lion,
fils de la déesse-hippopotame Viatla
et du dieu-rhinocéros Achéron

REWAIN
dieu-zèbre,
fils de la déesse-hippopotame Viatla
et du dieu-rhinocéros Achéron

1

SAPPHEIROS

ontrairement à ce qu'avaient jadis raconté Corindon, l'augure Mann et le conteur Itzaman, Sappheiros n'était en aucune façon relié au dieu-jaguar Solis. En fait, il ne faisait même pas partie du panthéon félin et n'appartenait pas non plus à la lignée d'Abussos. Des milliers d'années avant cette ère, il avait vu le jour dans un autre univers.

Afin de s'assurer que tous les besoins de sa famille étaient comblés, le dieu-rhinocéros Achéron, qui régnait sur un monde parallèle, avait créé des centaines d'Immortels pour le servir. Les brebis étaient devenues des servantes et des dames de compagnie au service de son épouse, et les taureaux avaient choisi de veiller sur le palais et la citadelle céleste.

Achéron attribua les tâches restantes aux autres animaux, mais certains échappèrent à sa surveillance. Plusieurs des Immortels qui devaient agir comme sorciers auprès de la famille royale s'enfuirent du palais et, puisque le dieu-rhinocéros leur avait donné le pouvoir d'adopter une apparence humaine, ils se mêlèrent facilement aux humains créés par sa femme Viatla. Il devint donc impossible de les retrouver. Quant aux créatures ailées, Achéron avait été incapable de les garder auprès de lui. Elles s'étaient toutes envolées.

Sappheiros faisait partie des hommes-oiseaux qui s'étaient établis sur Gaellans, une île rocheuse à l'est du grand continent d'Alnilam. Ce qui le différenciait des autres membres de sa colonie, c'était son apparence. Sa mère albatros s'était éprise d'un sorcier-félin qui avait échappé à l'oppression des dieux. Sappheiros, sous sa forme animale, était donc un cougar ailé. Ces Immortels, qui étaient en fait des dieux, avaient vécu des centaines d'années sans être importunés. Les habitants de Gaellans ne s'occupaient que d'eux-mêmes sans se douter que les étoiles allaient bientôt sceller leur destin.

Au palais d'Achéron, les sorciers, qui observaient le ciel en plus de fabriquer toutes sortes de potions pour leur maître, perçurent un danger imminent. Une prophétie venait d'apparaître dans plusieurs constellations en même temps : *un dieu ailé réussira à anéantir tout le panthéon et à libérer les humains de son joug*. Les mages noirs s'empressèrent de rapporter leur découverte à Achéron. Celui-ci éclata de colère et lança les chauves-souris à l'assaut de la colonie en pleine nuit, avec l'ordre de tuer tout ce qui y vivait. Afin de garantir sa place sur le trône une fois qu'il aurait supplanté son père, le jeune dieu-lion Kimaati accepta de diriger ce génocide et d'augmenter divinement la force de frappe des chauves-souris. À bord d'une nacelle suspendue aux pattes de hiboux géants, il rugit ses ordres avec une telle efficacité que le massacre ne dura que quelques heures à peine.

Parti à la chasse sur les côtes d'Aludra avec d'autres membres de la colonie, Sappheiros ne rentra qu'au matin. Il s'effondra en trouvant sa femme et ses enfants baignant dans leur sang. Rassemblant tout son courage, il participa aux rites funéraires avec les derniers survivants de Gaellans et jeta lui-même les corps de ses êtres chers à la mer. La pluie nettoya les nids, mais elle ne réussit pas à effacer cet horrible souvenir dans son esprit. Le seul rescapé de cette extermination était Océani, un garçon de dix ans qui s'était retrouvé écrasé sous les cadavres, où il avait manqué d'air et perdu connaissance. C'est lui qui raconta aux chasseurs ce qu'il avait vu ce soir-là. L'image du dieu-lion commandant les chiroptères assassins se mit alors à hanter Sappheiros, jusqu'à ce qu'il décide de lui faire payer son crime.

Il ne restait plus qu'une centaine de créatures insulaires. Les quelques couples qui avaient échappé à la tuerie faisaient de leur mieux pour repeupler l'île, mais rien n'était plus comme avant. Les habitants de Gaellans ignoraient qu'ils faisaient l'objet d'une prophétie, car ils n'avaient pas appris à interpréter les signes du ciel. À part Sappheiros, tout ce qu'ils désiraient, c'était de vivre en paix. Pour ne plus jamais être pris au dépourvu, ils instaurèrent des tours de guet. Lorsque Sappheiros s'installait sur le plus haut rocher pour scruter les alentours, à l'affût de tout bruit suspect, il finissait toujours par retourner dans sa tête ses plans de vengeance. Le premier membre de la famille royale à mourir serait Kimaati.

Persuadé que les siens pourraient éviter un second massacre, Sappheiros décida qu'il était temps pour lui de partir. Il s'assit une dernière fois sur le rebord du nid où étaient nés ses enfants. Leur odeur avait disparu. « Ils sont dans le monde des morts avec leur mère », tenta-t-il de se consoler.

— Tu t'en vas, n'est-ce pas ? fit la voix inquiète d'Océani.

Le cougar, dont les ailes étaient repliées sur son dos, se retourna lentement pour contempler le visage de ce gamin devenu un homme.

— Je dois punir celui qui a fait périr nos familles.

— Laisse-moi y aller avec toi.

— Non, Océani.

— Je suis jeune, vigoureux et ma magie est de plus en plus puissante. Je sais même faire apparaître des couteaux et les lancer à la vitesse de l'éclair.

— Où as-tu appris cela ?

— En épiant les humains.

— Je ne peux pas t'emmener dans cette quête de laquelle je ne réchapperai pas.

— Mais je veux venger mes parents, moi aussi !

— Ton tour viendra, mon ami. Je dois partir seul.

— Alors, je jure sur la tête de tous ceux qui sont morts ici que je marcherai sur tes pas et que je tuerai ceux qui t'auront échappé.

— Tu es bien prétentieux, Océani, mais si c'est ce que tu veux, je te souhaite de réussir.

Le jeune Immortel s'approcha et lui serra le bras droit, comme c'était la coutume sur Gaellans pour se dire au revoir.

— Protège-les en mon absence.

— Tu peux compter sur moi, Sappheiros.

Le cougar déploya ses grandes ailes blanches et prit son envol. Impuissant, Océani le regarda disparaître en direction d'Antarès. Les anciens avaient toujours prétendu que c'était là que se situait le portail menant au monde des dieux et bientôt, Sappheiros aurait l'occasion de vérifier leurs dires.

Pour ne pas s'épuiser avant de porter le coup mortel à Kimaati, l'Immortel se reposa à plusieurs reprises sur les plus hauts pics d'Aludra et d'Ankaa avant d'atteindre enfin le pays d'Arcturus. En route, il se nourrit des petits fruits qui poussaient partout sur leurs versants. Il avait souvent aperçu la montagne bleue à partir de Gaellans, mais jamais il n'avait imaginé qu'elle était aussi colossale. Il en fit le tour en planant et aperçut finalement une faille dans le roc, près du sommet. Il se posa sur l'étroite corniche et replia ses ailes. Une énergie électrisante animait la grotte.

Prudemment, Sappheiros fit quelques pas à l'intérieur. Il se sentit aspiré par la lumière, mais ne résista pas. Il ignorait ce qui se trouvait de l'autre côté du maelstrom, mais ce n'était plus le moment de reculer. Il fut emporté dans un tourbillon glacé. Lorsque ses pieds touchèrent brusquement le sol, la lumière disparut et il se retrouva debout sur le bord d'une grande plateforme en cuivre rattachée à un immense palais circulaire. Il vit aussitôt les taureaux qui en gardaient l'accès et se laissa tomber dans le vide avant qu'ils le repèrent.

Ouvrant ses ailes, il se laissa porter par le vent. En dessous du palais, juché au sommet d'une haute colline, s'étendait la cité d'Achéron, où vivaient ses sujets divins. Sappheiros se posa dans une rue déserte, où il se transforma en humain pour passer inaperçu. En effet, très peu d'humains préféraient conserver leur apparence animale. Le cougar explora la ville pendant toute la journée en écoutant les conversations et finit par apprendre, dans une taverne, qu'après le massacre des habitants de Gaellans, Kimaati avait tenté de détrôner son père. Ayant lamentablement échoué, il avait pris la fuite. « Pour aller où ? » s'étonna Sappheiros. Puisque personne n'en parlait, il finit par se risquer à le demander au propriétaire de l'établissement.

– Il existe plusieurs hypothèses, répondit le tavernier. La plupart pensent qu'il se cache sur le continent d'Alnilam, mais moi, je suis sûr qu'il n'est même plus dans notre monde.

– Il y en a d'autres ?

– Apparemment, à partir du palais, un vortex permet d'accéder à un autre univers.

Sappheiros attendit la tombée de la nuit avant de retourner sur la plateforme. Dès qu'il y fut, il referma ses ailes un peu trop voyantes et se servit de ses sens divins pour flairer l'énergie le long de sa circonférence. Il retrouva facilement celle de la montagne bleue, puis en découvrit une autre, fort différente. Puisqu'il ne pouvait pas demander où elle menait aux gros bovins qui somnolaient devant l'entrée du palais, il décida de tenter sa chance. Il sauta. Le tourbillon s'ouvrit sous ses pieds et le déposa dans un autre monde quelques secondes plus tard.

Le cougar pivota sur lui-même, étonné. Il n'y avait rien à des lieues à la ronde. Rassemblant son courage, il commença sa longue quête et découvrit une dizaine de portails métalliques gardés par des sentinelles. Il s'écrasa sur le sol, puisqu'il ne pouvait se cacher nulle part.

En rampant, il s'avança prudemment vers la structure surveillée par des serpents et des vautours. « Comment franchir ces grandes portes sans qu'ils sonnent l'alarme ? » se découragea-t-il. « Comment Kimaati y est-il parvenu ? » Sappheiros tenta d'abord de les contourner. Il se cogna aussitôt le nez sur la membrane invisible qui servait de frontière entre le domaine d'Achéron et celui d'Abussos.

Sans se démonter, il longea ce nouvel obstacle en s'éloignant des gardiens. « Lequel de mes pouvoirs pourrait me permettre de traverser cette cloison magique ? » se demanda-t-il. Ses griffes n'étaient pas comme celles d'un félin ordinaire : elles pouvaient trancher la chair et l'acier. Alors il s'immobilisa et prit le temps de réfléchir avant de les utiliser contre la membrane. S'il ne réussissait pas à l'entailler suffisamment pour s'y faufiler, les vautours et les serpents s'élanceraient et le captureraient sans difficulté. « Cela ne doit pas arriver », songea-t-il.

Il prit une profonde inspiration, puis se remit debout. Avec toute sa force, il planta ses griffes dans la pellicule invisible et se jeta à plat ventre pour la déchirer vers le bas. Il entendit aussitôt les cris d'alarme des sentinelles. « J'ai réussi ! » s'étonna-t-il.

Il écarta les bords de la fissure et passa dans l'autre monde. Sans demander son reste, il ouvrit ses ailes et s'éloigna à toute vitesse. Il ne se posa que quelques heures plus tard dans un autre univers. Ainsi débutèrent ses interminables pérégrinations, qui lui permirent de découvrir que la galaxie comportait de nombreux panthéons. Mais il ne vit nulle part la trace de Kimaati.

C'est en passant d'un monde à un autre qu'il finit par aboutir sur une prairie d'herbe bleue qui s'étendait à perte de vue. Il ne voyait aucune habitation. Il commença par s'abreuver à une source cristalline, puis il poursuivit sa route sans se presser. Au bout de quelque temps, il arriva en vue d'une grande rotonde immaculée où plusieurs dieux inconnus étaient rassemblés. En les observant entre les grands rideaux de voile blanc tendus entre les hautes colonnes, il eut une idée. « Je possède une bombe créée dans l'autre monde », se rappela-t-il. « Je n'ai qu'à la faire éclater au-dessus de la structure pour que ces divinités croient avoir été attaquées par un membre du panthéon d'Achéron. Si Kimaati se trouve bel et bien ici, elles se lanceront à sa poursuite et je n'aurai qu'à les suivre... »

Il fouilla donc dans ses poches et trouva la *maskila* qu'Océani avait réussi à subtiliser à un inventeur de Markab pendant une expédition de chasse et qu'il lui avait offerte en guise de cadeau d'adieu. Sappheiros n'avait aucune idée de sa puissance, car il n'avait pas vu les terribles explosions provoquées par ces bombes la nuit du massacre de ses semblables. Il prit son envol et laissa tomber le projectile sur le toit de la rotonde. En prenant de la vitesse, la sphère de cristal s'anima et devint si brûlante qu'elle passa à travers la pierre. Elle explosa à l'intérieur du bâtiment avec une telle force que le cougar ailé effectua plusieurs culbutes aériennes avant d'être brutalement projeté sur le sol.

Lorsque sa tête arrêta de tourner, Sappheiros rampa jusqu'à la rotonde afin de suivre les dieux qui allaient se mettre à la recherche de Kimaati, mais il constata avec stupeur qu'ils étaient tous morts ! Son plan avait lamentablement échoué... Tourmenté par le remords, il laissa ses sens félins le guider vers un point d'eau. Après avoir bu abondamment, il se remit en chemin et finit par aboutir dans une forêt d'arbres immaculés aux feuilles transparentes. Celles-ci brillaient sous les rayons de lumière qui émanaient d'un étang. Il renifla la surface de l'eau et y vit apparaître des images.

En les étudiant, il comprit qu'il s'agissait de scènes de la vie des humains. Il n'en reconnaissait aucun, mais ce qu'il observa s'avéra fort instructif. « C'est sûrement là que le dieu-lion est allé », conclut Sappheiros. « Mais comment s'y rendre ? » Il toucha l'eau du bout d'une patte et fut aussitôt aspiré par une force irrésistible qui le tira vers le fond de la mare. Il se débattit férocement, mais au lieu de se noyer, il émergea plutôt dans une rivière, sous un soleil éclatant. Il se hâta de nager jusqu'à la berge et s'allongea dans les roseaux pour reprendre son souffle.

L'odeur de la nourriture l'aida à recouvrer ses sens. Sous le couvert de la végétation, il se rapprocha d'une agglomération qui ne ressemblait en rien aux villes de son monde. Les gens ne vivaient pas dans des maisons de bois à deux étages alignées de chaque côté de larges rues comme sur Alnilam. Ils occupaient des chaumières en pierres recouvertes de foin ! Et ils faisaient cuire leurs aliments dehors ! Il ne fut donc pas difficile à Sappheiros de s'emparer d'une pièce de viande rôtie et de s'envoler avec son butin.

Une fois rassasié, le cougar ailé partit à la recherche d'une véritable cité, mais ne trouva qu'un grand château à l'aspect plutôt rudimentaire. Il se posa à l'extérieur, reprit sa forme humaine, fit disparaître ses ailes et traversa le pont-levis. Les paysans vêtus de simples tuniques allaient et venaient à pied ou sur des charrettes. À côté de ces gens, l'allure de Sappheiros était princière. En effet, lorsqu'il se changeait en homme, il avait les cheveux châtains mi-longs peignés vers l'arrière, une barbe de deux jours et des yeux mordorés. Il portait un pantalon en velours noir, une chemise blanche et une veste bourgogne très seyante.

Dans la grande cour, les marchands offraient leurs produits à ceux qui s'approchaient pour les examiner. C'est en faisant semblant de choisir des fruits sur un étal que le cougar entendit enfin une bribe d'information intéressante.

Une rumeur voulait qu'un dieu étranger se soit emparé d'une forteresse dans les volcans.

— De quel côté se trouvent ces volcans ? demanda-t-il, à tout hasard.

— Mais tout le monde le sait ! répliqua un des clients, surpris.

— Je ne suis pas de la région.

— Venez avec moi.

L'étranger le fit sortir de la forteresse et lui pointa l'est.

— Vous voyez cette énorme chaîne de montagnes ? Ce sont les volcans.

— Merci, mon ami.

Sappheiros le salua de la tête et se mit à marcher en direction de sa prochaine destination.

— Vous allez y mettre des jours, à pied. Je vends des chevaux.

— Ce ne sera pas nécessaire, mais je vous remercie.

Dès qu'il eut traversé la forêt qui le séparait de la rivière, Sappheiros déploya ses ailes, qu'il pouvait faire apparaître tant sous sa forme animale que sous sa forme humaine, et vola jusqu'aux imposantes montagnes rocheuses.

Il n'eut aucune difficulté à trouver An-Anshar : c'était le seul lieu habité de la région. Cependant, l'énorme dôme d'énergie sous lequel reposait le château l'empêcha de s'en approcher suffisamment pour provoquer Kimaati en duel.

Sappheiros élut donc domicile dans une crevasse au sommet d'un des volcans que le dieu-lion n'avait pas encore nivelé. De son perchoir, il pouvait voir tout ce qui se passait à An-Anshar, mais il n'y remarqua pas beaucoup d'activité. Il trouva des couvertures abandonnées dans les ruines d'un village sur le versant est des montagnes, ainsi que des fruits sauvages dans les arbres de l'autre côté d'un large torrent. C'est ainsi qu'il commença à faire le guet.

Il aperçut à plusieurs reprises une femme blonde qui sortait de la forteresse pour se rendre dans un cercle de pierres au centre d'un cratère, mais la barrière protectrice ne lui permettait pas de sonder ce qui se passait à l'intérieur. Il ne savait donc pas qu'il s'agissait de l'enchanteresse Moérie. Kimaati l'y avait suivie quelques jours plus tard. S'il ne pouvait pas lui faire payer ses crimes pour l'instant, Sappheiros avait au moins la confirmation que le meurtrier se cachait bel et bien à cet endroit. Dès lors, le cougar ailé se mit à survoler le dôme tous les soirs afin d'y trouver une faille. Il avait l'intime conviction qu'il finirait par découvrir une façon de pénétrer à An-Anshar.

Toutefois, quelques jours plus tard, Sappheiros vit sa chance lui filer entre les doigts alors qu'il revenait de la chasse sur les terres des Nacalts. Sur le grand plateau qui s'étendait devant la forteresse, Kimaati, sous sa forme animale, était en plein combat singulier contre un gros dragon bleu. Sappheiros lâcha sa proie sur la corniche et battit furieusement des ailes pour rejoindre les antagonistes, mais il arriva trop tard. Le dieu-lion venait de faire tomber son adversaire dans un précipice et rentrait dans sa forteresse en refermant le dôme d'énergie derrière lui.

« Je n'aurais pas dû m'éloigner... » se reprocha Sappheiros. Il retourna à son antre en se promettant que c'était la dernière fois qu'il se montrait aussi imprévoyant.

2

SIMIUSSA

Ayant laissé ses plus jeunes enfants sous la garde de son épouse Napashni au palais du Roi Kahei, Onyx s'enfonça dans la forêt qui séparait le Royaume de Djanmu de celui de Simiussa en compagnie de Wellan, Fabian et Cornéliane. Les bébés lui manquaient déjà, mais la présence d'autres adultes lui ferait du bien. Il savait que sa progéniture était entre de bonnes mains, car lorsqu'elle se mettait en colère, sa compagne se transformait en un terrifiant griffon. Cependant, elle n'aurait sans doute pas besoin de recourir à sa magie, car le Roi Kahei protégeait adéquatement sa forteresse.

Tandis qu'Onyx se frayait un chemin entre les arbustes sur un tapis de végétation en décomposition, Wellan observait tout ce qui l'entourait. Il remarqua que même si elle se situait au nord de celles de Djanmu, de Ressakan et du pays des Nacalts, cette forêt était beaucoup plus riche. Il y avait davantage d'arbres d'espèces plus variées. Certains s'élevaient à des hauteurs vertigineuses. Des plantes poussaient sur l'écorce de ces géants sylvestres pour profiter de la lumière. Plusieurs espèces de lianes se hissaient également sur leur tronc.

Les branches de ces milliers d'arbres formaient une épaisse canopée, véritable mosaïque de couleurs. C'était là que semblaient pousser les meilleurs fruits, graines et fleurs. Étant donné que cette voûte végétale bloquait en grande partie la lumière et sûrement aussi la quantité d'eau que recevait le sol, les conditions qui régnaient dans le sous-bois étaient fort différentes. Les feuilles des arbres plus petits étaient moins développées et, afin de conserver le peu d'humidité qui leur parvenait, leur surface était cireuse. Sur les racines poussaient des fougères, des orchidées, des broméliacées et une variété incroyable de plantes au large feuillage.

«Il faut que j'apprenne à dessiner en marchant», se dit Wellan, émerveillé. Fabian avait décidé de se poster derrière l'ancien commandant des Chevaliers pour qu'il ne s'attarde pas partout, sa curiosité étant sans borne.

En arrivant dans une des rares clairières de cette jungle luxuriante, Fabian reçut quelque chose dans le dos. Pensant qu'il s'agissait d'un fruit qui s'était détaché d'une branche, il n'en fit aucun cas. Mais quelques minutes plus tard, il en reçut un deuxième, puis un troisième !

— Aïe ! s'écria Cornéliane, qui se faisait également bombarder.

Onyx se retourna et scruta rapidement la canopée. Des créatures s'y cachaient et c'étaient elles qui les attaquaient. Il forma tout de suite un dôme protecteur. Les projectiles y ricochèrent sans plus les atteindre.

— Quelqu'un est blessé ?

Cornéliane lui montra son bras qui saignait. Onyx referma vivement sa plaie en utilisant une douce lumière émanant de sa paume.

— On dirait que nous ne sommes pas les bienvenus ici, se désola Wellan.

Ne voulant pas être obligé de tuer quelqu'un, Onyx décida d'entamer des négociations.

– Où est votre chef ? demanda-t-il d'une voix forte.

Un tumulte de cris aigus retentit.

– Si c'est une nouvelle langue, alors nous aurons besoin d'un interprète, plaisanta Fabian.

– Ce n'en est pas une, affirma Cornéliane, sinon le sort d'interprétation nous permettrait de comprendre ce qu'ils disent.

– Je veux parler à celui qui vous commande ! poursuivit Onyx en s'efforçant de maîtriser sa colère.

Non seulement les hurlements assourdissants se poursuivirent, mais ils furent accompagnés d'une nouvelle salve de fruits recouverts d'épines.

– Je n'arrive pas à distinguer qui nous pilonne ainsi, lâcha Fabian.

– Ce sont des créatures très agiles qui sautent d'une branche à l'autre, les informa Cornéliane.

– Il n'y a qu'une façon de savoir qui ils sont, murmura Onyx, surtout pour lui-même.

Tout en maintenant son bouclier de protection, il secoua violemment l'un des arbres à quelques pas d'eux avec sa magie. Il se mit alors à pleuvoir de grands singes roux, noirs et blonds. Le premier choc passé, ils écarquillèrent les yeux en se retrouvant devant les humains avant de s'enfuir entre les fougères.

— Ce n'est pas la population locale, on dirait, fit remarquer Wellan.

Soudain, le sol commença à vibrer sous leurs pieds.

— Ils sont allés chercher leurs amis ? s'inquiéta Fabian.

— Ce sont des chevaux, dit Onyx.

En quelques secondes, un troupeau d'une vingtaine de bêtes avait envahi la clairière et galopait autour des humains. En constatant qu'il s'agissait de créatures mi-hommes, mi-chevaux tenant des lances à la main, les aventuriers ne cachèrent pas leur étonnement.

— Qu'est-ce que c'est que ça ? lâcha Fabian, stupéfait.

— Je n'en sais rien, avoua Wellan, mais c'est fascinant.

Les centaures s'immobilisèrent en pointant leurs armes sur les étrangers.

— Êtes-vous des chasseurs ? demanda l'un des hommes au pelage et aux longs cheveux aussi noirs que la nuit.

— Non, répondit Onyx. Je suis l'Empereur d'An-Anshar et je cherche le roi de ce pays.

— Dans ce cas, vous êtes au mauvais endroit et, pire encore, vous risquez d'être tués et de servir de repas aux Simiusses.

Onyx décida d'attendre avant de leur apprendre que sa magie leur éviterait de finir ainsi.

— Suivez-nous.

Le quatuor marcha entre les centaures en se demandant si c'étaient eux qui dirigeaient Simiussa ou s'ils faisaient partie de l'armée du roi. Onyx trouvait étrange que Kahei ne les ait pas prévenus de l'existence de ces créatures. Wellan remarqua qu'ils suivaient un sentier creusé dans le sol par des centaines d'années d'utilisation. « Si nous l'avions vu plus tôt, nous aurions pris la bonne direction », songea-t-il.

Ils sortirent tout à coup de la jungle et furent aveuglés par le soleil. C'est donc entre des paupières mi-closes qu'ils aperçurent l'imposante cité en pierre rose qui s'élevait devant eux.

— Ça ne ressemble à rien de ce que nous avons déjà vu, commenta Wellan.

Les centaures leur firent franchir une large porte dans des remparts aussi hauts que la muraille d'Émeraude et qui, de la même façon, semblaient faire tout le tour de ce curieux château.

— Si les Elfes avaient été capables de tailler la pierre, ils auraient certainement créé une architecture aussi élégante, continua de s'émerveiller Wellan.

Le palais occupait le fond de l'enceinte et s'étendait à droite et à gauche en s'adossant à une partie des grands murs. Il avait été construit avec le même type de grès que les murailles. Devant sa façade s'étalait une vaste terrasse délimitée par une balustrade finement travaillée. Il était facile de déterminer qu'il comptait cinq étages, car sur chacun s'ouvrait une large galerie dont le toit soutenu par des colonnes sculptées servait de plancher à celle du dessus. Toutes les portes et toutes les fenêtres étaient en forme de serrure.

— C'est vraiment magnifique, s'étrangla Wellan.

Sur un signe des centaures, ils grimpèrent sur la terrasse, où leur arrivée ne passa pas inaperçue. Des centaines d'autres êtres semblables s'approchèrent pour les examiner de plus près. L'un d'eux avait le poil roux, les pattes blanches et de longs cheveux blonds.

— Je m'appelle Chéalyne et je suis le chef des Kentauros, se présenta-t-il.

— Je suis l'Empereur Onyx d'An-Anshar et voici mes enfants Fabian et Cornéliane, ainsi que notre fidèle ami Wellan d'Émeraude.

— Où sont ces contrées ?

— Dans les volcans et au-delà.

Sa réponse fit courir des murmures d'incrédulité parmi le peuple équin.

— Je ne savais pas que les volcans étaient habités, avoua Chéalyne.

— Et moi, j'ignorais que votre race existait. Votre cité est très belle.

— Vous dites vrai, mais nous n'en sommes pas les bâtisseurs.

— L'avez-vous conquise ?

— Non. Nous l'avons trouvée abandonnée lorsque les dieux nous ont rejetés ici.

— Rejetés ? répétèrent en chœur les quatre humains.

— Avant que je vous raconte tout cela, accepterez-vous des rafraîchissements ?

— Ce ne serait pas de refus.

Une jeune pouliche isabelle aux cheveux bruns s'empressa d'aller remplir à la fontaine de gros gobelets d'argent sertis de pierres précieuses. Pendant ce temps, les centaures se couchèrent sur le sol à la façon des chiens, mais en gardant le torse très droit.

– Qui sont vos dieux ? demanda Wellan pour mieux comprendre ce que Chéalyne allait leur révéler.

Tous les Kentauros éclatèrent de rire.

– Après ce qu'ils nous ont fait, nous avons cessé de les vénérer il y a fort longtemps, expliqua le chef.

– J'essaie surtout de savoir qui vous a traités de cette façon.

– Nous avons oublié leurs noms et c'est très bien ainsi. Les Anciens prétendent qu'ils nous ont transportés ici pour que nous y mourions, mais nous avons survécu. Nous n'étions qu'une vingtaine et maintenant, nous sommes tout un peuple.

Un très jeune poulain arriva au galop, ses sabots résonnant sur la pierre.

– Papa ! Le repas est prêt !

– Après toi, Éleusis.

Les centaures se levèrent et marchèrent derrière l'enfant, sauf ceux qui étaient de garde ce jour-là. D'un geste, Chéalyne convia ses invités à leur emboîter le bas. Wellan suivit ses amis en regardant partout. Ils pénétrèrent dans un hall démesurément grand au centre duquel brûlait une flamme perpétuelle alimentée par un immense réservoir de gaz souterrain. Sur de longues tables étaient alignés des seaux de grains, d'herbe, de petits fruits et d'autres végétaux.

— Pas tout à fait notre alimentation, murmura Cornéliane, découragée.

— Servez-vous, les convia Chéalyne.

— Sans vouloir vous offenser, nous préférerions manger la nourriture à laquelle nous sommes habitués, répliqua Onyx.

— Vous êtes carnivores ?

— Seulement quand nous trouvons de la viande. Nous aimons aussi les légumes et les fruits, mais préparés autrement que ceux-ci.

L'empereur fit apparaître devant son groupe des plats qu'il venait de subtiliser à Émeraude, composés de pommes de terre, de carottes, de haricots, de poisson et de fromage. Son intervention plongea l'assemblée dans la stupeur.

— Tout ceci ne pouvait pas être dans vos besaces ! s'exclama Chéalyne, qui ne comprenait pas ce qu'il venait de voir.

— Vous avez raison, confirma Onyx. J'ai fait apparaître tout cela.

— Êtes-vous un sorcier ?

— Je suis le fils du dieu Abussos.

— Un dieu ! se courrouça le centaure. Êtes-vous venu nous achever ?

— Non. Je suis ici pour vous offrir ma protection.

Après un instant de surprise, Chéalyne se mit à rire, ce qui rassura ses semblables.

– Mes guerriers ont été obligés de vous secourir dans la jungle et vous osez m'offrir votre assistance ?

– J'aurais pu tuer tous ces singes, mais mon but n'est pas de semer la destruction.

– Tous ? se moqua le chef.

Onyx tendit les bras de chaque côté et retourna ses paumes en y faisant apparaître des flammes ardentes. Dans le hall, les centaures reculèrent, paniqués, et les mères poussèrent leurs petits derrière elles.

– J'aurais pu tous les tuer, répéta-t-il très sérieusement.

– Vous possédez les mêmes pouvoirs que les sorciers ! s'exclama Chéalyne, le seul à être resté devant lui.

– Je suis Nashoba, fils d'Abussos.

Il se transforma en un loup tout noir, aussi gros qu'un centaure, puis reprit son apparence humaine avant que tous prennent la fuite. Pour ne pas indisposer davantage ses futurs sujets, Onyx se mit ensuite à manger le plus tranquillement du monde.

– Ce que vous arrivez à faire est vraiment impressionnant, commenta Chéalyne en revenant à la table.

– Et ce n'est qu'une petite partie de mes pouvoirs.

– En quoi consiste cette protection que vous désirez nous offrir ?

– Je suis en train de réunir tous les peuples de ce continent pour que la paix règne enfin entre eux.

– Nous n'entretenons aucun contact avec les autres peuples.

– Et si vous voulez continuer de vivre ainsi, je respecterai votre désir, mais pour que les choses ne changent pas, j'ai besoin d'agir comme un père avec ses enfants.

À côté de lui, Wellan avait avalé son repas en vitesse, puis sorti son journal et sa plume. Sans que personne s'occupe de lui, il s'était mis à dessiner le hall, son architecture élaborée ainsi que les centaures qui se nourrissaient plus loin, n'osant plus s'approcher d'Onyx.

– J'ai déjà rencontré les représentants de la plupart des autres royaumes d'Enlilkisar et j'ai choisi dans chaque contrée un régent qui sera mes yeux et ma voix. Il ne me reste plus que deux pays à visiter après le vôtre.

– Ils ont accepté que vous soyez leur grand dirigeant ?

– Absolument tous.

– Que ferez-vous si je refuse ?

– Je continuerai de vous harceler, répliqua Onyx avec un sourire espiègle. Je suis très têtu.

– Buté, obstiné, entêté, opiniâtre, grommela Fabian.

Onyx lui jeta un regard amusé.

– Il obtient toujours ce qu'il veut, confirma Cornéliane.

Absorbé par son travail, Wellan ne les écoutait plus.

– Vous n'avez pas changé la loi de ces peuples ? voulut s'assurer Chéalyne.

– Seulement dans le cas de trois d'entre eux, que les dieux avaient divisés autrefois, l'informa Onyx. Je les ai réunis, mais s'ils veulent maintenant transformer leurs coutumes, ça les regarde.

– Et vous, qu'en retirerez-vous ?

– Tout ce que je veux, c'est un engagement de la part de chaque peuple à ne pas s'en prendre à ses voisins et la promesse de donner suite à mes conseils ou à mes avertissements que leur répéteront mes représentants. De ma forteresse, au sommet du plus haut volcan, je peux tout voir, même le danger. Je ne laisserai rien leur arriver.

Le chef de Kentauros se mit à plonger les mains dans les seaux pour choisir sa nourriture. Il était profondément songeur. Onyx ne le pressa pas. Il mangea en scrutant magiquement le cœur des autres centaures pour s'assurer qu'ils ne préparaient pas une révolte. Il y trouva plutôt du respect mêlé à de la crainte.

– J'aimerais prendre le temps d'y penser, fit enfin Chéalyne. Acceptez notre hospitalité, cette nuit. Nous vous indiquerons votre chambre, mais vous ne devrez sous aucun prétexte ouvrir les volets. Les Simiusses sont d'habiles grimpeurs et les mâles désirant prouver leur valeur n'hésiteraient pas à vous égorger dans votre sommeil.

– Pourriez-vous me parler de ces créatures ? demanda Wellan, intéressé.

– Ils ont été expatriés en même temps que nous, mais nous n'avons jamais réussi à communiquer avec eux. Ces singes à moitié humains ne sont pas des créatures civilisées. Ce sont des animaux qui ne réagissent que par instinct. Ils ont eu beaucoup moins de veine que nous dans ces expériences perverses menées par les dieux. Leur nombre diminue d'année en année. Nous ne savons pas pourquoi, mais ils semblent nous tenir responsables de leur infortune.

— Les chassez-vous ?

— Nous ne sommes pas carnivores. Nous ne transportons des lances que pour les effrayer.

— Ils sont peut-être victimes d'un prédateur de la jungle, avança Wellan.

Oublie tout de suite l'idée de faire une recherche sur le sujet, l'avertit Onyx en utilisant son esprit.

— Y a-t-il des fauves dans la région ? continua le Chevalier, comme si son ami n'avait rien dit.

— Seulement les Pardusses, mais ils évitent de s'aventurer sur le territoire des Simiusses et vice versa.

Ne lui parle pas de Cherrval, ordonna Onyx.

— C'est vers leur pays que nous avons l'intention de nous diriger, indiqua Wellan.

— Eux, au moins, ils ont un cerveau, affirma Chéalyne, mais nous avons entendu dire qu'ils capturent ceux qui traversent leurs terres et qu'ils les vendent à des araignées géantes.

Ne lui mentionne pas non plus ce qui est arrivé à Liam.

— Nous racontons cette histoire à nos jeunes Kentauros pour qu'ils ne s'aventurent pas à l'extérieur de nos frontières, ajouta Chéalyne.

— Excellente idée, approuva Onyx.

Il fit apparaître une coupe de vin dans sa main.

— Je ne m'habituerai jamais à cette magie... avoua le chef des hommes-chevaux.

— À votre santé et à notre future collaboration !

L'empereur avala sa boisson préférée d'un seul trait.

3

LE CHEVAL AILÉ

Une fois que l'étalon Hardjan se fut posé sur le bateau du capitaine Rumesh, Briag se hâta de terminer la copie de la carte du nouveau monde gravée sur le pont. Il roula ensuite la peau de mouton, la glissa dans sa ceinture et rejoignit ses amis pour entendre le plan que Lassa avait élaboré.

– Nous ne savons pas ce qui nous attend à l'endroit où j'ai aperçu cette carte, indiqua-t-il, mais mon intuition me dit que c'est là que nous devons commencer nos recherches sur le continent.

– Une autre de tes facultés divines qui vient de se manifester ? s'enquit Briag.

– C'est possible. On dirait que je suis en pleine transformation.

Les trois hommes étudièrent attentivement la carte brûlée dans le bois.

– Devrions-nous choisir la route la plus directe ? demanda Briag.

– Ce serait en effet la solution la plus logique, répliqua Hawke, mais n'oublions pas que Lassa, sous sa forme animale, a besoin de plonger régulièrement dans l'eau.

— Dans ce cas, suivons les rivières. Lassa, as-tu besoin uniquement d'eau salée, ou peux-tu aussi nager dans de l'eau douce ?

— J'ai déjà nagé dans la rivière Sérida, se rappela le dieu-dauphin, et je ne m'en suis pas senti plus mal.

— Je suggère donc de longer la mer au pied des volcans jusqu'à cette baie, fit Briag en pointant du pied.

Il indiquait la rivière qui prenait naissance dans le pays des Itzamans puis traversait celui des Tepecoalts.

— Nous pourrons ensuite remonter vers le nord en survolant ce large cours d'eau qui semble mener à l'endroit où se trouve la carte que tu as vue.

— Je suis d'accord, accepta Lassa, mais cela prendra plusieurs jours. Il faudra trouver des endroits sûrs pour dormir, puisque nous ne connaissons pas la population locale.

— Nous trouverons des endroits inhabités à partir des airs.

— Si Isarn t'entendait... soupira Hawke.

— Il devra s'habituer à ma nouvelle personnalité ou me mettre à la porte.

— Je pense qu'il choisira la deuxième option.

Le capitaine Rumesh, qui les surveillait tous les trois depuis un petit moment, finit par s'approcher.

— Quand partez-vous, en fin de compte ?

— Dans quelques minutes, l'informa Lassa. Nous aurons besoin de gourdes et de provisions.

– Je vous fais préparer tout ça.

Il alla donner ses ordres au cuisinier.

– Nous avons pu constater que tu possèdes une extra-ordinaire endurance sous ta forme de dauphin, déclara Hawke à Lassa. Mais je ne suis pas certain que Hardjan sera capable de parcourir autant de distance que toi en une journée, surtout que nous serons deux sur son dos.

– Tu connais assez bien ta monture pour le sentir quand elle sera fatiguée. Tu n'auras qu'à me le faire savoir par télépathie.

L'Elfe s'approcha de son ancien destrier et plaça la main sur son chanfrein pour lui expliquer ce qui allait se passer. Les chevaux-dragons étaient des bêtes fort intelligentes, qui prenaient leurs propres décisions. Une fois que Hardjan eut compris ce que son maître attendait de lui, Hawke sut qu'il l'avertirait dès qu'il ressentirait le besoin de se reposer.

Les marins revinrent de la cale avec trois besaces remplies de vivres et des gourdes de cuir. Les moines s'en chargèrent, puisque la peau glissante de dauphin de Lassa ne lui permettrait pas de transporter quoi que ce soit.

– Nous sommes prêts, annonça Briag.

– Tu conserves ces vêtements de matelot ? s'étonna Hawke.

– Ils sont beaucoup plus confortables que ma tunique de Sholien.

– Mais ils n'indiquent pas que tu es un moine.

– Nous ne sommes plus au sanctuaire, Hawke.

Lassa attendit que ses compagnons se soient installés sur le dos de l'étalon avant de grimper sur la rambarde.

— Merci pour tout, capitaine Rumesh, fit-il. Vous pourrez rentrer chez vous beaucoup plus tôt que prévu.

— Soyez prudents. Ces contrées sont truffées de dangers.

Il faisait évidemment référence à la pieuvre géante qui avait immobilisé son bateau, des années plus tôt, dans la baie des Itzamans. Lassa le salua de la tête et plongea dans les flots, se changeant instantanément en un dauphin deux fois plus gros que Hardjan. Puis, il jaillit de l'eau et déploya ses ailes blanches. Le cheval noir sut tout de suite qu'il devait le suivre et les deux bêtes fantastiques se mirent à longer le littoral tandis que le bateau faisait demi-tour.

Les voyageurs firent une halte sur le bord de la rivière près d'une grande plaine inoccupée afin de se nourrir et de dormir quelques heures. Lassa en profita pour plonger dans les flots et humidifier sa peau divine.

— J'ai eu une idée, déclara Lassa à ses compagnons en revenant vers eux. Si Hardjan veut bien me faire confiance, je crois que je pourrais me glisser sous lui et le supporter afin de couvrir encore plus de distance chaque jour.

— As-tu une idée du poids que ça représente ? s'inquiéta Hawke.

— Sous ma forme de dieu, je ne ressens pas les choses de la même manière. Je plane sans la moindre difficulté et tout me paraît facile. Au pire, si je n'y arrive pas, nous poursuivrons notre route comme nous l'avons commencée.

— Es-tu pressé d'arriver ? le taquina Briag.

– C'est certain, mais je repensais aussi à ce que nous a dit le capitaine Rumesh et je n'ai pas envie de me mesurer aux prédateurs ou aux guerriers de ces pays étrangers.

– Je vais demander à Hardjan ce qu'il en pense, déclara Hawke en marchant vers le cheval-dragon.

L'Elfe revint vers ses amis.

– Il veut bien essayer, mais il exige que nous nous arrêtions encore au moins une fois sur le bord de la rivière, là où l'herbe est tendre, afin de se sustenter, expliqua-t-il.

– Entendu, accepta Lassa.

L'étalon prit son envol le premier, puis le dauphin le rattrapa et, en planant, vint se placer sous son ventre. Une fois que le cheval eut refermé ses propres ailes, Lassa recommença à battre des siennes.

– *Nous ne sommes pas trop lourds ?* demanda Hawke en utilisant son esprit.

– *On dirait que vous n'êtes même pas là !*

– *Autrement dit, tu ne le saurais pas si nous tombions dans le vide ?*

– *C'était juste une façon de parler, Hawke. Je ne ferai pas d'acrobaties, c'est promis. Cessez de vous inquiéter.*

Tel qu'il l'avait promis à Hardjan, Lassa se posa à la fin de la journée. Il entra aussitôt dans l'eau, puis en profita pour remplir les gourdes pendant que le cheval broutait à proximité.

– Est-il prudent de dormir ici ? demanda Hawke en regardant le soleil se coucher derrière les volcans.

– Je ne capte aucun danger pour l'instant, mais il est vrai que la majorité des prédateurs ne chassent que la nuit, répondit Lassa. Je pourrais allumer un cercle de feu autour de nous pour dissuader toute attaque, mais voulons-nous vraiment attirer ainsi l'attention ?

– Il nous reste encore toute une journée de vol avant d'arriver à destination, lui rappela Briag.

– Je suis parfaitement capable de me diriger dans l'obscurité, alors nous pourrons repartir dès que Hardjan sera repu. Mais serez-vous capables de tenir le coup, pour votre part ?

– Nous sommes des moines de Shola, répondit fièrement Briag.

– Alors, tu es moine quand ça t'arrange ? le piqua Hawke.

Comprenant qu'il n'aurait pas à voler lui-même, l'animal s'élança volontiers vers le ciel avec ses deux cavaliers et se laissa ensuite porter par le dauphin. Pour s'orienter, Lassa se fiait à ses sens, beaucoup plus aiguisés lorsqu'il adoptait sa forme divine. Lorsque leur destination fut finalement en vue, il s'étonna de ce qu'il pouvait déjà distinguer.

– *On dirait que nous sommes revenus à Enkidiev,* fit Hawke, comme s'il lisait dans ses pensées.

– *Ce royaume ressemble curieusement à celui de Jade,* avoua le dauphin. *Nous sommes vraiment tout près de cette carte. Je le sens dans mes entrailles. Préparez-vous à vous poser.*

L'apparition dans le ciel de Djanmu d'un dauphin volant surmonté d'un cheval créa tout un émoi. Les gardes du palais coururent informer le Roi Kahei de ce qui se passait et bientôt, tous les habitants du palais s'entassèrent sur les balcons pour observer l'étrange phénomène. Ne connaissant pas les coutumes de l'endroit, Lassa atterrit dans le premier grand jardin qu'il aperçut. Avant de toucher le sol, Hardjan avait déployé ses ailes noires pour se séparer du dauphin. De plus en plus habile, Lassa se transforma en humain et atterrit debout sur l'allée qui menait à une immense maison au toit en pagode. Il trouverait une source d'eau plus tard pour humecter sa peau divine. L'étalon se posa près de lui quelques secondes plus tard. Ils virent alors arriver un grand nombre d'hommes vêtus de kimonos noirs, la main sur la poignée de leur épée.

Lassa décida de se protéger d'abord, puis de s'expliquer ensuite. Il forma un bouclier autour de son groupe, sur lequel les premiers gardes de Kahei se cognèrent le nez. Sans se décourager, la centaine de soldats entourèrent les étrangers, prêts à les tailler en pièces.

– Arrêtez ! s'exclama une voix forte.

Les gardes s'écartèrent pour laisser passer un personnage vêtu de soie bleue et rouge. L'homme d'âge mûr, aux traits de Jadois, commença par examiner les inconnus avant de s'adresser à eux. Nerveux, le cheval ailé donna des coups de museau dans le dos de son maître.

– Hardjan veut repartir, murmura Hawke.

– Je vais éliminer la protection au-dessus de nos têtes, mais il doit faire vite, répondit Lassa. Je vais tenter de le protéger jusqu'à ce qu'il ait pris suffisamment d'altitude pour qu'aucune arme ne puisse l'atteindre. Le mieux, c'est qu'il fonce directement vers l'ouest pour rentrer à Enkidiev.

– C'est son intention.

N'aimant pas la convoitise qu'il captait dans le cœur du monarque, le cheval-dragon battit vigoureusement des ailes et s'éleva rapidement dans le ciel.

— Pourquoi l'avez-vous laissé partir ? protesta le Roi Kahei en se rapprochant de la bulle de protection de ces étranges visiteurs.

Puisque Lassa, Hawke et Briag n'avaient pas reçu le sort d'interprétation d'Anyaguara, ils ne comprirent pas ce qu'il leur disait.

— Nous ne parlons pas votre langue, s'excusa Lassa.

— Alors, laissez-moi vous aider, fit une voix étrangement familière.

— Napalhuaca ?

— C'est Napashni, désormais, fit l'impératrice en s'approchant du souverain. Mais je vous expliquerai tout ça plus tard. Permettez-moi d'abord de vous présenter le Roi Kahei de Djanmu. C'est au milieu de ses jardins que vous avez choisi d'atterrir.

— Toutes nos excuses, sire, fit Lassa en se courbant. Nous ne le savions pas.

— Ils comprennent vos paroles, mais pas les miennes ? s'étonna le souverain.

— Grâce à la magie de mon époux, sire. À son retour, nous lui demanderons de régler ce problème de communication. En attendant, je vous servirai d'interprète.

— Pourquoi le cheval n'est-il pas resté ?

Napashni leur traduisit la question.

– Il avait le mal du pays, répondit Lassa, qui, en réalité, n'en savait rien.

– Où est le dauphin ? demanda le roi à la jeune femme, une fois qu'elle eut traduit la réponse du dieu-dauphin.

– C'est ma forme divine.

Une fois que Napashni lui eut expliqué que Lassa était un dieu qui pouvait se métamorphoser, comme Onyx, Kahei se calma.

– Vous portez-vous garante de ces hommes ?

– Oui, sire.

– Emmenez-les dans vos quartiers. Je les reverrai à ma table, ce soir. Et prenez le temps de les instruire du protocole de ma cour.

– Avec plaisir.

Marchez derrière moi, ordonna Napashni par voie de télépathie.

Lui faisant confiance, Lassa neutralisa son bouclier et la suivit entre les guerriers qui leur cédaient le passage. Ils ne s'adressèrent de nouveau la parole qu'une fois qu'elle eut refermé les portes de son pavillon.

– Je suis tellement heureuse de te revoir, Lassa ! s'exclama Napashni en le serrant dans ses bras.

– Mais nous ne nous connaissons presque pas ! s'étonna le dieu-dauphin.

– Tu ne me reconnais évidemment pas. Je suis Swan dans le corps de Napalhuaca.

– Vraiment ? Est-ce encore un autre tour de sorcellerie d'Onyx ?

– Cette fois, il n'a rien à voir là-dedans. Ça s'est produit lorsque j'ai accouché de mon fils en même temps que la Mixilzin mettait sa fille au monde. Nous nous sommes fusionnées parce que nous partagions la même âme au départ.

Elle étreignit Hawke et serra poliment la main de Briag, qu'elle n'avait qu'entrevu au Château d'Émeraude. Elle les emmena ensuite s'asseoir autour d'une table basse.

– Que venez-vous faire ici ? s'enquit-elle en leur offrant du thé.

– Nous nous sommes donnés pour mission de retrouver une fillette qui nous sauvera tous, expliqua Lassa. Et durant cette quête, qui nous a menés jusqu'au nouveau monde, j'ai vu une carte dans mon esprit et cette vision m'a mené ici.

– Je vous aiderai avec plaisir, si je le peux.

– J'ai vraiment du mal à croire que tu es ma sœur d'armes, avec ce visage.

Napashni lui raconta alors quelques combats que les Chevaliers d'Émeraude avaient menés contre les Tanieths avec des détails que la prêtresse Napalhuaca ne pouvait pas connaître et qu'Onyx n'aurait pas pu lui raconter, puisqu'il n'y avait pas participé.

– Rien n'est jamais simple, dans la famille d'Onyx, plaisanta Lassa. D'ailleurs, où est-il ?

— Il est allé chez les Simiusses afin de les intégrer à son empire.

— Seul ?

— Non, avec Wellan, Fabian et Cornéliane.

— Wellan ?

— Nous l'avons croisé chez les Itzamans et il a décidé de participer à la grande entreprise de mon époux. Ils reviendront ici dès qu'ils auront également réussi à rallier les Pardusses et les Madidjins.

La jeune femme décida d'attendre avant de lui parler du changement d'apparence de son fils aîné. « Un choc à la fois », se dit-elle.

— Onyx sait-il qu'un dieu étranger s'est emparé de sa forteresse ? demanda Hawke.

Napashni plissa le front.

— Je me souviens tout à coup que Fabian et Cornéliane nous ont rattrapés chez les Anasazis afin de nous en informer... mais pourquoi l'avais-je oublié ? s'étonna-t-elle.

— Une défaillance de la mémoire ou un sort d'amnésie ? suggéra Briag.

— Peut-être bien... ou une des séquelles de l'accouchement...

— Avez-vous l'intention de reprendre votre forteresse ? demanda Lassa.

— Ma fille... se rappela Napashni. Je l'y ai laissée pour qu'elle soit en sécurité...

– Marek, qui a réussi à s'échapper d'An-Anshar, m'a assuré que Kimaati traitait bien ses prisonniers.

C'était un pieux mensonge, mais il ne voulait pour rien au monde faire paniquer sa sœur d'armes.

– Onyx voudra sûrement déloger l'usurpateur et libérer Ayarcoutec, déclara-t-elle, mais sa mission de paix lui tient aussi à cœur.

– J'avoue avoir du mal à l'imaginer autrement qu'en train de faire la guerre.

– Tout le monde peut changer, Lassa. Qu'avez-vous l'intention de faire, maintenant ?

– Poursuivre notre quête, bien sûr. J'ai de plus en plus l'intime conviction qu'elle est liée à Onyx.

– Dans ce cas, vous avez deux choix : l'attendre ici avec moi et les enfants ou partir à sa recherche. Mais il a déjà plusieurs jours d'avance et les derniers pays qu'il doit convaincre sont beaucoup plus dangereux que tous ceux que nous avons visités jusqu'à présent.

– Qu'attendons-nous ? s'enthousiasma Briag.

– Prenons le temps d'y penser, répliqua Hawke, plus prudent.

– Où sont les enfants ? voulut savoir Lassa.

– Ils suivent la même routine que ceux du roi. Leur journée est partagée entre les jeux et les classes de peinture, de musique et de danse. Je ne les revois que le soir et j'avoue que ça me fait le plus grand bien.

En attendant que ses amis prennent leur décision, Napashni leur offrit une chambre dans son pavillon. Elle leur remit des vêtements de soie et leur montra où se trouvaient les bains, puis les laissa se reposer et promit de venir les chercher pour le repas. S'isolant dans ses quartiers, elle communiqua avec Onyx pour lui rappeler que leur forteresse avait été prise d'assaut. Il ne lui cacha pas son inquiétude et lui promit d'accélérer les choses de son côté, afin de rentrer le plus tôt possible à An-Anshar.

Lassa, Hawke et Briag se lavèrent dans un grand bassin et firent une sieste sur un curieux matelas posé à même le sol. À son réveil, Lassa enfila un long kimono aussi bleu que ses yeux. «J'aimerais bien que Kira me voie habillé ainsi», songea-t-il, amusé.

Napashni se présenta à leur chambre quelques heures plus tard dans un kimono rouge vif. Elle les conduisit à travers le jardin, puis dans le palais, jusqu'à la grande salle où la famille royale prenait ses repas.

– Comment doit-on se comporter à la table du roi ? demanda Lassa.

– Il ne faut jamais manger ou boire avant lui, recommanda la jeune femme. Pour le reste, c'est à peu près comme chez nous. En cas de doute, imitez-moi. Si vous avez déjà mangé des mets de Jade, alors vous ne serez pas trop dépaysés.

Briag n'y avait jamais goûté, mais il avait hâte de tout essayer. Ils entrèrent dans la pièce, firent cinq pas, puis se courbèrent devant la longue table basse. Seul l'empereur s'y trouvait. Pour qu'il n'y ait aucun malentendu, Napashni conduisit les trois hommes aux places habituellement réservées aux visiteurs.

Le reste de la famille arriva ensuite. Calmes et surtout fatigués, les enfants s'assirent sur leur coussin en silence. Ils avaient remarqué la présence des étrangers, mais ils savaient qu'ils ne devaient pas parler avant Kahei. Seul Anoki esquissa un sourire discret, car il avait reconnu Lassa.

Après les prières usuelles, le roi prit la première bouchée, signalant aux autres convives qu'ils pouvaient enfin se servir dans les nombreux plats.

— Comment vous appelez-vous ? demanda Kahei en faisant signe à Napashni de traduire ses paroles.

— Je suis le Chevalier Lassa d'Émeraude, fils du Roi Vail et de la Reine Jana de Zénor, sire.

— Un prince ?

— C'est exact. Et voici mes compagnons, Hawke et Briag, des moines de Shola.

— Des moines ! Il y en a ici aussi, vous savez.

Napashni se rendit compte que Briag ne portait aucune attention à la conversation. Il fixait la petite Obsidia comme s'il venait de voir un fantôme. Lassa s'en aperçut aussi et lui donna un coup de coude discret dans les côtes.

— Nous l'avons trouvée, chuchota le Sholien.

Lassa suivit son regard et sonda l'enfant.

— Tu as raison.

— Vous cherchiez ma fille ? s'étonna Napashni en s'efforçant de sourire pour ne pas alarmer Kahei.

– Abussos a parlé d'elle à Hawke, et Wanda et Marek l'ont vue dans un songe. C'est elle qui nous sauvera d'un bain de sang.

– Nous en reparlerons ce soir, si vous voulez bien.

Napashni s'abstint de traduire ces paroles au Roi Kahei.

Après le succulent repas et les feux d'artifice, ils furent enfin libres de retourner au pavillon de Napashni. Rompus, les enfants ne furent pas difficiles à mettre au lit. Dès qu'Anoki, Jaspe, Obsidia et Kaolin furent endormis, la mère alla rejoindre ses invités dans leur chambre.

– C'est quoi, cette histoire ? fit-elle avec la fougue légendaire de la femme Chevalier qu'ils avaient connue.

Ils lui racontèrent tout ce qu'ils savaient sur la prophétie.

– Ce n'est qu'un bébé ! explosa la mère. Même si nous étions attaqués par toute une armée en provenance d'un autre monde, je ne l'emmènerais jamais au front.

– Nous ne savons pas exactement ce qui se produira, Napashni, mais Obsidia est très importante pour notre avenir, tenta de la calmer Hawke. Nous voulons seulement que tu le saches.

– Abussos a dit qu'elle aurait besoin de protection, ajouta Lassa. Sans doute que nos ennemis, peu importe qui ils sont, apprendront aussi son existence et le rôle qu'elle pourrait jouer dans leur défaite.

– Il n'est pas question que vous me l'enleviez afin de veiller sur elle, les avertit Napashni. Je suis parfaitement capable de le faire moi-même.

— Je n'en doute pas une seule seconde.

— Le sujet est clos. Passez une bonne nuit, messieurs.

Elle quitta la pièce et referma les panneaux de papier de riz derrière elle.

— Notre quête est-elle achevée ? s'enquit tristement Briag.

— Nous savons où est la petite et il n'y a aucun doute dans mon esprit qu'elle est bien protégée, résuma Lassa. Alors, que diriez-vous d'aller rejoindre Onyx pour lui prêter main-forte ?

— Oh oui ! s'exclama Briag.

Hawke se cacha le visage dans une main, de plus en plus découragé par la transformation de son ami moine. Lassa communiqua alors avec Kira pour lui dire qu'ils avaient enfin trouvé la petite fille en rouge et qu'il s'agissait d'Obsidia.

4

AUCUNE FUITE

Myrialuna passait de longues heures appuyée au rebord de la fenêtre de sa vaste chambre, entre les biberons de ses bébés et leurs changements de langes. Elle qui avait souvent souffert de la solitude à Shola, elle n'aurait jamais imaginé que la détention dans un grand château bien chauffé, où des serviteurs veillaient à combler tous ses besoins, serait encore plus déprimante. Ses garçons dormaient paisiblement dans leur berceau devant l'âtre sans avoir conscience de la situation. «Pauvres petits innocents», songea-t-elle. Elle refusait d'envisager ce qui se passerait lorsqu'ils seraient plus grands. Kimaati les endoctrinerait-il à leur tour? «Non, ça n'arrivera pas», décida-t-elle, résolue.

Ses filles, qui semblaient s'habituer à leur nouvelle couleur de cheveux, comprenaient qu'elles se trouvaient en danger, mais elles s'efforçaient d'agir comme si tout était normal. Elles pouvaient circuler à leur guise dans la forteresse et leur grand-père ne s'opposait pas à ce qu'elles le fassent sous leur forme d'eyras. Alors, en feignant de s'amuser, elles étudiaient tous les recoins d'An-Anshar, à la recherche d'une issue. Les Hokous, qui avaient déjà aidé Ayarcoutec à s'enfuir, n'osaient pas récidiver, de crainte de s'attirer les foudres du nouveau maître.

Pour sa part, Anyaguara affichait une attitude froide et indifférente à l'égard de Corindon, qu'elle tenait responsable de la perte des autres membres de son panthéon. Elle n'arrivait tout simplement pas à lui pardonner cette trahison et refusait de croire qu'il avait été envoûté par Moérie.

— Ce n'est pas de la sorcellerie qui l'a poussé à agir ainsi, grommela-t-elle un soir, assise à sa coiffeuse dans la chambre qu'elle partageait avec Danalieth. C'est l'appât du pouvoir. Il a suffi que cette femme lui promette qu'il régnerait sur le monde à ses côtés, et il lui a livré tous ses semblables !

— Nous avons tous fait des erreurs à un moment ou à un autre de notre vie, belle dame. C'est ainsi que nous apprenons.

— C'est le massacre de toute une famille que tu qualifies d'erreur ?

— Je ne cherche pas à excuser son geste, Anya. Je veux simplement que tu comprennes que nous ne pouvons plus rien y faire.

— Et s'il décidait de retourner Kimaati contre nous ?

— Je pense qu'il a compris que les despotes comme l'enchanteresse et le dieu-lion ne partagent pas leur autorité. La seule chose que peut envisager Corindon, à ce moment-ci, c'est de refaire complètement sa vie.

— Il n'en demeurera pas moins un danger pour tous ceux qu'il croisera.

— Au lieu d'être si dure avec lui, pourquoi ne lui offres-tu pas de l'aider à soulager sa conscience ? Tu es sa tante, après tout. Fais-le profiter de ton expérience.

Anyaguara se transforma en panthère noire et alla se réfugier sous le grand lit.

– Si tu me promets de réfléchir à mes paroles, alors je veux bien te laisser dormir là, ce soir, la taquina Danalieth.

Pour toute réponse, il ne reçut que des grondements maussades. Alors, en attendant qu'elle se calme, l'ex-Immortel s'assit sur une bergère et se mit à méditer, espérant avoir un jour une vision très claire de la façon de sortir sa famille de ce grand cachot.

Puisqu'il avait agi sous le coup de la rage en égorgeant Moérie, Corindon n'avait vraiment saisi la portée de son geste que quelques jours après son arrivée à An-Anshar.

Même si l'enchanteresse n'avait pas joué franc jeu avec lui, il avait quand même entretenu de tendres sentiments envers elle. Il lui avait donné son cœur, sa confiance et son âme. Il avait rêvé d'une vie auprès d'elle dans les grandes forêts des Elfes. Et tout ce temps, elle tentait de séduire un autre dieu en provenance d'un monde différent !

S'isolant de plus en plus du reste de la famille, Corindon n'arrivait plus à se consoler. Il avait vraiment tout perdu. Pourquoi Tayaress était-il venu le chercher dans le monde des morts, où il avait enfin réussi à retrouver un semblant de dignité ?

Couché en boule au milieu d'un grand sofa dans un boudoir que personne ne fréquentait, il cherchait un nouveau sens à sa vie. Il ne pouvait pas imaginer trouver le bonheur aux côtés de celui qui lui avait ravi sa maîtresse. Il savait comment quitter la forteresse, mais où irait-il ? Flairant une présence, il releva vivement la tête et aperçut cinq petits minois d'eyras qui l'observaient par l'entrebâillement de la porte.

— Que me voulez-vous ? gronda-t-il.

— Juste comprendre pourquoi vous ne restez jamais avec nous, répondit Lavra.

— Et nous voudrions aussi savoir qui vous êtes exactement par rapport à nous, ajouta Lydia.

— Allez-vous-en.

— Nous aimerions aussi vous distraire un peu, osa Léia.

— Vous ne pourriez pas comprendre ce que je suis en train de vivre.

— Nous aussi, nous avons perdu un être cher, même s'il n'était pas toujours gentil avec nous, lui révéla Léonilla.

— Et nous sommes tenaces, ajouta Ludmila.

— C'est ce que je vois, en effet.

Les eyras s'aventurèrent dans la pièce en rampant sur le tapis pour indiquer leur soumission. Le caracal ne remua pas un seul muscle.

— Si on considère que Kimaati est le père de Solis, alors je suis son petit-fils, soupira-t-il. Dans votre cas, il est le père de votre mère, ce qui fait de vous ses petites-filles également.

— Nous sommes cousins ? déduisit Lavra.

— Ce genre de relation n'a jamais eu d'importance chez les félins. Tous étaient censés être égaux, sous Étanna, évidemment.

— Parlez-nous du monde des dieux, l'implora Léia.

— Que voulez-vous savoir ?

Lydia le bombarda de questions :

— Où viviez-vous ? Que mangiez-vous ? Que faisiez-vous toute la journée ? Aviez-vous le droit de quitter votre univers ?

Corindon s'employa à satisfaire leur curiosité pendant près d'une heure, espérant après chaque explication qu'elles iraient jouer ailleurs, mais les adolescentes étaient irréductibles.

— Maintenant, laissez-moi tranquille, finit-il par se fâcher.

— Venez manger avec nous, ce soir, le supplia Léonilla. Il est important pour notre moral que la famille soit unie.

— J'y réfléchirai.

Les eyras foncèrent vers la porte en se pourchassant comme des chatons et Corindon se surprit à penser qu'on ne lui avait jamais permis d'être aussi jeune et fou. Ses aînés dans le monde des dieux avaient tout de suite exigé de lui qu'il se comporte comme un adulte et qu'il réponde aux moindres désirs de sa grand-mère... « J'ai besoin de me sentir libre », comprit-il enfin.

Les filles galopèrent à en perdre haleine dans tous les couloirs de la forteresse et finirent par s'arrêter, haletantes, au pied d'un escalier.

— Il n'est pas très amusant, notre cousin Corindon, laissa finalement tomber Lydia.

— Ce n'est pas sa faute, le défendit Léia. Il vient de traverser beaucoup d'épreuves.

— Et puis, ce ne doit pas être facile d'être mort puis de revenir à la vie, estima Ludmila.

— Il n'en tient qu'à nous de lui redonner sa joie de vivre, décida Lavra.

— En attendant, j'ai faim ! lança Léonilla.

Le troupeau s'élança à l'assaut des cuisines.

✳ ✳ ✳

Ce soir-là, les filles furent bien contentes de voir apparaître Corindon au repas dans le hall. Elles le surveillèrent du coin de l'œil : il n'avala presque rien, mais il avait au moins fait l'effort de se présenter à table. Comme à son habitude, Kimaati était absolument inconscient des drames personnels que vivaient les membres de sa famille. Il mangeait comme un ogre, buvait tout autant et parlait de ses exploits dans le monde parallèle.

Après le repas, Myrialuna s'empressa de ramener ses bébés dans ses quartiers avec l'aide d'Anyaguara et de Solis. Ils grimpèrent l'escalier en transportant les berceaux, suivis des filles, de Fan, de Danalieth et de Corindon.

— Je ne veux pas vivre ainsi pour le reste de mes jours, maugréa le dieu-jaguar.

— Patience, Solis, lui recommanda Anyaguara. Rien ne dure pour toujours, pas même le bonheur.

Myrialuna changea tous les langes une dernière fois, installa confortablement ses fils et s'allongea sur son lit en surveillant leur sommeil. Tout le monde alla se coucher et les bougies s'éteignirent les unes après les autres. Incapable de dormir,

Myrialuna se retourna plusieurs fois avant de décider de se lever. Solis avait raison : cette captivité était inacceptable. La jeune maman tenait bon, car elle croyait fermement que sa sœur finirait par la délivrer. Mais que se passerait-il si Kira échouait ? Effrayée, elle se rendit à la chambre de Fan sur la pointe des pieds, mais ne l'y trouva pas. « Elle doit être descendue se préparer du thé », supposa-t-elle.

Ne voulant pas laisser ses petits seuls trop longtemps, Myrialuna retourna auprès d'eux. Assise sur le sol, près des flammes, elle se surprit à penser à Abnar, qui avait perdu la vie aux mains de Kimaati. « Je suis prisonnière de l'assassin de mon mari... Mais qu'est-ce que j'ai bien pu faire aux dieux pour mériter un sort pareil ? »

Elle commençait à s'assoupir lorsqu'elle entendit des pas feutrés dans le salon commun. Elle passa la tête par la porte de sa chambre.

— Mama ?

Fan sursauta.

— Mais que fais-tu encore debout ? lui reprocha-t-elle.

— Où étiez-vous passée ?

L'ancienne déesse des bienfaits s'approcha de sa fille.

— Je suis allée m'assurer que vous étiez en sécurité.

— Vous montiez la garde ?

— Non, ma chérie.

Elle saisit les mains de Myrialuna et l'emmena s'asseoir près des berceaux.

— J'ai repris ma relation avec Kimaati afin qu'il vous traite bien jusqu'à ce que j'arrive à le persuader de vous laisser partir.

— Mais c'est un immense sacrifice, mama...

— Tu as des enfants, toi aussi. Ne ferais-tu pas n'importe quoi pour leur sauver la vie ?

— Oui... mais je ne pourrais pas partager le lit de l'homme qui a tué Abnar.

— C'est la seule façon de l'amadouer, ma petite.

Myrialuna se réfugia dans les bras de Fan.

— Jurez-moi que vous ne vous mettrez pas en danger en agissant ainsi.

— Surtout, ne t'inquiète pas pour moi. Je sais ce que je fais. Veille plutôt sur ta famille.

Elle embrassa les cheveux roses de sa cadette en regrettant d'avoir perdu la faculté de lui transmettre une vague d'apaisement.

* * *

Au même moment, Solis, qui arpentait sa chambre depuis son retour à leur étage, se décida d'en finir une fois pour toutes avec sa captivité. Il entra sans frapper dans les quartiers de Corindon. Ce dernier était debout à sa fenêtre et observait la lune.

— Montre-moi par où tu es entré dans la forteresse, exigea-t-il.

Le dieu-caracal n'avait pas plus envie que Solis de rester à An-Anshar, même s'il ne savait pas encore ce qu'il ferait après son évasion.

— Très bien, suis-moi.

Corindon prit les devants et lui montra un escalier dissimulé dans les cuisines, désertes à cette heure de la nuit. Ils adoptèrent leur forme animale et descendirent à l'étage inférieur.

Ils ne firent que deux pas dans la grande pièce où se trouvait un trou dans le plancher. Tous les flambeaux s'allumèrent en même temps. Devant l'ouverture se tenait Kimaati, les bras croisés sur sa large poitrine.

— Vous pensiez vous échapper ? tonna-t-il.

— Les félins sont des créatures libres ! rétorqua Solis, en colère.

— Vous êtes mon sang et mon avenir et votre place est ici ! Acceptez-le !

À bout de nerfs, le jaguar bondit, mais n'atteignit pas la gorge de sa proie. Transformé en lion, Kimaati le projeta au sol d'un violent coup de patte, l'envoyant rouler contre le mur.

Immobile, Corindon savait qu'il n'était pas de taille à seconder son père.

— Retournez là-haut et ne redescendez plus jamais ici ! ordonna leur grand-père en redevenant humain.

Il passa la main au-dessus du trou. Des barres d'acier y apparurent, le scellant pour toujours.

Furieux et surtout humilié, Solis s'élança vers la porte. Ne voulant surtout pas rester seul devant Kimaati, Corindon commença par reculer prudemment, puis fila à son tour dans le couloir. Un rire cruel retentit derrière lui.

5

LES EXPÉRIENCES

Wellan se retrouva dans la même chambre qu'Onyx, Fabian et Cornéliane dans le magnifique édifice rose où s'étaient établis les centaures. Le mobilier fabriqué par la civilisation responsable de la construction de ces immenses bâtiments avait depuis longtemps disparu et tout ce que leurs hôtes avaient à leur offrir pour dormir, c'était des tas de paille. Les humains se couchèrent sans même échanger de commentaires sur leurs aventures de la journée tellement ils étaient épuisés.

Toutefois, Wellan n'arrivait pas à dormir. Il laissa donc errer son esprit et pensa à toutes les merveilles qu'il avait vues depuis qu'il avait quitté Enkidiev. Il aimait beaucoup Lassa et Kira, mais il avait toujours eu beaucoup de mal à les considérer comme ses parents, puisqu'ils avaient très longtemps été ses compagnons d'armes et ses amis. Il se reprochait souvent de ne pas être aussi attaché qu'il l'aurait dû à sa famille, mais il n'y pouvait rien. « Je suis un citoyen du monde, maintenant », se dit-il. « Je n'appartiens à aucun pays ni à aucun groupe en particulier. Je suis libre d'aller où je veux et de m'instruire comme il me plaît. »

En fait, Wellan n'avait aucune intention de rentrer à Enkidiev. Il voulait passer le reste de sa vie à étudier Enlilkisar et à écrire des traités à son sujet. Contrairement aux royaumes de son pays natal, qui se ressemblaient tous sauf pour quelques variantes culturelles et culinaires, dans le nouveau monde chaque civilisation était indépendante des autres et possédait des coutumes que l'érudit voulait étudier plus en détail.

Les bras croisés derrière la nuque, il regrettait de ne pas pouvoir observer les étoiles, mais il comprenait pourquoi les centaures se barricadaient la nuit. Il avait hâte au lendemain pour poursuivre sa description du pays dans son grand journal et dessiner ce qu'il voyait. Il entendait la respiration tranquille de ses compagnons et se demandait à quoi ils rêvaient. Il était ravi qu'Onyx se soit réconcilié avec ses enfants et que ceux-ci l'accompagnent dans sa quête. « Il était temps... » C'est en repensant aux événements marquants de son passé que Wellan finit par s'endormir.

Au matin, il se réveilla lorsque Cornéliane ouvrit les volets, laissant le soleil inonder la pièce. Les centaures avaient déjà commencé à s'affairer dans la cité. On entendait le martèlement de leurs sabots dans l'enceinte. Wellan s'approcha de la fenêtre et observa les jeux de jeunes poulains qui se poursuivaient autour de la fontaine en riant.

— Puisque nous ne sommes pas herbivores, qu'avez-vous envie de manger ? lança Onyx.

— Des œufs brouillés ! s'exclama sa fille.

— Du pain chaud, du beurre et du fromage, répondit Fabian.

— Tout ça me plaît, affirma Wellan.

Onyx fit d'abord apparaître une table et quatre chaises et convia ses compagnons à y prendre place avec lui. Les plats se matérialisèrent les uns après les autres. Il y ajouta quelques fruits exotiques, dont il raffolait depuis qu'il parcourait le nouveau monde, et une théière fumante.

– Tu t'es rappelé que j'aime boire du thé le matin ? se réjouit l'ancien commandant. Ou est-ce pour toi ?

– Non, mon ami. À cette heure matinale, le jus des fruits me suffit.

Ils se régalèrent puis descendirent dans la vaste cour. Chéalyne vint aussitôt à leur rencontre.

– J'ai beaucoup réfléchi à vos paroles, Onyx d'An-Anshar. Pourrions-nous continuer d'en discuter ?

– Avec grand plaisir.

– Je préférerais explorer la cité, si vous n'y voyez pas d'inconvénient, fit Wellan.

– Amuse-toi et essaie de ne pas te faire éviscérer par les singes.

– Je serai prudent.

Fabian et Cornéliane exprimèrent le vœu de suivre le Chevalier.

– Veillez sur lui, plaisanta Onyx.

Les trois aventuriers s'empressèrent de s'éloigner, au cas où l'empereur changerait d'idée. Ils longèrent la muraille, puis la façade des bâtiments.

– J'ai rarement vu père d'aussi bonne humeur, fit remarquer Fabian.

— Moi, si, le contredit Cornéliane.

— À mon avis, c'est parce que la fin de sa mission approche et que tout se passe selon ses souhaits, avança Wellan.

Ils s'arrêtèrent devant la porte qui donnait accès au hall. Elle était démesurément haute et si massive que les centaures venaient de se mettre à plusieurs pour l'ouvrir.

— Pourquoi les bâtisseurs ont-ils éprouvé le besoin de construire des portes et fenêtres cinq fois plus hautes que nécessaire ? demanda Wellan.

— Parce qu'ils étaient bien plus grands que vous, affirma une voix d'homme derrière lui.

Les humains se retournèrent et aperçurent un Kentauros à la robe louvette.

— Je m'appelle Sicché.

— Avez-vous connu les bâtisseurs ? s'informa Wellan.

— Non, mais j'ai lu leur histoire. C'étaient des géants et ils ont construit cette cité selon leurs besoins.

— Possédez-vous une bibliothèque ?

— Qu'est-ce que c'est ?

— Un endroit où sont réunis des livres et des écrits de toutes sortes.

— Non, mais il y a une salle où l'histoire de la ville est sculptée sur les murs.

— Est-ce loin d'ici ?

– Pas du tout. Venez avec moi.

Sicché leur fit traverser la vaste pièce, puis pénétrer dans une seconde, tout aussi grande. Toutefois, il n'y avait aucune fenêtre pour l'éclairer.

– Il faut allumer les flambeaux, indiqua le centaure.

– Laissez-moi faire, offrit Wellan.

D'un geste de la main, il mit le feu à la centaine de torches accrochées aux quatre murs. La lumière révéla une multitude de bas-reliefs superposés jusqu'au plafond.

Impressionné par le pouvoir de cet humain, Sicché écarquilla les yeux et dut se faire violence pour rester près de lui.

– Où commencer ? se découragea Cornéliane.

– De ce côté, indiqua le centaure en reprenant son sang-froid. L'histoire se lit de droite à gauche et de bas en haut, puis change de mur.

On y voyait d'abord un grand disque entouré d'étoiles, puis ce qui semblait être de grands oiseaux quittant le disque.

– Nous pensons qu'ils sont partis de là, expliqua Sicché.

– D'un autre monde, en fait, comprit Wellan.

Le Chevalier remarqua les petits personnages sur le dos des oiseaux. Quelques pas plus loin, ceux-ci étaient la proie des flammes. De plus en plus curieux, Wellan continua d'avancer. Les sculptures suivantes semblèrent suggérer que les grands rapaces blessés s'étaient écrasés dans un paysage qui présentait une grande ressemblance avec la jungle du nouveau monde.

— Ils sont probablement arrivés ici parce qu'ils n'avaient pas le choix, continua le centaure.

— On dirait bien qu'il y a eu beaucoup de blessés, remarqua Fabian.

Des personnages aux traits humanoïdes, mais qui avaient quatre bras plutôt que deux, étaient penchés sur leurs semblables, comme s'ils leur prodiguaient des soins, tandis que d'autres, des outils à la main, se tenaient devant les grands faucons aux ailes brisées.

— À notre avis, ils sont restés coincés dans ces forêts en attendant que leurs oiseaux guérissent.

— Mais comment pouvez-vous dire uniquement par ces sculptures que c'étaient des géants ? voulut savoir Cornéliane.

Sicché les emmena plus loin pour leur montrer la suite de l'histoire. Des scènes montraient les hommes en train de défricher la forêt. Debout, ils atteignaient la cime des arbres ! Tout autour, les animaux avaient la taille de souris.

Le récit se poursuivait une ligne au-dessus de la première. Wellan savait qu'il ne quitterait plus cette salle avant de tout savoir au sujet des bâtisseurs. Il revint donc du côté droit du mur et s'étonna de voir les hommes transporter d'énormes blocs de pierre sur la paume de leurs mains.

— Ils devaient être très forts, siffla Fabian avec admiration.

— Ou posséder une puissante magie, ajouta Wellan.

D'un bas-relief à l'autre, ils assistèrent à la construction de toute la cité et, chaque fois qu'un personnage était gravé près d'un des immeubles, sa tête arrivait presque à la hauteur de la porte. Ils découvrirent de la même façon que c'étaient eux qui avaient élevé les premiers cromlechs !

– Pourquoi sont-ils partis ? demanda Cornéliane.

– Leurs oiseaux ont fini par reprendre leurs forces, affirma Sicché.

Il les emmena au mur suivant. Debout sur la terrasse de la cité, les géants regardaient les rapaces qui volaient dans le ciel. Puis vinrent des images que Wellan eut beaucoup de difficulté à interpréter. Les oiseaux s'étaient posés sur le sol, mais une porte était ouverte sur leur poitrail !

– Ce ne sont pas des animaux, murmura-t-il, stupéfait.

Plusieurs rangées de sculptures illustraient ensuite le transport des affaires des géants à l'intérieur de ces étranges appareils volants.

– Combien de temps sont-ils restés ici ? s'enquit Fabian.

– Sûrement très longtemps, répondit Sicché, à en juger par la taille de la cité. Mais ils n'étaient plus là quand les dieux ont déposé les Kentauros dans cette forêt.

– En même temps que les Simiusses, c'est bien ça ? voulut confirmer Wellan.

– Oui, mais nos deux races avaient été créées de façon indépendante et elles se sont tout de suite fait la guerre. Il y a eu beaucoup de morts avant que les singes comprennent que nous étions plus forts qu'eux. Ils ont fini par construire leurs propres abris dans les arbres et se sont tenus loin de la forteresse.

– Votre chef a dit que leur nombre diminuait sans cesse.

– C'est ce que nous constatons d'année en année. Notre Ancien croit que les expériences qui ont été faites sur eux ont fini par les rendre stériles.

– Votre Ancien ? Est-il possible de lui parler ?

– Bien sûr, mais il y a autre chose que vous devez voir d'abord.

Il les poussa vers le mur opposé.

– Nous ne comprenons pas cette partie de leur récit, avoua-t-il.

Wellan, qui adorait les défis intellectuels, y porta toute son attention.

Il vit d'autres oiseaux semblables aux premiers qui se dirigeaient vers une montagne très élevée dont le sommet perçait les nuages. Ce nouvel équipage avait dû se poser sur un large plateau. Contrairement à leurs compatriotes, qui s'étaient écrasés dans la jungle, ces hommes semblaient porter une carapace sur leur dos. Wellan les vit alors construire des habitations avec les rares matériaux de cette terre d'accueil isolée du reste du monde. En voyant s'entasser les cubes les uns par-dessus les autres, il se rappela les récits de Liam...

– C'est l'île des Araignées ! s'exclama-t-il.

À son grand étonnement, dans les sculptures suivantes, il constata que ce qu'il avait pris pour des carapaces était des ailes ! Les premiers habitants de cet endroit étaient des hommes volants !

– De quelles araignées parlez-vous ? s'enquit Sicché, étonné. Je n'en vois nulle part.

– Cet endroit est désormais habité par des tégénaires géantes, expliqua l'érudit. Je pense que tout comme les Kentauros et les Simiusses, elles sont arrivées après leur départ.

– Et si leur histoire est gravée ici dans la pierre, il y a fort à parier que les deux races de géants entretenaient des liens, ajouta Fabian.

– J'aimerais vraiment rencontrer votre Ancien, supplia Wellan, intrigué.

– Il vit dans une maison de pierres à une courte distance d'ici. Vous devrez être très prudents en me suivant.

– N'est-il pas risqué pour lui de s'isoler ainsi de la société ? s'étonna Cornéliane.

– Là où il vit, les Simiusses ne s'aventurent jamais. C'est le sentier qui y mène qui est dangereux.

Ils quittèrent la cité sous le regard inquiet des centaures qui vaquaient à leurs tâches. Mais personne ne chercha à les arrêter.

– *N'hésitez pas à utiliser votre magie si nous sommes attaqués,* recommanda Wellan à ses compagnons.

– *Compte sur moi,* répondit Fabian.

Attentifs, ils marchèrent derrière Sicché. Ils pouvaient sentir le déplacement de plusieurs singes dans la canopée, mais pour l'instant ces derniers semblaient surtout les observer. Lorsqu'ils débouchèrent dans une grande clairière, au milieu de laquelle s'élevait une tour tout aussi rose que les édifices qu'ils venaient de quitter, les Simiusses disparurent d'un seul coup.

Cette vaste étendue, exposée au soleil et à toutes les intempéries, était jalonnée de pierres travaillées de forme rectangulaire, ovale ou ronde. Wellan vit qu'elles portaient également des inscriptions dans une langue qui lui était totalement étrangère.

— À quoi servent-elles ? demanda-t-il.

— On dit que certains des géants sont enterrés ici, répondit le centaure.

— Enterrés ? s'étonna Cornéliane. Pourquoi ?

— Ce ne sont pas toutes les civilisations qui brûlent leurs morts, leur fit remarquer Wellan.

Afin de vérifier les dires du centaure, il passa la main devant l'un des monuments funéraires.

— Il y a en effet des ossements dans le sol.

— De grands ossements ? s'enquit Fabian.

— Le crâne est ici...

Wellan fit plusieurs pas.

— ... et les pieds sont ici.

— Waouh ! s'exclama Cornéliane. C'est plus de deux fois ta taille !

— Sicché, qui sont tes nouveaux amis ? fit alors une voix rauque.

Un centaure à la robe et à la chevelure immaculées se tenait à l'entrée de la tour.

– Miézone, voici des humains en provenance des volcans : Wellan, Fabian et Cornéliane. Leur chef est resté dans la cité avec Chéalyne. Ils veulent entendre parler des bâtisseurs.

– Que pouvez-vous nous dire à leur sujet ? demanda Wellan.

– Ils sont venus d'un autre endroit dans l'univers et ils se sont installés temporairement ici parce qu'ils éprouvaient des difficultés. Dès qu'ils l'ont pu, ils sont repartis.

– Étaient-ils des dieux ?

– Peut-être bien. Nous ne saurons jamais d'où ils étaient originaires ni où ils sont allés, mais grâce à leur cité fortifiée, nous avons pu survivre.

– Parlez-nous des Kentauros.

– Les sorciers les auraient créés pour les servir, mais ils ont fait des erreurs en tentant de modifier leur nature chevaline pour qu'elle ressemble davantage à celle des habitants d'Alnilam.

– Alnilam ? répéta Wellan, étonné.

– C'est un grand continent perdu dont je ne peux rien vous dire de plus, malheureusement. Ces informations se sont perdues au fil du temps. Mais revenons aux Kentauros. Puisqu'ils étaient trop indépendants pour se soumettre aux viles tâches que les sorciers voulaient leur imposer, ces derniers s'en sont débarrassés.

– Pourquoi ne les ont-ils pas tout simplement tués ? demanda Fabian.

– Je n'en sais rien et les premiers Kentauros qui sont arrivés ici ne l'ont pas révélé à leurs descendants. Toutefois, je crois que les sorciers ont voulu passer leurs erreurs sous silence, car les dieux ne font preuve d'aucune pitié envers ceux qui échouent.

– Les Simiusses se sont donc retrouvés ici pour les mêmes raisons ? voulut savoir Wellan.

– Oui, mais à mon avis, c'est parce qu'ils étaient trop farouches qu'ils ne les ont pas gardés.

– Y a-t-il eu d'autres rejets ?

– C'est certain, mais je ne saurais en confirmer le nombre. Mon grand-père m'a parlé de créatures mi-insectes, mi-humaines dont les sorciers se sont également déchargés. Elles hantent ces forêts. Des bêtes toutes noires et gluantes qui chassent surtout la nuit.

– Les Scorpenas, devina Wellan. C'est le nom que leur donnent les peuples qui vivent dans les pays plus au sud.

– Nous en voyons moins qu'avant et c'est beaucoup mieux comme cela. Puis-je vous offrir à boire ? Je possède l'une des rares sources de la région.

– Boire de l'eau filtrée dans des ossements ? grimaça Fabian.

– Elle ne coule pas du côté des tombes, affirma Miézone, qui ne captait pas l'humour du jeune homme.

Les humains le suivirent jusqu'au petit cours d'eau et se désaltérèrent.

– Pourquoi les Simiusses sont-ils en voie d'extinction ? s'informa Wellan.

– Leurs femelles n'enfantent plus, mais c'est sans doute ce que désiraient les sorciers. Ils ont dû implanter cette tare dans leur sang. Nous sommes également inquiets pour notre survie, mais jusqu'à présent, nos compagnes donnent toujours naissance à des poulains en pleine santé. Maintenant, c'est à mon tour de vous questionner. Qu'êtes-vous vraiment venus faire ici ?

Wellan lui expliqua le grand plan d'unification de l'Empereur Onyx d'An-Anshar.

– Les Kentauros ne sont donc pas des êtres inférieurs à ses yeux ? se méfia Miézone.

– Tous les sujets de l'empire sont importants pour Onyx et il les traite de la même façon.

– Ce monde est donc très différent de celui où notre race a vu le jour.

– Et il continuera de s'améliorer, promit Wellan.

– Nous devrions retourner à la cité avant que les singes se massent sur le chemin du retour, suggéra Sicché.

– Je suis d'accord, dit Cornéliane, visiblement inquiète.

– Partez, gens d'An-Anshar, et sachez que votre bonté sera récompensée.

Wellan se courba avec respect devant l'Ancien, puis suivit ses compagnons.

6

LA LICORNE NOIRE

Profondément humilié par sa défaite lors de son duel avec Kimaati, Nemeroff était d'humeur sombre. Il s'était cru invincible, parce qu'il était un dieu. Il ignorait qu'un autre dieu pouvait lui infliger des blessures que seule une créature magique serait capable de traiter. Heureusement, il avait épousé une femme qui était non seulement déesse, mais également guérisseuse.

Kaliska avait patiemment refermé toutes les plaies de son mari et réparé ses ligaments déchirés. Toutefois, la jambe de Nemeroff le faisait encore souffrir, malgré tous ses bons soins. En attendant qu'elle guérisse, le roi-dragon marchait avec une canne, ce qui le mortifiait.

Entre les nombreuses assemblées de Chevaliers, car il en arrivait de plus en plus tous les jours, Nemeroff observait Kaliska en silence tandis qu'elle apprenait à s'occuper de ses bébés sous l'œil vigilant d'Armène. Depuis la naissance des jumeaux, il n'avait pas osé les prendre dans ses bras de peur de leur faire mal. Ils étaient si petits et si fragiles. Il les aimait profondément, mais se sentait démuni devant eux. Toutefois, lorsque la jeune reine commença à prendre de l'aplomb dans son rôle de mère, elle insista pour que son mari la seconde.

Un matin, elle fit asseoir Nemeroff dans le fauteuil à bascule et déposa le petit Héliodore sur sa poitrine. Le père écarquilla les yeux, effrayé.

– Je t'en prie, berce-le pendant que je change les langes d'Agate.

Il n'eut pas le temps de protester que Kaliska s'éloignait déjà en direction du grand lit, où elle avait couché la petite fille.

Le père baissa les yeux sur le bébé en se demandant quoi faire et vit que celui-ci semblait l'observer avec une mine sérieuse. « Que sont-ils capables de comprendre à cet âge ? » se demanda-t-il. Il fit doucement balancer le fauteuil de l'avant vers l'arrière sans savoir s'il tenait convenablement son fils, mais en s'assurant au moins qu'il ne lui échappe pas.

Au bout d'un moment, il commença à trouver cette activité plutôt agréable. Le minuscule être humain qu'il avait engendré poussait de petits cris qu'il interpréta comme des manifestations de bonheur. « Il sera aussi beau que moi », s'émut le père. C'est alors que Kaliska reprit Héliodore et vint lui porter sa fille. Déjà un peu plus confiant, il la soutint de la même façon. « Et elle sera superbe comme sa mère », songea-t-il en examinant ses traits fins et ses petites mains.

– Maintenant qu'ils sont propres, fit Kaliska, je vais leur faire faire une sieste jusqu'à leur prochain biberon.

– La vie d'une mère est plutôt contraignante, on dirait, remarqua Nemeroff.

– Kira et Swan sont toutes deux passées par là.

– J'ai oublié cette période de ma vie où j'étais bébé.

– Comme nous tous, Nem. Plus nous vieillissons, plus nos premiers souvenirs s'effacent, comme s'il n'y avait pas suffisamment d'espace dans notre mémoire.

– Alors, nos enfants oublieront le temps que nous passons avec eux en ce moment ?

– Sans doute, mais nous nous ferons un devoir de le leur rappeler en continuant de les cajoler de la même façon jusqu'à ce qu'ils nous envoient promener.

L'air découragé de son mari fit rire la reine.

– Je plaisantais, le rassura-t-elle. Jamais ils n'oseront nous faire un tel affront.

Elle installa Héliodore dans son berceau, puis vint chercher Agate.

– Après l'accouchement, j'étais terrifiée à l'idée d'être entièrement responsable de ces deux petits êtres sans défense, mais maintenant, je me sens comme une lionne qui ne laissera jamais rien arriver à ses lionceaux.

– À ses bébés licornes-dragons, tu veux dire.

– Ça m'a effleuré l'esprit, mais rien ne prouve qu'ils pourront se transformer.

Elle redoutait ce jour, car il y avait de fortes chances qu'ils se métamorphosent en rapaces...

– Même moi je n'y arrive pas comme toi, fit-elle en s'efforçant de ne pas laisser paraître son inquiétude.

– Quand je suis obligé d'aller dormir chaque nuit dans la caverne sous le château, je considère que c'est beaucoup plus une malédiction qu'une faveur que nous ont faite nos parents.

— Peut-être qu'un jour, ça m'arrivera aussi.

— Mais une licorne, c'est beaucoup plus petit qu'un dragon. Toi, tu pourras quand même coucher dans notre lit.

— Et faire mourir de peur les servantes ? répliqua-t-elle en riant. Nous formons un bien curieux couple, Nem.

— Je pense plutôt que nous étions faits l'un pour l'autre et que jamais rien ne nous séparera.

Elle revint vers lui et l'embrassa avec tendresse.

— Est-ce que tu dois participer à une autre discussion avec les Chevaliers d'Émeraude ?

— Les derniers soldats sont arrivés, alors je pense que des décisions seront prises aujourd'hui. Je suis leur roi, alors c'est mon devoir de me tenir informé de ce qu'ils feront.

— Et moi, en tant que reine, j'aimerais bien que mon époux se contente d'un rôle passif dans toute cette affaire.

— Mon père accompagnait les Chevaliers à la guerre, Kaliska.

— Combien de fois devrai-je te répéter que tu n'es pas ton père ?

— C'est normal de vouloir ressembler à la personne qu'on a admirée toute sa vie.

— C'était pareil pour moi, mais je ne suis pas devenue ma mère.

– Alors, tout dépendra de la stratégie qu'ils adopteront.

– Je suis plutôt portée à croire que tu agiras pour me faire plaisir et que tu n'oseras jamais me laisser seule au palais avec deux jeunes enfants.

– Me feriez-vous des menaces, belle dame ?

– Pas encore, mais ne m'y pousse pas.

Elle l'embrassa une dernière fois et alla s'asseoir entre les deux berceaux pour les balancer doucement en fredonnant une chanson que Lassa lui chantait quand elle était petite. Nemeroff l'observa avec admiration pendant un long moment. «Elle n'est pas devenue une copie de sa mère, mais plutôt le portrait de son père», songea-t-il, amusé.

En s'appuyant sur sa canne, le jeune roi finit par se lever et quitter ses appartements. Il lui aurait été plus facile d'utiliser sa magie pour se rendre dans le hall des Chevaliers, mais il y avait maintenant tellement de monde dans son château qu'il risquait de blesser quelqu'un en réapparaissant. Il descendit donc prudemment le grand escalier et clopina dans le long couloir.

Les éclats de voix et les rires qui lui parvenaient déjà du hall le ramenèrent tout droit à son enfance. «Il me reste encore quelques souvenirs», se réjouit-il. Il avait souvent entendu ces sons familiers avant sa mort, quand ses parents participaient à la guerre contre les Tanieths. Il était souvent grimpé jusqu'à la galerie, où les Écuyers se massaient jadis, afin d'espionner les Chevaliers pendant leurs repas.

Dès qu'il mit le pied dans la vaste salle, Sage vint à sa rencontre et le laissa s'appuyer contre son épaule pour l'aider à marcher. Il fit asseoir Nemeroff près de lui et lui versa de l'eau, puisque ce dernier ne partageait pas la passion du vin de son père.

Voyant que tous étaient enfin là, Kira se leva et réclama le silence. À la manière de Wellan autrefois, elle promena son regard sur les deux cent vingt-quatre membres de l'Ordre ayant répondu à son appel. Même Jenifael, qui avait laissé son bébé à Fal sous la protection de sa mère, et Wanda, qui venait d'être libérée de ses dons d'augure par le Roi des Fées, étaient présentes.

— Notre liberté est une fois de plus menacée et nous devons de nouveau mettre notre vie de famille de côté pour protéger le continent d'Enkidiev, commença-t-elle.

— Retournons ce Kimaati chez lui ! lança Bergeau en abattant son poing sur la table.

Pour que les derniers arrivés comprennent bien l'enjeu de cette croisade, la Sholienne raconta comment le dieu-lion s'était emparé d'An-Anshar, la nouvelle forteresse d'Onyx, avait tué Abnar et enlevé Myrialuna et sa famille.

— Il a fui son propre monde, où il a également commis des atrocités, et il s'est installé dans le nôtre afin de nous imposer sa suprématie.

Kira dut attendre que ses compagnons se calment avant de poursuivre.

— Mon mari et ses amis Sholiens sont partis à la recherche d'une petite fille qui, selon les augures et Abussos lui-même, pourrait nous épargner bien des pertes. Cependant, je reste d'avis que nous devons préparer une solution de rechange, au cas où la mission de Lassa échouerait.

– Bien dit ! lança Dempsey.

– C'est la raison pour laquelle je vous ai réunis ici. J'ai longuement discuté avec les premiers arrivés à Émeraude et l'une des solutions qui a été souvent proposée, c'est d'envoyer les Elfes en éclaireurs, car ils savent se fondre dans n'importe quel paysage.

– Nous sommes prêts à accepter cette tâche ! assura Dienelt au nom de tous les siens.

– Leur rôle serait de nous renseigner sur ce qui nous attend dans les volcans et même de nous faire des recommandations sur la façon d'assiéger An-Anshar, continua Kira.

– Ou d'abattre cette forteresse à ras de terre ! prôna Bergeau.

– Pourquoi veux-tu toujours tout casser ? le piqua Jasson avec un large sourire.

Son intervention détendit l'atmosphère.

– Pendant que nous nous préparons pour l'assaut, les Elfes se mettront en route, fit Hadrian en se levant à son tour.

– Et où se trouve cet An-Anshar ? demanda Derek.

– De l'autre côté de la rivière Sérida, à la hauteur du Royaume de Béryl.

– Nous n'y serons pas avant des jours, même à cheval, fit remarquer Arca.

– Les lieutenants ont tous perdu leur vortex à la fin de la guerre, n'est-ce pas ? voulut s'assurer Daviel.

— Nous sommes encore au moins trois à pouvoir nous déplacer par magie : Lassa, Kira et moi-même, les rassura Hadrian. Je vous emmènerai jusqu'au cours d'eau. Toutefois, il vous faudra le traverser par vos propres moyens.

— Nous transporterons donc nos pirogues avec nous, décida Bianchi.

— J'ai une question ! lança Nogait en levant la main.

— Parle, Chevalier, l'invita Hadrian.

— Comment allons-nous vaincre un dieu aussi puissant que Kimaati ? Ça nous a pris plus de quarante ans pour nous débarrasser de simples fantassins tanieths, et un porteur de lumière pour anéantir enfin leur empereur dans sa propre ruche.

— Amecareth était le frère de Kimaati, leur apprit Kevin en se redressant. Si nous avons réussi à le vaincre, alors nous pouvons certainement faire subir le même sort au dieu-lion, qui doit posséder à peu près les mêmes pouvoirs que le scarabée.

— Que ce soit grâce à une enfant ou par l'intervention des Chevaliers d'Émeraude, Kimaati doit être persuadé de quitter notre univers à tout jamais, leur rappela Hadrian. Tout comme nous l'avons fait durant les dernières invasions, nous nous adapterons en cours de route. Ce qui importe, pour l'instant, c'est d'obtenir un tableau détaillé de la situation.

— Je suis d'accord, l'appuya Dempsey. Procédons une étape à la fois.

— Puis-je me permettre ? réclama alors Nemeroff.

— Nous vous écoutons, Votre Majesté, l'encouragea Bridgess.

– Pour ceux qui n'étaient pas encore arrivés lorsque je me suis mesuré moi-même à Kimaati, sachez que j'ai amèrement regretté ma témérité.

Son commentaire refroidit aussitôt les ardeurs des soldats.

– Non seulement le lion possède de vastes pouvoirs, mais c'est une créature qui aime infliger de la souffrance à ceux qui l'affrontent. N'allez surtout pas croire que vous arriverez à le vaincre avec vos facultés de Chevalier. Vous avez besoin d'un bon plan, sinon de l'aide des dieux eux-mêmes.

– Mais ils n'ont plus de pouvoirs, rappelez-vous, fit Jenifael. Abussos les a tous maudits.

– Seulement ses petits-enfants et leur descendance, précisa Mahito, debout derrière elle.

– Je fais partie de ceux qu'il n'a pas pu punir, rétorqua Nemeroff, et j'ai été incapable de le vaincre.

– En combat singulier, Kimaati semble être le plus fort, leur fit remarquer Kira. Mais qu'arriverait-il si tous les enfants des dieux fondateurs se mettaient ensemble pour l'affronter tandis que nous serons derrière eux pour les appuyer ?

– Apparemment, je n'ai pas été très attentif à l'école, lâcha Nogait. Qui sont ces enfants ?

– Dans notre monde, il y a Onyx, Napalhuaca, Nemeroff, Kaliska et Lassa, les informa Kira.

– Et nous avons aussi une arme secrète : Kira, qui n'a perdu aucun des pouvoirs qu'elle a reçus d'Amecareth, son père, intervint Jasson.

«Et dont j'ignore encore l'étendue», se découragea-t-elle intérieurement.

— Et Mahito également, ajouta Jenifael.

— Ne vous découragez pas dès le départ, recommanda Ariane. Comme on nous l'a souvent répété, il n'y a pas de problème : il n'y a que des solutions.

Son intervention fit sourire Hadrian, puisque c'était lui qui avait si souvent prononcé ces paroles durant les invasions.

— Avant que je me mette en route avec les Elfes, j'exige que vous n'utilisiez pas vos facultés télépathiques pour communiquer avec eux ou avec moi, car il est fort probable que Kimaati vous entendra. À partir de cet instant, nous devons nous parler verbalement ou par écrit. Est-ce bien clair?

Ils grommelèrent tous ce qui lui sembla être un acquiescement.

— Kira, je te confie le commandement.

Hadrian jeta un œil du côté de Jenifael pour voir sa réaction, mais elle accepta cette nomination sans sourciller. Derek, Bianchi, Arca, Botti, Dienelt, Robyn, Andaraniel, Daviel, Ranayelle et Shandini s'empressèrent de se joindre à l'ancien Roi d'Argent. Ils quittèrent le hall.

— Comment allons-nous persuader Onyx et Napalhuaca de nous prêter main-forte alors que nous ne sommes même pas capables de communiquer avec eux ? demanda Kerns.

— Mon père n'ignorera pas mon appel, leur garantit Nemeroff.

– Mais Hadrian vient de nous demander de ne pas utiliser la télépathie, lui rappela Nogait.

– Chaque chose en son temps, trancha Kira.

Les discussions se poursuivirent jusqu'au repas du soir. Épuisé, Nemeroff quitta le hall en s'appuyant sur sa canne. Sage s'excusa auprès de Kevin et de Nogait et suivit son bienfaiteur dans le couloir. Il passa le bras autour de sa taille pour le soutenir.

– Je bois rarement de l'alcool, mais ce soir, je pense que je ferai une exception, soupira Nemeroff. Accepterais-tu de partager mon repas ?

– Bien sûr.

Le roi monta chez lui avec son lointain cousin. Il l'installa dans son salon privé, alla prévenir ses serviteurs qu'il désirait y manger avec son invité et sa femme, puis se rendit dans sa chambre pour avertir Kaliska. Lorsqu'il la trouva endormie sur leur lit, les deux berceaux près d'elle, il n'eut pas le courage de la réveiller. Il demanda à sa servante de l'informer, quand elle ouvrirait les yeux, qu'elle était conviée à sa table. Dès qu'il fut assis devant Sage, celui-ci lui versa du vin.

– Je ne vois pas comment les Chevaliers arriveront à déloger Kimaati, soupira Nemeroff.

Il avala le contenu de sa coupe d'un seul trait.

– Doucement, lui recommanda Sage, sinon je ne comprendrai plus rien de ce que tu me diras.

– Tu as raison.

– Je comprends ton découragement, mais nous ne pouvons pas rester à ne rien faire pendant que ce monstre s'empare de notre univers. Kevin dit vrai : nous avons déjà vaincu un autre dieu du monde parallèle. Nous pouvons recommencer.

Kaliska ne se présenta pas au repas et lorsque Nemeroff prit congé de Sage, il la trouva toujours endormie. « Seuls les pleurs des enfants parviennent à la réveiller désormais », constata-t-il. Il poursuivit son chemin jusqu'au balcon et leva les yeux vers le ciel.

– Nem ?

Il se retourna.

– Je suis ici, mon adorée.

Au lieu de voir apparaître sa femme à la porte du balcon, c'est une licorne toute blanche qui s'arrêta devant lui.

– Dis-moi que je suis en train de rêver, l'implora-t-elle.

– Je crains que non, Kaliska. Nous sommes des divinités ayant choisi de vivre dans un corps humain. Il s'agit de ta véritable apparence.

– Mais comment puis-je reprendre ma forme humaine ?

Il appuya la main sur ses naseaux, mais au lieu d'exaucer son vœu, il vit sa tête passer du blanc au noir !

– Qu'y a-t-il ? s'alarma Kaliska en voyant la surprise de son mari.

Effrayée, la jeune reine retourna dans la chambre et se planta devant sa psyché. Sa belle robe immaculée devenait de plus en plus sombre. Nemeroff s'approcha, visiblement ébranlé.

— Je veux redevenir humaine ! s'écria Kaliska.

Instantanément, son corps chevalin se transforma jusqu'à ce qu'elle retrouve son doux visage et ses longs cheveux bouclés.

— Mes cheveux ne sont plus blonds ! s'étonna-t-elle.

— En effet, on dirait qu'ils sont... lilas, confirma Nemeroff.

— Mais pourquoi suis-je devenue une licorne noire ?

— Je n'en sais rien, mon amour. Moi, j'ai toujours été bleu.

— J'espère que ce n'est pas un mauvais présage.

Il attira la pauvre femme dans ses bras.

— Je ne laisserai jamais personne te faire de mal, tu le sais bien. Mais puis-je te recommander de ne plus exprimer le désir de te métamorphoser jusqu'à ce que nous comprenions pourquoi tu as changé de couleur ?

— Ce n'est pas comme si je l'avais fait exprès.

Nemeroff étreignit Kaliska en tentant d'apaiser sa frayeur.

7

LES ÉTOILES

Après le repas avec ses anciens compagnons d'armes, Kira monta aux appartements qu'elle partageait jadis avec sa famille dans le Château d'Émeraude. Maximilien et Aydine étaient partis avec la presque totalité des meubles, mais il restait encore un lit. C'était tout ce qu'elle désirait. Elle aurait pu dormir dans les chambres attenantes au hall des Chevaliers avec ses amis, mais elle voulait être près de sa fille, au cas où elle aurait besoin d'elle.

La Sholienne s'allongea sur le dos et se mit à réfléchir. Il était trop tard pour communiquer avec ses enfants qu'elle avait confiés au Roi des Fées. Ils étaient certainement au lit à cette heure. Elle s'informerait donc d'eux au matin. Ses pensées revinrent immédiatement aux discussions de la journée. Les objections de Nemeroff se mirent à résonner dans sa tête. Kimaati avait presque tué ce dernier lorsqu'il l'avait affronté et pourtant, il s'agissait de deux dieux de même puissance.

« Avons-nous envoyé les Elfes à leur perte ? » s'alarma-t-elle. Hadrian, qui les accompagnait, pouvait certainement les ramener à la forteresse en cas de danger, à condition toutefois de réagir à temps. Se rappelant la cruauté avec laquelle Kimaati avait balancé Marek dans le vide, Kira se redressa brusquement « Ce n'est qu'un monstre qui n'hésitera pas à tous nous éliminer et qui le fera sans doute en riant à gorge déployée», songea-t-elle avec un frisson d'horreur.

Elle quitta le lit, alluma les quelques bougies restantes et fouilla dans le placard du salon. La boîte à correspondance de Lassa s'y trouvait encore! Elle écrivit rapidement de courtes notes, plia les papiers en deux et quitta ses appartements. En silence, elle alla les glisser sous la porte des chambres de Santo, Bergeau, Chloé, Falcon et Jasson, sachant que Bridgess, Wanda, de retour du Royaume des Fées, et Dempsey liraient aussi sa missive.

Kira se rendit ensuite à la porte de la crypte, sous le grand escalier. Allumant ses paumes pour s'éclairer, elle traversa le caveau où se trouvaient les tombes des rois et des reines d'Émeraude. Derrière la porte, tout au fond, commençait un labyrinthe de couloirs jalonnés de diverses grandes salles qui avaient jadis servi aux rencontres secrètes des premiers Chevaliers d'Émeraude. Elle entra dans la première et alluma tous les flambeaux avec sa magie. La pièce contenait une grande table et une vingtaine de sièges. Elle alla s'y asseoir et médita en attendant ceux qu'elle avait choisis.

Santo et Bridgess furent les premiers à arriver.

– Nous ne pourrons pas tous entrer ici, fit remarquer la femme Chevalier.

– Je n'ai convié que huit d'entre vous, précisa Kira.

– Pourquoi? s'étonna Santo.

– Je vous le dirai dès que tout le monde sera là.

Jasson les suivit de près, tout aussi intrigué.

— Nous allons nous raconter des histoires de peur ? plaisanta-t-il.

— J'espère bien que non, répondit Kira en riant.

Dempsey et Chloé furent les suivants.

— L'heure est grave pour que tu nous convoques ainsi en pleine nuit, s'inquiéta Dempsey.

— En effet, soupira Kira.

Falcon, Wanda et Bergeau se présentèrent les derniers.

— Le compte est bon, annonça Santo.

— Pourquoi juste nous et pourquoi avoir choisi ce lieu lugubre ? demanda Wanda.

— Parce que vous avez pour la plupart été les lieutenants de Wellan, répondit Kira.

— Parle, la pressa Bergeau, les yeux encore chargés de sommeil.

— Comme notre grand chef l'avait lui-même constaté, les Chevaliers ne peuvent pas agir efficacement sans commandant et un seul d'entre nous ne peut pas diriger autant de soldats.

— Tu voudrais que nous reprenions nos anciens postes de lieutenants ? s'enquit Falcon.

— C'est exact.

— Mais tu n'avais pas besoin de nous proposer ça en cachette, s'étonna Jasson.

— Je voulais d'abord être certaine que vous accepteriez avant de déclencher une volée de discussions dans le grand hall, en cas de refus.

— Évidemment que nous acceptons ! s'exclama Bergeau au nom de ses compagnons.

— Aussi, il est plus facile de prendre les décisions importantes en petit groupe, ajouta Kira.

— Tu n'es pas d'accord avec ce qui s'est dit aujourd'hui ? voulut savoir Dempsey.

— En fait, je suis très inquiète pour les Elfes.

— Il aurait été plus utile que tu nous fasses part de tes craintes avant qu'ils partent avec Hadrian, lui fit remarquer Chloé.

— Communique avec lui tout de suite si tu as de bonnes raisons de croire qu'ils sont en danger, lui recommanda Bridgess.

— *Hadrian ?* l'appela immédiatement Kira.

— *N'avions-nous pas convenu de ne pas communiquer avec nos pensées ?* répliqua aussitôt l'ancien Roi d'Argent.

— *J'ai peur que vous soyez tous tués si vous gravissez le flanc du volcan.*

— *Sois sans crainte, une force mystérieuse nous empêche de traverser la rivière. Dès que nous poussons les pirogues vers l'autre rive, le courant nous ramène à notre point de départ.*

Kira ressentit un grand soulagement.

– *Même si leur vue est perçante, nos frères Elfes ne peuvent pas voir ce qui se passe à An-Anshar. Je vais les ramener à Émeraude.*

– *Ce serait en effet plus prudent.*

– *Nous nous reverrons au repas du matin.*

– Maintenant que c'est réglé, est-ce qu'on peut retourner se coucher ? demanda Bergeau.

– C'est Kira qui nous commande en l'absence d'Hadrian, lui rappela Jasson. Ce sera donc à elle de nous le dire lorsque cette rencontre sera terminée.

– Il y a autre chose qui te tracasse, devina Santo.

– Amecareth était un ennemi coriace, mais nous étions capables de vaincre les guerriers qu'il nous opposait. Même son sorcier était médiocre.

– Que de souvenirs... siffla Jasson.

– Kimaati est différent. Jusqu'à présent, il a agi seul, mais il est d'une cruauté impitoyable. Il a poussé mon fils en bas de son balcon en riant.

– Il devait savoir que vous le sauveriez, commenta Wanda.

– Il a tué Abnar et il a enfermé toute sa famille à An-Anshar. Je ne sais même pas si Myrialuna est encore vivante. Très honnêtement, j'ignore si j'arriverai à les libérer.

– Nous sommes là pour t'épauler, affirma Dempsey.

– Je commence même à douter que toute une armée possédant aussi peu de facultés magiques que les Chevaliers d'Émeraude y parvienne.

— Vous n'étiez qu'une poignée lorsque vous avez anéanti Amecareth, lui rappela Falcon.

— Grâce au porteur de lumière, dont c'était le destin.

— Ça nous en prendrait un autre ! lança Bergeau.

— Nous en avons un, leur fit remarquer Kira. Elle s'appelle Obsidia, mais elle est toute petite. Elle aura certainement besoin de notre appui.

— Comme Lassa, jadis, fit Jasson.

Ils entendirent des pas et se tournèrent vers la porte de la salle. Nemeroff s'y tenait, une flamme combative au fond des yeux.

— Désolé de m'imposer de la sorte, mais j'ai entendu vos commentaires et j'aimerais vous faire part des miens.

— Tu nous as entendus à partir de l'étage royal ? s'étonna Bergeau.

Sans répondre, il prit place près de Chloé et déposa sa canne sur la table.

— J'ai pris le temps d'observer attentivement les étoiles, cette nuit, et elles ont beaucoup de choses à nous apprendre.

— Dis-nous ce que tu as vu, Nemeroff, exigea Kira.

— J'ai aperçu une comète traversant la constellation de l'Épée, en direction de celle du Bouclier.

— Donc, des volcans.

— C'est exact.

– Le bouclier, c'est bon, non ? voulut savoir Bergeau.

– Je dirais même que c'est excellent, confirma Nemeroff, car ça signifie un mouvement de défense contre l'agresseur.

– As-tu vu l'issue des combats ? s'enquit Falcon.

– Pas tout à fait, mais je sais que la petite y figure et qu'elle pourrait nous éviter des pertes.

– C'est un peu vague, fit observer Jasson.

– Je ne suis qu'un amateur dans l'observation du ciel.

– Y a-t-il des experts dans cette science parmi les Chevaliers ? demanda Chloé.

– Wellan... soupira Bridgess.

– Il est malheureusement parti à l'aventure dans le nouveau monde, indiqua Kira, ce qui me fait penser que je pourrais tenter de le ramener à la maison.

– Ses connaissances nous seraient en effet fort utiles, affirma Dempsey.

– Mais revenons à l'enfant, si vous voulez bien, fit la Sholienne, songeuse. Lassa l'a déjà trouvée, mais il ignore encore comment elle pourrait intervenir.

– Et je suis incapable de trouver cette information dans le ciel, se désola Nemeroff.

– Parle-nous de ta vision, Wanda, fit Jasson en se tournant vers l'ancien augure.

La jeune femme leur résuma ses songes.

— J'étais déjà au courant de cette quête, indiqua Bridgess, mais qu'est-ce que Lassa et ses compagnons sont censés faire maintenant qu'ils ont trouvé Obsidia ?

— Il ne faudrait pas qu'ils l'empêchent de jouer son rôle dans cette guerre, précisa Falcon.

— Mais aucune mère n'accepterait d'emmener sa fille sur un champ de bataille, rétorqua Chloé.

— Je ne sais pas plus que vous ce qui se passera, avoua Kira. En attendant, demain, je vais réinstaurer l'autorité des lieutenants. C'est moi qui dirigerai les soldats de Wellan. Je suis certaine que vous vous rappelez qui faisait partie de vos garnisons à l'époque.

— Vaguement... plaisanta Jasson.

— C'est pourtant fort simple, lui dit Bergeau. Ceux qui ne seront pas avec nous seront avec toi.

— Vous pouvez retourner à vos chambres, maintenant, décida Kira. Merci d'avoir accepté de me rencontrer, cette nuit.

— Tu es le nouveau commandant, répliqua Jasson avec un sourire espiègle. Nous n'avions pas vraiment le choix.

Bergeau le tira par la manche en direction de la sortie. Les autres les suivirent aussitôt. Seul Nemeroff demeura assis en compagnie de Kira.

— As-tu besoin d'aide pour remonter à ta chambre ? lui demanda sa belle-mère.

— Non...

— Merci de nous donner un coup de main, Nemeroff.

– C'est la moindre des choses et je suis prêt à en faire davantage pour sauver Enkidiev. J'ai été au nombre des victimes de la guerre précédente et je n'ai pas l'intention de laisser l'histoire se répéter.

L'épisode de l'écroulement de la tour sur les enfants à Émeraude était encore bien frais dans la mémoire de Kira.

– Nous trouverons le point faible de Kimaati, promit-elle. Tout le monde en a un.

– Si j'étais en meilleurs termes avec Abussos, je lui demanderais d'intervenir...

– Nous pourrons toujours avoir recours à mon mari ou même à ma fille. Je vais commencer par communiquer avec Wellan pour le persuader de rentrer à la maison. Bonne nuit, Votre Majesté.

– Avant de partir, pourrais-tu me dire si tu as gardé des souvenirs de ta tendre enfance ?

Kira trouva la question étrange, mais décida d'y répondre quand même :

– Très peu, en fait... seulement quelques images. Tu ne te souviens pas de la tienne ?

– Pas vraiment...

– Ne t'en fais pas. La vie est faite pour regarder en avant, pas en arrière. Je te souhaite une bonne nuit. Nous nous reverrons sans doute dans le hall des Chevaliers demain matin.

– Je serai là.

Kira quitta la crypte et remonta dans ses anciens quartiers, soulagée de savoir que Hadrian ramènerait ses compagnons Elfes sains et saufs. Si cette petite fille était la clé de leur survie, il devenait important de comprendre comment elle interviendrait. Mais avant de sortir pour observer les étoiles, elle ressentit le besoin de parler à son mari. Les communications télépathiques étaient devenues risquées, mais ce fut plus fort qu'elle.

— *Lassa, m'entends-tu ?*

— *Heureusement, cette nuit, j'ai du mal à dormir,* répondit-il. *J'espère que Marek n'a pas encore fait des siennes...*

— *Non, mon chéri. Aux dernières nouvelles, il se comportait toujours très bien au Royaume des Fées.*

— *Alors, c'est pire encore ?*

— *Je ne te contacte pas seulement quand ça va mal, tu sais. Je voulais surtout te dire que je t'aime.*

— *Moi aussi. As-tu appris aux Chevaliers que nous avions trouvé la petite fille de la prophétie ?*

— *Oui et si je peux vous faire une seule recommandation, c'est de ne pas la ramener à Émeraude pour le moment.*

— *Surtout, ne t'inquiète pas. Napashni ne nous laisserait pas la prendre.*

— *Napashni ?*

— *C'est une longue histoire de fusion d'âmes que je te raconterai plus tard.*

— *Donc, vous allez rentrer, maintenant ?*

— *Non, pas tout de suite...*

– *Nous sommes en plein conseil de guerre, Lassa. Ta présence et tes conseils nous seraient précieux.*

– *Ce que j'ai l'intention de faire est aussi important.*

Kira sentit un grand sentiment de méfiance l'envahir.

– *Explique-toi...*

– *Onyx se trouve dans le royaume voisin. Napashni lui a déjà fait part de ce qui se passait à An-Anshar, mais je sens que c'est mon devoir de lui faire comprendre l'urgence de se ranger de notre côté pour chasser l'usurpateur.*

– *Et comme aucun de nous n'arrive à lui parler...*

– *Nous allons nous rendre jusqu'à Son Altesse et lui faire prendre conscience des véritables enjeux de ce monde. Et il y a autre chose... Wellan est avec lui.*

– *Ça tombe bien! Essaie de le persuader de rentrer à Émeraude. Nous avons besoin plus que jamais de son expérience militaire.*

– *Je ferai de mon mieux. Maintenant, essaie de dormir et rêve à moi. Je t'aime.*

– *Pas autant que moi.*

En attendant que le sommeil la gagne, Kira sortit dans la grande cour et grimpa sur la passerelle qui courait devant les créneaux. Il y avait bien longtemps qu'elle n'avait pas étudié les signes dans le ciel, mais elle se souvenait très bien des leçons d'Abnar.

– Voyons voir de quel côté se trouve le Bouclier... murmura-t-elle.

8

INSAISISSABLE

Tayaress dut attendre qu'Abussos veuille bien le libérer avant de foncer dans l'Éther en direction du monde des humains. Il avait laissé l'hippocampe explorer son esprit, mais il avait aussi pris le soin de dissimuler tous ses souvenirs au plus profond de son âme. Si son maître venait à découvrir la vérité à son sujet, il le détruirait en une fraction de seconde, l'empêchant d'accomplir sa mission. Tayaress avait besoin d'être libre comme l'air et d'aller où il le voulait.

Contrairement à ce que croyait Abussos, cet Immortel n'était pas sa création. Des années auparavant, Océani avait assassiné le véritable Tayaress tandis qu'il parcourait les grandes plaines du monde d'Abussos. Il avait ensuite pris ses vêtements et modifié légèrement l'apparence de son visage, car il lui ressemblait déjà beaucoup. Il avait ensuite assimilé les connaissances et les souvenirs du demi-dieu. Il n'avait pas pu laisser passer cette chance inespérée de pouvoir se déplacer dans tous les mondes sans être importuné.

Océani avait vu le jour sur une île à quelques lieues du grand continent d'Alnilam, dans un nid de pierre tapissé de duvet soyeux, en même temps que deux frères et une sœur. Ses parents, de magnifiques créatures ailées, avaient réussi à les protéger jusqu'à leur dixième année. Peu de prédateurs parvenaient à se rendre jusqu'à ce sanctuaire isolé, mais bien souvent les oisillons mouraient durant l'enfance pour des raisons mystérieuses. Les parents de ce beau garçon lui avaient donné le nom d'Océani parce qu'il aimait refermer ses ailes et plonger dans l'océan pour attraper du poisson.

La vie était douce et tranquille sur Gaellans. Océani passait une partie de la journée à planer au-dessus des flots, à pêcher et à manger avec sa famille. Lorsqu'il rapportait trop de prises, il allait en porter aux nids voisins. Le soir venu, il regardait le soleil descendre à l'ouest et allait se coucher en boule avec sa nichée.

Puis une nuit, son univers avait basculé... C'étaient les cris des membres de la colonie qui l'avaient réveillé en sursaut.

Animées par l'énergie divine de Kimaati, d'énormes chauves-souris rasaient les corniches en lançant sur les hommes-oiseaux des objets qui explosaient en touchant la pierre.

– Maman ! avait hurlé Océani, terrorisé.

Il avait alors vu ses parents s'en prendre à leurs agresseurs avec de longues branches. Océani avait essayé de sortir du nid pour leur prêter main-forte, mais la force d'une explosion l'y avait fait retomber. Couché sur le dos, il avait vu passer au-dessus de lui une nacelle dans laquelle se tenait un énorme lion qui rugissait ses ordres aux chiroptères assassins.

Plus décidé que jamais à repousser les attaquants, Océani avait bondi du nid, mais une autre bombe avait projeté sur lui les corps d'une vingtaine de ses semblables. Écrasé sous tout ce poids, il n'était plus arrivé à bouger et le manque d'air avait fini par lui faire perdre connaissance.

Lorsqu'il était enfin revenu à lui, il était allongé au milieu du camp de chasseurs qui habitaient à l'autre extrémité de Gaellans. Océani les avait souvent vus partir en bande pour aller chercher des fruits et d'autres denrées que ne leur fournissait pas leur île, mais il ne les connaissait pas personnellement. Ce jour-là, il avait appris qu'il était le seul survivant de l'horrible massacre. Ceux qui l'avaient découvert y avaient échappé parce qu'ils avaient passé la nuit dans les arbres d'Aludra.

Océani leur avait raconté ce qu'il avait vu et c'est à ce moment-là qu'on lui avait dit que le grand lion qui avait mené cette charge était nul autre que le dieu Kimaati. L'enfant-oiseau était trop jeune à l'époque pour comprendre qu'Achéron avait ainsi tenté de se débarrasser d'une race de dieux qui menaçait sa domination. L'un de ses sauveteurs s'appelait Sappheiros...

Comme Abussos croyait véritablement qu'il était son fidèle serviteur, Océani avait attendu patiemment l'heure de sa vengeance. En exécutant toutes les tâches que lui confiait l'hippocampe, il avait fini par croiser la route de l'assassin.

Kimaati avait fait une courte incursion dans l'univers des dieux fondateurs, où Océani l'avait facilement repéré. Leur duel s'était terminé dans le Désert d'Enkidiev. À bout de force, les deux combattants s'étaient immobilisés, l'un en face de l'autre. Pour conserver sa liberté, le dieu-lion avait avoué son identité à Océani et lui avait promis de le libérer du joug de l'hippocampe s'il le laissait partir. Océani avait accepté en attendant de trouver la façon de le tuer. Afin de se rapprocher de lui, il avait proposé à Kimaati de lui trouver une place forte. Quelques années plus tard, il lui avait offert An-Anshar sur un plateau d'argent. Puisqu'il était particulièrement habile avec ses couteaux et que la violence ne le rebutait pas, le lion l'avait pris sous son aile sans se douter de rien.

Tayaress continuait de servir Abussos pour ne pas éveiller ses soupçons, mais il avait bien l'intention de disparaître dès qu'il se serait vengé de Kimaati. Tout en guettant le moment où il ferait tomber le fauve, il s'assurait aussi que personne ne le prive de cette satisfaction. Il avait donc dû faire disparaître Moérie avant qu'elle ne trouve la façon d'anéantir sa proie. « Il est à moi ! » hurla intérieurement l'homme-oiseau en atterrissant sur la montagne de Cristal. Il avala une grande quantité d'eau cristalline, nectar des Immortels, puis s'assit sur la corniche pour observer le paysage sous lui, les jambes pendant dans le vide.

Jamais Tayaress n'avait cru retrouver un jour l'énergie qu'il avait flairée dans la rotonde de Parandar. Sappheiros faisait partie de son passé. Il n'avait jamais plus entendu parler de lui après son départ de Gaellans. Pourquoi avait-il attaqué les dieux reptiliens ? Il retourna la question dans tous les sens, sans trouver de réponse. Tout comme lui, le cougar ailé ne désirait qu'une seule chose : anéantir Kimaati. Or celui-ci n'avait jamais mis le pied chez les Ghariyals...

La pensée que son compatriote puisse lui faucher l'herbe sous le pied fit trembler Tayaress de rage. Toutefois, le soir du massacre, Sappheiros avait lui aussi perdu toute sa famille. « Je dois le retrouver et m'allier à lui », décida finalement l'Immortel. « Ensemble, nous trouverons bien la façon de supprimer le lion... »

Avant que Kimaati ne s'alarme de sa longue absence, Tayaress décida de faire un saut à An-Anshar. Il y arriva au début de la soirée et sentit tout de suite que quelque chose ne tournait pas rond. Il régnait dans la forteresse une énergie encore plus négative que lorsque Moérie y habitait. « L'imbécile a-t-il recruté un sorcier ou une autre enchanteresse ? » se demanda l'Immortel en traversant le vestibule.

Il pénétra dans le grand hall, surpris de trouver toute la famille au beau milieu du repas du soir, qui se déroulait dans un silence d'enterrement. Il s'approcha à pas feutrés en promenant son regard autour de la table. Il ne manquait personne, donc il ne s'agissait pas de la perte d'un des membres du clan. Il scruta leurs esprits et capta alors la colère de Solis. Si Kimaati n'avait pas été aussi puissant, le jaguar l'aurait depuis longtemps égorgé. C'était son impuissance qui mettait Solis dans un tel état.

— Tayaress, mais où étais-tu passé ? lâcha Kimaati en faisant sursauter tout le monde.

— Les Immortels doivent manger, eux aussi.

— J'ai besoin que tu restes ici et que tu surveilles plus attentivement mes magnifiques enfants qui ne cherchent qu'à fuir.

Solis gronda avec mécontentement.

— À vos ordres, maître.

Il se posta derrière la chaise de Kimaati et ne bougea plus jusqu'à la fin du repas. Lorsque les membres de la famille commencèrent à quitter le hall, il les suivit en silence. Il aurait bien aimé avouer à Solis qu'il éprouvait la même haine que lui, mais il ne devait pas révéler sa véritable identité à qui que ce soit. « Pas tout de suite... » se répéta-t-il intérieurement.

Les félins se dispersèrent entre les différentes pièces de l'étage où ils dormaient.

Tayaress choisit de suivre Corindon, car il ne captait absolument rien dans son cœur. Il le rejoignit sur le balcon de sa chambre.

— Êtes-vous ici pour me ramener dans le monde des morts ? demanda le caracal sans la moindre émotion.

— Je crains que ce ne soit impossible. Vous êtes condamné à vivre parmi les mortels.

— Où je ne mourrai pas à moins de tomber amoureux d'une autre traîtresse...

— Les dieux peuvent perdre la vie aux mains d'autres dieux.

— J'ai eu l'occasion de le constater, en effet.

— Vous pouvez aussi vous rendre utile auprès des hommes si un jour vous parvenez à sortir d'ici.

— Quand Kimaati sera devenu le maître du monde, vous voulez dire ?

— Il apprendra à vous faire confiance.

— Je sais que vous êtes son esclave et que vous le servez aveuglément, mais si nul ne l'arrête, il détruira toute vie sur cette planète.

— Personne ne peut prédire l'avenir.

Sur ces paroles, Tayaress tourna les talons.

— Pourquoi êtes-vous en train de penser à Sappheiros ? lui demanda le caracal, à brûle-pourpoint.

L'Immortel se retourna lentement, furieux d'avoir abaissé sa garde pendant quelques secondes.

— J'ai entendu son nom quelque part, mentit-il.

— Vous ne savez donc rien de lui ?

— Non, rien.

— Pourtant, son nom est clairement apparu dans votre esprit. À la demande du chef de mon panthéon, je n'ai raconté sa tragique histoire qu'à un seul homme : le Roi Onyx. J'ai dû en modifier quelque peu les grandes lignes pour lui faire accomplir ce qu'Étanna attendait de lui. J'ai même réussi à lui faire croire qu'il était son descendant alors que Sappheiros ne fait même pas partie de cet univers.

— Ce n'est qu'une légende, alors ?

— Je n'en sais rien. Mon grand-père a parlé de lui à mon père quand il était petit. Apparemment, Sappheiros était un Immortel qui s'est révolté contre ses dieux et qui s'est attiré leurs foudres. Ils ont alors anéanti toute sa famille, mais il a réussi à échapper au massacre et a juré de se venger. Puisque cela s'est produit dans un monde parallèle, nous n'avons jamais su s'il avait réussi.

— Je ne saurais vous en dire plus.

Il quitta l'étage et s'attarda à An-Anshar pendant quelques jours pour endormir la vigilance de son maître. Surveillant les prisonniers en silence, Tayaress se surprit à compatir à leurs tourments. Ces dieux avaient joui d'une grande liberté dans le monde des hommes durant des années puis, en l'espace d'un instant, ils s'étaient retrouvés emprisonnés dans une forteresse isolée au sommet d'un volcan. Pire encore, ils n'entrevoyaient pas le jour où ils pourraient en sortir. « Quand j'aurai livré la carcasse du lion à son père, je reviendrai les libérer », se promit-il.

Tayaress attendit que Kimaati se soit finalement endormi puis retourna à la rotonde des Ghariyals afin d'y mener une enquête plus approfondie sans qu'Abussos regarde constamment par-dessus son épaule. Utilisant ses sens divins, il détecta une fois de plus l'odeur de Sappheiros dans les éclats de cristal qui jonchaient le sol. Il y trouva également sa propre empreinte et finit par comprendre pourquoi. « C'est moi qui lui ai offert cette bombe, autrefois... »

« Où es-tu allé ensuite, Sappheiros ? » Il était bien plus difficile de repérer un dieu qu'un Immortel dans l'Éther, mais pas impossible. Tayaress scruta les alentours et finit par découvrir une piste qui le mena jusqu'à un grand étang magique. « Est-il entré dans le monde des mortels grâce à ce vortex ? » Lui-même n'en avait nul besoin pour se déplacer entre les mondes.

Dans l'espoir de retrouver le cougar ailé, Tayaress plongea dans l'eau claire. À son grand étonnement, il aboutit dans une rivière du Royaume d'Émeraude. « S'il est à Enkidiev, pourquoi n'ai-je jamais senti sa présence ? » Sous la forme d'une petite étoile, l'Immortel parcourut tout le continent, mais ne trouva aucune trace de Sappheiros. Démoralisé, il retourna à An-Anshar et s'allongea à plat ventre sur une des poutres du plafond du couloir à l'étage qu'occupaient les prisonniers. Si son compatriote avait traqué lui aussi Kimaati jusque dans les volcans et que le dieu-lion était encore vivant, que lui était-il donc arrivé ?

— Ce ne doit pas être très confortable, là-haut ! lança une jeune voix sous lui.

Il ouvrit les yeux et aperçut Léia, qui avait désormais les cheveux aussi roses que ceux de sa mère.

— Voulez-vous un oreiller ?

Tayaress se laissa tomber sur le sol comme une araignée au bout de son fil.

— Les Immortels ne sont pas douillets.

— Je ne le sais que trop bien. Mon père en était un avant de devenir mortel. Il s'appelait Abnar.

— J'ai entendu parler de lui. Que fais-tu encore debout ?

— Certaines nuits, j'ai beaucoup de difficulté à m'endormir, même quand mes sœurs sont toutes collées contre moi, alors je marche dans la forteresse jusqu'à ce que le sommeil me gagne.

— Tu ne devrais pas t'éloigner de ta famille.

— Je n'erre jamais aux autres étages et encore moins dehors. Ma mère m'a dit de faire bien attention de ne pas provoquer la colère de Kimaati.

— Elle est très sage. Maintenant, retourne dans ta chambre.

Le regard sévère de l'Immortel fit frissonner la jeune eyra. Elle pivota sur ses talons et courut se réfugier auprès de ses sœurs.

Tayaress demeura immobile un long moment. Il était une fois de plus retourné dans son passé. « Moi aussi, jadis, je dormais pelotonné contre mes frères et ma sœur... »

9

LES MOINES

Malgré l'absence de lumière solaire, Parandar s'acclimata plus rapidement à la vie du sanctuaire de Shola qu'à celle du palais de Fal. Les habitudes des cénobites étaient moins contraignantes et leur emploi du temps lui convenait davantage.

Après avoir repris son aplomb grâce aux bons soins d'Élizabelle, l'épouse de Hawke, Parandar s'était installé dans une cellule comme tous les autres moines. La nourriture qu'il partageait avec eux était plus fade, mais s'il avait décidé de s'isoler dans ce monde souterrain, ce n'était pas pour ses particularités culinaires.

Ce qui plaisait le plus à l'ancien dieu des étoiles, c'étaient le silence et les longues heures de méditation. Parce qu'il gardait encore rancune à Abussos d'avoir puni les Ghariyals, qui n'avaient jamais participé à la guerre entre les félins et les rapaces, il évitait sciemment toutes les périodes de prière dans la grande salle dominée par la statue du dieu-hippocampe. Lorsque les Sholiens s'y rendaient, il retournait à sa chambre pour écrire. Lorsqu'il était parti de chez elle, Élizabelle lui avait offert un journal vierge, un encrier et une plume dont son époux ne s'était jamais servi. Au début, Parandar ne savait pas très bien ce qu'il allait en faire, puis il lui vint l'idée de mettre par écrit toutes les pensées qui l'assaillaient. C'était une excellente façon de se vider l'esprit juste avant les méditations.

Il avait commencé par évacuer sa colère en décrivant ce qu'il avait éprouvé lorsque la bombe de cristal avait éclaté dans sa rotonde, tuant toute sa famille. Seules Theandras et Fan avaient échappé à ce massacre, car il les avait emmenées à l'écart pour discuter en privé avec elles. Il ignorait qui pouvait bien détester les Ghariyals à ce point. Aucun des membres des autres panthéons n'avait la faculté de survivre assez longtemps dans l'atmosphère des reptiliens pour s'approcher de leur palais et y semer toute cette destruction. Il avait finalement conclu qu'il ne pouvait s'agir que d'une créature divine qui en voulait à Abussos.

Il consigna aussi dans son journal la terreur qu'il avait ressentie dans le grand tourbillon qui l'avait projeté dans le monde des hommes et le choc qu'il avait éprouvé au contact des humains.

Après s'être abandonné au courroux, il était rapidement passé à la tristesse et les chapitres suivants relataient sa peine et ses regrets. La douceur et l'oreille sympathique de Clodissia, son épouse, lui manquaient terriblement. Il n'arrêtait pas de rêver du jour où ils seraient enfin réunis, mais aboutirait-il au même endroit qu'elle dans la mort ? L'âme des dieux qui perdaient subitement leur immortalité voguait jusqu'au hall des disparus, mais celles des humains se regroupaient sur les grandes plaines de lumière. Il ne pouvait pas s'imaginer passer toute l'éternité sans elle...

Parandar avait également écrit au sujet de ses inquiétudes quant à l'avenir des hommes et des femmes qu'il avait créés pour faire plaisir à Clodissia. Le seul dieu qui leur restait, c'était Abussos, mais tout comme les Ghariyals, l'hippocampe ne s'était jamais vraiment préoccupé du sort de sa création. Il avait plutôt engendré des enfants-foudre pour le faire à sa place, puis les avait abandonnés à eux-mêmes dans le monde des humains. Que se produirait-il si les hommes devaient faire face à un nouveau péril ?

Il avait commencé à écrire ce qu'il pensait des Sholiens lorsqu'il se rendit compte qu'il ne savait pas grand-chose à leur sujet. Alors, ce soir-là, au repas de la communauté, Parandar prit place près d'Isarn à l'une des longues tables du réfectoire.

— Toujours satisfait de votre vie ici ? lui demanda le hiérophante.

— Je peux me détendre dans le sanctuaire comme je le faisais dans mon propre univers.

— C'est flatteur.

— Le temps s'écoule très lentement dans l'Éther et nous ne sommes jamais pressés de prendre une décision.

— Était-ce la même chose dans les autres panthéons ?

— Je ne m'en suis jamais vraiment informé, mais je ne crois pas que mon frère rapace et ma sœur féline aient fait les mêmes choix que Theandras et moi. Ils étaient belliqueux et envieux, aussi. Ils convoitaient ce que possédait l'autre au lieu de se contenter de ce qu'ils avaient.

— Et nous qui avons toujours cru que tout était parfait au ciel...

— Détrompez-vous. Même les Ghariyals ont eu leur lot de difficultés.

— Voulez-vous m'en parler ?

— Les trois premiers enfants des dieux-dragons étaient reptiliens. Ils ont choisi un mode de vie raffiné et une apparence plus plaisante que celle du gavial. Tout allait bien jusqu'à ce que notre jeune frère Akuretari se mette à rêver de pouvoir. En secret, il a créé des monstres volants dans le but de me détrôner. Or il n'avait pas reçu ce privilège de nos parents. J'ai dû l'exiler dans un gouffre céleste avec ses abominations, mais il a réussi à s'en échapper et il a causé beaucoup de souffrances à un grand nombre de dieux et d'humains.

— Et de Sholiens, ajouta Isarn.

Parandar pencha la tête de côté, geste que le hiérophante interpréta comme une interrogation.

— Votre frère nous a fait croire qu'il était un Immortel qui s'appelait Nomar et que sa mission était de retrouver et protéger les enfants d'Amecareth. Nous avons compris trop tard qu'il n'était qu'un imposteur qui avait offert ses services à ce dieu en provenance d'un univers parallèle. Sa véritable intention était de les détruire, mais en même temps, il n'a pas hésité à tuer tous les Sholiens qui avaient pris soin d'eux pour lui rendre service.

— Vous m'en voyez navré.

— Je croyais que les dieux savaient tout ce qui se passe dans notre monde.

— Personnellement, je me tenais informé des progrès des humains grâce aux Immortels que j'avais créés, surtout durant les invasions des Tanieths. Les Ghariyals, contrairement aux panthéons aviaire et félin, n'intervenaient pas continuellement dans la vie de leurs sujets, sauf en cas de grave danger. Il est arrivé que ma sœur Theandras se mêle de la vie du Chevalier Wellan d'Émeraude, mais je ne m'y suis jamais opposé, car c'était toujours pour une bonne cause. Mais dites-moi, vénérable Isarn, Abussos répond-il à vos prières ?

— De plus en plus, ce qui n'est pas pour nous déplaire. Nous l'avons toujours servi avec dévotion et loyauté. Puisque vous vous intéressez à notre histoire, aimeriez-vous visiter les galeries où nous vivions autrefois ?

— Je ne sais pas si j'ai vraiment envie de quitter la quiétude du sanctuaire, avoua Parandar.

— Nous pouvons y accéder par un tunnel qui part d'ici. Nul besoin d'aller dans le monde extérieur. Vous sentez-vous capable de marcher pendant quelques heures ?

— Je suis certainement plus fort qu'à mon arrivée.

— Alors, cette excursion vous fera le plus grand bien.

Après le repas, le vieil homme présida les prières, puis alla chercher Parandar dans sa cellule. Il lui conseilla de jeter une cape sur ses épaules, car les cavernes d'Alombria étaient froides maintenant que la magie de Nomar ne les réchauffait plus. Ils se rendirent jusqu'à une porte dissimulée derrière la statue géante du dieu-hippocampe et pénétrèrent dans un couloir éclairé par les mêmes pierres blanches qui étaient collées partout sur les murs du sanctuaire.

— Autrefois, ce corridor menait jusqu'à la surface, expliqua Isarn. Il nous permettait de quitter Alombria et de remonter jusqu'à l'ancien Château de Shola. Il a été condamné après la destruction de la forteresse de glace par les dragons noirs et les moines ont choisi de vivre sous terre avec leurs protégés. Lorsque nous avons construit notre second refuge, nous l'avons fait près de cet accès, ce qui nous assure une sortie de secours en cas de menace.

– C'est une excellente précaution.

Ils arrivèrent devant une autre porte blindée, que le vieil homme ouvrit grâce à ses pouvoirs. Parandar fit un pas dans ce monde troglodyte et s'immobilisa, impressionné. Le plafond de la caverne s'élevait très haut au-dessus de sa tête. En plein centre, un amoncellement en saillie de pierres lumineuses tenait lieu de soleil et procurait une douce lumière naturelle à la caverne. Il se tourna vers le hiérophante et s'aperçut qu'il était très inquiet.

– Nous ne sommes pas au bon endroit ? demanda l'ancien dieu à tout hasard.

– Non, c'est bien ici que nous avons pris soin des hybrides, mais le trou dans la voûte causé par l'explosion a été refermé...

– N'est-ce pas une bonne chose ?

– Si, bien sûr, mais je crains toujours l'intervention de sorciers.

– Vos moines n'auraient pas soudain eu envie de procéder à ces réparations ?

– Ils n'ont pas le droit de quitter le sanctuaire.

En silence, le vieil homme s'avança vers la rivière qui jaillissait de la paroi rocheuse et traversait toute la grotte.

– Elle a été dégelée... murmura-t-il, étonné. Et il ne fait plus aussi froid, ajouta-t-il.

– Pour vous dire franchement, je trouve que c'est plutôt frais.

L'ancien dieu referma sa cape sur lui-même pour se réchauffer.

– Décrivez-moi ce qui se passait ici.

– Nomar traquait les hybrides dans le monde des humains et les ramenait à Alombria. Nous leur préparions une cellule et nous nous assurions qu'ils ne manquaient de rien.

Isarn lui pointa les nombreuses corniches qui s'échelonnaient jusqu'au plafond, toutes percées d'innombrables petites alcôves.

– Chacun possédait son propre espace, mais devait descendre jusqu'ici pour manger. Nous allumions des feux un peu partout sur cette plaine et nos protégés s'y assoyaient par petits groupes pendant que nous servions le repas.

– Vous leur prépariez des mets qu'ils pouvaient tous digérer ?

– En fait, non. Nomar avait également asservi le peuple qui vivait à Espérita, à l'extérieur de cette caverne. Il forçait les Espéritiens à toujours préparer plus de nourriture qu'ils n'en avaient réellement besoin et la leur prenait.

– Cela ne m'étonne pas de mon jeune frère, soupira Parandar.

– Le soir, lorsque les pierres du plafond commençaient à perdre de leur luminosité, les hybrides regagnaient leur cellule pour dormir.

— Elles suivent donc le cycle naturel du jour et de la nuit, comme celles du sanctuaire ?

— C'est exact. Je ne vous imposerai pas une ascension jusqu'à la dernière corniche, mais si vous voulez étudier ces alvéoles de plus près, nous pourrions nous rendre au moins sur la première.

— Volontiers.

Ils grimpèrent donc l'une des échelles en bois qui menait au premier escarpement. Isarn remarqua aussitôt des cendres dans l'une des petites grottes.

— Quelqu'un a incinéré les pauvres gens qui sont morts de froid lorsque Nomar a abandonné les Espéritiens à leur sort, conclut-il.

Il s'accroupit et passa la main au-dessus des résidus.

— Un puissant magicien... peut-être même un dieu.

— Abussos ?

— C'est possible. Nous le lui demanderons lors des prochaines prières.

— Vous m'avez dit que les hybrides et les Sholiens ont tous perdu la vie dans cet endroit.

— Une explosion d'une force inouïe a enseveli plusieurs d'entre nous sous d'énormes morceaux de roc et les autres ont péri dans l'incendie qui s'est déclaré tout de suite après.

— Les moines sont revenus à Shola, mais où sont les hybrides ?

– Nos anciens avaient prévu notre destruction aux mains d'un sorcier, alors ils avaient placé dans des boules de cristal les instructions pour que notre savoir ne soit pas perdu, si cela devait se produire. Ils avaient caché ces sphères un peu partout sur le continent pour s'assurer que l'empereur noir ne puisse pas toutes les retrouver. Les anciens sont toutefois morts avant que le funeste événement ait lieu. Ils n'ont pas pu constater de leurs propres yeux que leur sortilège avait été utilisé d'une façon fort différente. Redescendons, maintenant.

Une fois sur la plaine, Isarn poursuivit son récit :

– C'est finalement Hawke qui a retrouvé deux de ces boules de cristal. Il n'a pas eu le temps de recevoir psychiquement toutes les directives que contenait la première, car elle lui a été enlevée, mais lorsqu'il est tombé sur la deuxième, il était seul. Tout le savoir qu'elle contenait s'est déversé dans son esprit. Cependant, au lieu de mettre nos connaissances par écrit pour la postérité, il a décidé de nous ramener du monde des morts.

– N'est-ce pas une prérogative divine ?

– Ne me demandez pas de vous expliquer comment il s'y est pris et pourquoi il a réussi. Il n'en sait rien lui-même. Dans sa transe, il a jugé qu'il était important pour l'avenir d'Enkidiev que les Sholiens en fassent de nouveau partie. Il nous a donc ressuscités un à un dans une grotte au pied de la falaise qui s'étend du Royaume de Zénor au Royaume de Fal. Nous étions désorientés, affamés et meurtris. Il a pris soin de nous, puis il nous a proposé de construire un nouveau sanctuaire dans notre patrie de Shola, plutôt qu'à Alombria. Il a même commencé les travaux seul, jusqu'à ce que nous soyons devenus suffisamment forts pour poursuivre les excavations nous-mêmes. Nous sommes à l'abri de tout dans ces souterrains.

– C'est ce que je croyais aussi dans mon propre monde, mais quelqu'un nous y a attaqués quand même.

– Je vous promets que rien ne vous arrivera tant que vous habiterez avec nous.

– Ne craignez-vous pas que celui qui s'en est pris à ma famille me traque jusqu'à Shola ?

– Nous y avons déjà pensé, mais personne ne peut percer cette nouvelle protection dont est entouré notre second refuge. Nous sommes protégés par la magie d'Abussos.

– Pourquoi ne vous a-t-il pas préservés du danger la première fois ?

Isarn baissa tristement la tête.

– Nous ne possédons malheureusement pas la réponse à cette question.

– J'imagine que mon frère perfide y est pour quelque chose, grommela Parandar. Il vous a sans doute coupés du reste du monde avant de vous anéantir.

– C'est possible.

– Montrez-moi Espérita.

– C'est désormais une enclave déserte dans la glace. Il n'y a rien à y voir.

– Je veux comprendre toute votre histoire, vénérable Isarn.

– Dans ce cas, c'est par là.

Il l'emmena jusqu'au couloir arrondi qui débouchait sur les vastes terres prisonnières de hautes falaises gelées. Encore une fois, Isarn exprima la plus grande surprise.

— Qu'y a-t-il ? s'inquiéta Parandar.

— Tout a changé... Ne restons pas ici.

— Changé comment ?

— La neige a fondu et les fermes ont disparu. Je sens même la présence de nouvelles vies. Tant que nous ne saurons pas par quelle magie ces terres sont redevenues fertiles, il est préférable de regagner la sécurité du sanctuaire.

L'ancien dieu ne répliqua pas. Il suivit plutôt le vieil homme qui revenait sur ses pas. Lorsque la dernière porte fut enfin verrouillée, Isarn se détendit. Pendant qu'il se rendait à la salle de prières afin de s'entretenir avec les autres moines, Parandar poursuivit sa route jusqu'à sa cellule. Il était à bout de force. « Je devrais marcher plus souvent », conclut-il.

Il s'assit en tailleur sur son lit et se frictionna les jambes. Quand elles lui firent moins mal, il ferma les yeux avec l'intention de méditer, mais un brusque coup de vent lui fit battre des paupières. Devant lui se tenait le dieu-hippocampe en personne, sous sa forme humaine.

— Notre châtiment n'était pas encore assez terrible ? grommela Parandar, mécontent.

— Vous avez eu ce que vous méritiez, rétorqua Abussos. Je suis venu jusqu'ici pour vous informer du résultat de mon enquête dans la rotonde.

— Vous y avez trouvé autre chose que la mort et la désolation ?

– Mon fidèle Tayaress a découvert que l'auteur de ce crime est une créature ailée en provenance d'un autre monde.

– Je n'en connais aucune et pourquoi nous aurait-elle détestés au point de nous anéantir ? Les Ghariyals se sont fait un devoir de ne pas se mêler des affaires des autres dieux. Ils n'ont jamais causé de tort à personne.

– J'ignore encore qui est le coupable, mais nous le trouverons.

– Avant que vous prononciez sa sentence, j'aimerais voir son visage et lui demander pourquoi il m'a enlevé ma famille.

– Tout dépendra des circonstances de sa capture.

Quelques coups furent frappés à la porte, ce qui fit instantanément disparaître Abussos sans que Parandar ait le temps de lui demander pourquoi le climat d'Alombria avait changé.

– Entrez, fit l'ancien dieu des étoiles, encore ébranlé.

– Je voulais m'assurer que vous vous portez bien, lui dit Isarn en restant sur le seuil de la chambre.

– Mes jambes sont lourdes, mais je survivrai.

– Et je tenais à vous dire qu'en communiquant avec Hawke, j'ai appris que ce sont de nouveaux colons d'Enkidiev qui se sont établis à Espérita grâce à l'intervention de jeunes Immortels, qui ont par la suite perdu leurs pouvoirs. Vous n'avez donc rien à craindre de ce côté.

– Merci de m'en informer, vénérable Isarn. Cette nouvelle tranquillise grandement mon esprit.

– Reposez-vous. Je vous ferai quérir pour le repas du soir.

Le vieil homme referma la porte, mais contrairement à ce qu'il avait prétendu, Parandar ne trouva aucune paix. Il scruta ses souvenirs, mais ne put rappeler à sa mémoire aucune conversation avec les siens durant laquelle il aurait été question d'êtres ailés en provenance d'un autre monde. Il était au courant que certaines brèches avaient été pratiquées sur sa frontière vers un univers parallèle, mais personne ne lui avait encore parlé de ses habitants.

10

ROLDAN

Au Royaume de Fal, Theandras n'en finissait plus de s'émerveiller devant son petit-fils.

Sans négliger ses cours d'escrime et les repas qu'elle partageait désormais avec le beau capitaine Roldan, elle apprenait comment s'occuper de Nolan. Elle avait jadis mis sa fille au monde, mais pas de la même façon que les femmes humaines. Sans l'avoir jamais portée, elle avait fait apparaître Jenifael. De surcroît, elle ne l'avait pas élevée non plus. Dès son premier souffle, elle avait déposé la belle enfant rousse dans les débris d'une hutte elfique, où Bridgess l'avait trouvée.

Ce poupon qu'elle berçait aujourd'hui près de la fenêtre de sa chambre, à deux pas de son berceau, représentait pour elle un grand mystère. Heureusement, les servantes du roi lui avaient montré à nourrir, changer, laver et cajoler le minuscule bébé pour qu'il pleure moins souvent et qu'il puisse devenir un beau jeune homme plus tard.

– Aussi séduisant que Roldan, murmura-t-elle à Nolan, qui la regardait fixement.

Comme tout le monde, Theandras se demandait ce que donnerait le croisement d'une déesse reptilienne et d'un dieu félin. Si Jenifael avait, comme elle, perdu tous ses pouvoirs divins, Mahito, lui, les avait conservés. Nolan en hériterait-il ?

Jenifael avait ressenti le besoin d'aller prêter main-forte à ses compagnons Chevaliers, alors elle s'était rendue à Émeraude avec son mari. Toutefois, puisqu'elle ignorait comment sa mère se débrouillerait, elle lui avait promis de faire de courts séjours à Fal de temps en temps pour voir si tout allait bien. Jusqu'à présent, elle n'était pas revenue.

— Comment se porte notre petit prince ? demanda Roldan en entrant dans la pièce.

— Il est très sage, ce matin. Suis-je en retard pour ma leçon ?

— Pas du tout. J'avais seulement envie de contempler votre beau visage avant qu'il ne soit couvert de sueur.

Avec un air moqueur, le capitaine prit place dans une bergère d'où il pouvait observer la grand-mère et l'enfant.

— Avez-vous songé à commencer vous-même une seconde famille ? demanda-t-il de but en blanc.

— On me dit que, selon les coutumes de Fal, une femme doit d'abord être mariée.

— Et si vous l'étiez, aimeriez-vous avoir des héritiers aussi mignons que Nolan ?

— Je vous avoue que les douleurs de l'enfantement m'effraient quelque peu, mais après avoir vu le bonheur sur le visage de Jenifael lorsqu'elle a tenu son fils dans ses bras pour la première fois, je serais portée à croire qu'elles ne durent pas longtemps.

— À vous regarder tous les deux, on dirait que vous vous débrouillez fort bien.

— C'est que j'apprends très rapidement, comme vous avez eu l'occasion de le constater. Ce sera bientôt l'heure de sa sieste et, pendant que sa nourrice veillera sur lui, je pourrai vous donner une raclée dans la cour du palais.

— C'est ce que nous verrons, gente dame.

Theandras remit son petit-fils aux bons soins de la servante et changea de tenue. En pantalon et en tunique courte, elle était beaucoup plus à l'aise pour se battre. Toutefois, rien dans les règles de l'escrime ne l'obligeait à porter des couleurs sombres. L'ancienne déesse du feu avait donc choisi des vêtements en soie écarlate, orange éclatant, vert lime et jaune soleil. Pour la taquiner, Roldan lui avait dit que c'était une excellente façon de distraire ses adversaires.

Lorsque Theandras se présenta finalement dans la cour, son beau capitaine l'attendait en tenant deux chevaux par la bride.

— Je croyais que nous devions croiser le fer, s'étonna-t-elle.

— Un soldat doit être capable de se battre n'importe où, alors je vous emmène ailleurs.

— Pas sur un champ de bataille, au moins?

— Même si je le voulais, ce serait impossible, puisqu'il n'y en a plus depuis fort longtemps, milady. Je vous en prie, faites-moi confiance.

Il aida sa compagne à monter en selle, grimpa sur son propre cheval et fit marcher les bêtes en direction des grandes portes. Theandras ne cacha pas son inquiétude tandis qu'ils s'éloignaient du château, car ce royaume était surtout composé de grandes étendues désertiques.

— Si j'avais su que nous allions nous aventurer dans le désert, j'aurais apporté de l'eau, dit-elle.

— Soyez sans crainte, nous atteindrons bientôt une petite oasis.

Theandras ne l'aperçut qu'une heure plus tard. « Enfin », soupira-t-elle intérieurement. Même si elle était habillée légèrement, elle commençait à souffrir de la chaleur. Malgré la présence d'un important point d'eau, aucune tribu n'habitait cet îlot de verdure.

— Nous y voilà, annonça Roldan.

— C'est un endroit plutôt romantique pour un combat à l'épée, lui fit-elle remarquer.

— Vous avez raison.

Roldan donna la main à sa belle pour la faire descendre de sa monture et laissa les chevaux se rendre jusqu'à l'étang. Il mit un genou en terre et appuya son poing droit sur son cœur.

— Vous vous rendez déjà ? se moqua son élève.

— Belle dame, vous possédez déjà mon cœur et mon âme, mais je voudrais vous offrir ma vie. Theandras de Fal, acceptez-vous de m'épouser ?

La pauvre femme ouvrit la bouche pour répondre, mais aucun son ne voulut s'en échapper. Bien sûr qu'elle avait envie de partager le lit de Roldan ! Toutefois, jamais elle n'avait pensé qu'un mortel s'éprendrait d'elle un jour. Un tourbillon d'émotions lui fit tourner la tête. Ses joues devinrent cramoisies et elle s'écroula sur le sol. Roldan s'empressa de la soulever dans ses bras et l'emmena dans l'étang pour la rafraîchir. Dès que l'eau froide toucha sa peau, Theandras reprit ses sens.

— Est-ce que ça va ?

— Oui, un peu mieux...

— Je n'aurais pas dû vous exposer à une chaleur pareille, je suis désolé.

— La chaleur n'est nullement responsable de mon évanouissement, Roldan. C'est plutôt votre proposition...

La tristesse voila le visage du capitaine, qui redoutait un refus.

— Elle m'a prise de court, expliqua aussitôt Theandras.

— Vous me trouvez trop entreprenant, n'est-ce pas ?

— Ce n'est pas cela, Roldan. Vous n'êtes pas responsable de mon malaise. La vérité, c'est que je ne m'attendais pas à ce qu'un humain me demande en mariage.

— Puis-je vous rappeler que vous êtes désormais humaine, vous aussi ?

— Et âgée de milliers d'années. D'ailleurs, je ne connais rien à l'amour.

— Vous êtes merveilleusement bien conservée pour une vieille femme, se moqua le capitaine. Et n'avez-vous pas éprouvé de la passion pour un certain Chevalier Wellan ?

— Autrefois, c'est vrai, mais mes tendres sentiments envers lui ont bien changé.

— Cela me soulage de l'entendre.

— Revenons en arrière, si vous le voulez bien.

— Au moment où je vous ai demandée en mariage ?

— Ma réponse est oui.

— Vous acceptez ?

Theandras lança les bras autour du cou du capitaine et l'embrassa avec abandon.

— Vous ne savez pas à quel point vous me rendez heureux ! s'exclama-t-il, le visage rayonnant de bonheur.

Après d'autres brûlants baisers, Roldan transporta sa belle hors de l'eau.

— Ne vous attendez pas à ce que je vive avec vous à la caserne, l'avertit Theandras en tordant ses longs cheveux noirs. Vous devrez vous installer chez moi, au palais.

— Si ce n'est que cela...

— N'y transportez que vos vêtements et les objets auxquels vous tenez le plus, mais pas vos armes. Je n'arriverais jamais à dormir dans une chambre tapissée d'épées, de dagues, de javelots et de haches.

— Je les laisserai dans mes anciens quartiers, promit Roldan.

— Jurez-moi que vous me chérirez jusqu'à votre dernier souffle.

— Non seulement je vous aimerai jusqu'à ma mort, mais je vous protégerai et je verrai à ce que vous ne manquiez jamais de rien. Mais de votre côté, vous ne devrez regarder aucun autre homme... surtout Wellan.

— Arrêtez de vous en faire avec lui. Il est revenu dans cette vie sous une apparence bien différente. Je ne le reconnaîtrais probablement pas s'il croisait ma route. Mais dites-moi, Roldan, que se passe-t-il après qu'une femme a accepté d'épouser un homme ?

— Le futur couple doit mettre le roi au courant de ses plans, afin d'obtenir sa bénédiction. Ensuite, ils choisissent la date de l'heureux événement et y invitent tous ceux qui leur sont chers.

— Mais ma fille et Mahito sont préoccupés par la guerre, en ce moment...

— À moins que l'ennemi ne soit déjà à nos portes, je suis certain qu'ils accepteraient de nous consacrer quelques heures.

— Alors, nous devons agir avant que les Chevaliers soient forcés de se battre. Remettons cette leçon d'escrime à un autre jour et rentrons.

— À vos ordres, belle dame.

Ils retournèrent au palais et Theandras décida d'aller se refaire une beauté avant de demander audience au Roi Patsko. Quelle ne fut pas sa surprise de trouver les parents de Nolan de chaque côté de son berceau !

— L'affrontement a-t-il été évité ? se réjouit-elle.

— Malheureusement, non, soupira Jenifael. Nous avons juste eu envie de voir notre fils.

— Alors, vous tombez bien, car j'ai une grande nouvelle à vous annoncer.

— Le capitaine a enfin demandé votre main? la devança Mahito.

— Oui... Vous en avait-il parlé?

— C'était bien inutile, fit moqueusement Jenifael. Tout le monde se doutait que ça finirait par arriver. Ce sera mon troisième père.

Elle faisait évidemment référence à Wellan, et à Santo qui avait épousé Bridgess à la mort du grand chef.

— Arriverez-vous à vous libérer pour la cérémonie? s'inquiéta la mère.

— Vous pouvez compter sur nous, affirma Mahito.

Theandras alla revêtir sa plus belle robe, de couleur corail, ornée de petites perles sur le bustier, puis se rendit à l'antichambre de la salle d'audience où elle avait convenu de retrouver son futur mari. Roldan l'y attendait, dans sa tenue de combat, mais non armé.

— J'ai déjà fait porter un message à Sa Majesté, chuchota-t-il en lui prenant la main.

— Lui est-il déjà arrivé de dire non?

— Jamais.

Patsko les reçut, bien droit sur son trône au-dessus duquel étaient suspendus une centaine de voiles multicolores qui formaient une tente. Ses conseillers étaient assis par terre sur de gros coussins. Le couple se courba respectueusement devant le souverain.

— J'attends ce moment depuis bien longtemps, laissa tomber Patsko. Tout le palais ne parle que de vous deux.

— C'est ma faute, Votre Majesté, avoua Roldan. Je craignais que cette ravissante dame me repousse, alors je remettais sans cesse ma demande.

Theandras ne cacha pas son étonnement.

— Pourquoi vous aurais-je repoussé ?

— Parce que vous êtes une déesse et que je ne suis qu'un soldat, bien sûr.

— Vous poursuivrez cette conversation plus tard en privé, si vous le voulez bien, intervint le roi pour ne pas se retrouver au beau milieu d'une discussion sans fin.

— Oui, bien sûr, accepta Roldan.

— Le protocole m'oblige à demander aux futurs époux s'ils ont l'intention de passer toute leur vie ensemble, mais je dois avouer que dans votre cas, ça crève les yeux.

— J'ai attendu cette femme toute ma vie, Votre Majesté.

— Et vous, Theandras ?

— Je lui serai fidèle jusqu'à ce que s'achève mon existence mortelle.

— Je ne vois évidemment aucune raison d'empêcher ce mariage. Toutefois, j'aimerais que vous me laissiez l'organiser pour vous. C'est le capitaine de ma garde et ma pâtissière préférée qui se marient. Je me dois de préparer quelque chose hors de l'ordinaire.

— Nous vous en sommes reconnaissants, fit Roldan, flatté.

Theandras dissimula son inquiétude. Elle se demandait si Patsko allait la charger de préparer tous les gâteaux pour la grande cérémonie. « Il est temps que je transmette mon savoir à d'autres cuisinières », se dit-elle.

— Quand désirez-vous unir vos vies ?

— Le plus rapidement possible, répondit l'ancienne déesse. Vous savez sans doute que les Chevaliers se préparent à la guerre et que ma fille en fait partie. Je voudrais qu'elle soit près de moi pour ce grand événement.

— Alors, donnez-moi quelques jours et tout sera prêt.

Les futurs mariés remercièrent Patsko et quittèrent la salle en s'efforçant de rester calmes, mais intérieurement, ils jubilaient.

11

LE PIÈGE

Même s'il y avait beaucoup plus de choses à faire au Royaume des Fées qu'à Shola, Marek s'ennuyait à mourir. Puisqu'il avait promis à sa mère de veiller sur eux en son absence, les premiers jours, il avait suivi ses deux frères et sa sœur partout. Il avait bien vite constaté que dans ce royaume protégé par la magie du Roi Tilly, personne ne risquait rien. Les Fées passaient toute leur existence à s'amuser, danser, chanter et composer des chansons. Cependant, comme elles n'exigeaient pas que leurs enfants participent à ces activités avant leur cinquième ou leur sixième année, ils étaient donc libres de courir partout, de jouer toute la journée et de dormir là où ils en avaient envie. Toute la communauté les élevait et leurs parents ne s'en plaignaient pas. « Jamais ma mère n'accepterait ça », songea Marek en traversant le château de verre.

Puisque les jumeaux Maélys et Kylian étaient considérés d'âge à assister aux différents cours offerts par les aînés, Marek les avait d'abord accompagnés à leur classe de poésie, puis de chant, pour finalement se rendre compte qu'ils avaient beaucoup de plaisir. Mieux encore, ils n'étaient pas en danger et même s'ils avaient voulu s'enfuir, la magie du souverain ramenait toujours au palais les enfants qui s'en éloignaient un peu trop. Il cessa donc de les couver pour plutôt s'intéresser à l'emploi du temps de Lazuli, qu'il avait pratiquement perdu de vue depuis son arrivée chez les Fées.

Grâce au sort lancé par Kaliska à Émeraude, Marek avait vieilli de cinq ans d'un seul coup et ceci lui avait permis d'atteindre le même âge que Lazuli. Ce formidable bond avait rapproché les deux frères à Shola. «Mais c'était avant que maman me nomme gardien d'enfants», grommela Marek en parcourant le château. Ses recherches étant infructueuses, il les étendit aux jardins royaux, puis au reste de la vallée. C'est finalement près de la rivière, devant la petite chaumière de la Fée Améliane, que Marek trouva enfin Lazuli. Celui-ci était assis par terre et équarrissait une tuile d'ardoise avec un maillet et un ciseau.

— Ce serait beaucoup plus précis si tu utilisais la magie, laissa tomber Marek en s'installant devant lui.

— Sauf que moi, je n'en ai plus.

— Tu as perdu tes facultés de rapace, mais tu dois encore posséder celles de maman. Tu communiques avec elle par télépathie, non?

— Oui, mais je n'arrive pas à tailler les pierres avec l'énergie de mes mains. Tu veux m'aider?

— Je ne sais pas si c'est une bonne idée. Je suis beaucoup moins habile que toi.

— Ce n'est pas compliqué, affirma Lazuli. Il faut examiner chaque plaque et s'assurer que tous ses bords sont bien droits.

— Je peux certainement les regarder, mais je ne saurais pas quoi faire de celles qui ne sont pas conformes.

Un rugissement fit sursauter Marek.

– Calme-toi. C'est Nacarat qui ronfle quand il est très fatigué. Depuis quelque temps, Nartrach lui fait faire plusieurs trajets par jour pour aller chercher de l'ardoise à Irianeth.

– Y vas-tu avec lui ?

– Non. Je ne veux pas remettre les pieds là-bas, même si ce n'est plus la terre désolée d'autrefois. Je ne voudrais pas m'y retrouver coincé une autre fois.

– Maman et papa ont le pouvoir d'aller t'y chercher si Nartrach t'oublie.

– Ils ont des choses bien plus importantes à faire, en ce moment.

Lazuli examina la belle ligne droite qu'il venait de terminer. Satisfait, il alla déposer la tuile sur la pile de celles qu'il avait déjà équarries, puis en prit une autre sur le tas d'ardoises que l'homme-fée lui avait apportées.

– Tu fais vraiment ça toute la journée ? se découragea Marek.

– Bien sûr que non ! répondit Lazuli en riant. Je raffole des cours de théâtre, alors j'y assiste tous les après-midi.

– Ce doit être pour ça que je ne te vois jamais.

– C'est sans doute aussi parce que nous n'avons pas les mêmes goûts. J'ai entendu dire que tu apprends à jouer de la harpe.

– J'aurais préféré la flûte, mais les Fées ne s'y intéressent pas.

— Autre chose ?

— Je ne veux pas m'éparpiller, au cas où nos parents auraient besoin de moi.

— Tu es bien trop jeune pour aller à la guerre, Marek.

— Pas sous ma forme de léopard des neiges.

Améliane, qui sortait pour installer sa petite fille sous les branches d'un beau saule pleureur transparent aux feuilles multicolores, aperçut les deux frères. Elle alla tout de suite verser du nectar rosé dans deux grandes coupes qu'elle leur apporta.

— Merci, fit poliment Lazuli.

— Qu'est-ce que c'est ? se méfia plutôt Marek.

— Du jus de rose, l'informa Améliane. Tu vas adorer.

Le garçon en avala une toute petite gorgée et dut avouer que c'était délicieux.

— Ça va vous donner de l'énergie.

— Alors, tout va bien pour toi ? demanda Marek à son frère lorsque la Fée se fut éloignée.

— La vie est douce, ici. Je n'ai à me plaindre de rien.

Marek le regarda travailler pendant quelques minutes encore, puis retourna vers le palais en marchant sur la berge de la rivière turquoise. Les poissons et les grenouilles le connaissaient maintenant si bien qu'ils ne se préoccupèrent pas de lui. Puisqu'il lui restait encore un peu de temps avant sa leçon de harpe, il s'allongea sur le dos dans l'herbe et observa les nuages, ce qu'il ne pouvait pas faire chez lui. À Shola, en effet, quand le ciel se couvrait, c'était parce qu'il allait neiger.

Quand ce fut l'heure, il se rendit dans la grande pièce en verre où les jeunes fées recevaient leurs leçons de musique. Il s'efforça d'apprendre à pincer correctement les cordes afin de les faire vibrer en même temps que son professeur, une Fée aux longs cheveux cuivrés qui portait une robe jaune cousue de centaines de voiles. Après la classe, affamé, Marek regagna le hall. Il vit que les jumeaux mangeaient avec leurs nouveaux amis de leur âge. «Pas question d'aller m'asseoir avec une bande de bébés», grommela intérieurement Marek. Lazuli n'était pas là, mais cela n'avait rien d'étonnant, puisqu'il avait pratiquement été adopté par Nartrach et Améliane. Ses yeux s'arrêtèrent sur un autre visage familier : sa cousine Larissa, fille de Myrialuna.

Marek s'empressa d'aller s'installer près d'elle avant que quelqu'un d'autre ne prenne la place. Les plats se mirent à apparaître sur la longue table, sous les applaudissements des Fées.

— As-tu des nouvelles encourageantes ? lui demanda la jeune eyra.

— La dernière fois que j'ai parlé à ma mère, les Chevaliers étaient en train de préparer un assaut. Je t'en prie, ne perds pas espoir. J'ai les parents les plus tenaces du monde. Ils délivreront ta mère et tes sœurs.

Larissa baissa tristement la tête.

— Elle fait d'horribles cauchemars, la nuit, lui apprit le Prince Daghild, assis de l'autre côté de la Sholienne. Elle rêve que toute sa famille se fait massacrer.

– Ce ne sont que des mauvais rêves, tenta de la rassurer Marek. Nous devons rester optimistes.

– Tu possèdes le don de voir l'avenir, non ? fit Larissa. As-tu vu le nôtre ?

– Pour tout te dire, il y a bien longtemps que je n'ai pas eu de vision. Je suis désolé.

Marek engouffra son repas composé d'une salade aux baies bleues, de saumon, de fromage et de pain chaud. Il constata que le prince se rapprochait de plus en plus de sa cousine et qu'il chuchotait souvent à son oreille. «D'après moi, elle ne retournera pas vivre à Shola, celle-là», songea Marek.

Dès qu'il eut fini de manger, il salua Larissa et Daghild et fila à ses quartiers pour prendre une douche, ce qui, au pays du Roi Tilly, était une expérience plutôt amusante. L'eau, qui jaillissait d'une multitude de pommeaux dorés en forme de fleurs, n'arrivait jamais du même endroit.

Lorsqu'il fut séché et changé, il pénétra dans sa chambre, où il trouva Maélys et Kylian déjà endormis au creux de leur nid, collés l'un contre l'autre. Les Fées les occupaient tellement que le soir venu, ils sombraient dans le sommeil sitôt couchés.

Marek grimpa dans son propre lit et commanda mentalement aux murs de s'assombrir et au plafond de se parsemer d'étoiles. Il avait essayé à plusieurs reprises d'y faire apparaître le visage de ses parents, mais n'y était jamais arrivé. Il commençait à s'assoupir lorsqu'il entendit la voix de Kira.

– *Marek, est-ce que tu dors ?*

– *Pas encore, maman.*

– Excuse-moi de ne pas t'avoir contacté plus tôt. Je voulais le faire ce matin, mais j'ai dû assister à de nombreuses réunions.

– Avez-vous pris une décision, au moins ?

– Nous allons marcher sur An-Anshar. Surtout ne t'inquiète pas.

– Je m'efforce de conserver mon calme.

– Comment vont Lazuli, Maélys et Kylian ?

– Ils sont heureux. À mon avis, vous aurez de la difficulté à les ramener à la maison.

– Je peux me montrer persuasive.

– Je sais.

Marek ne put s'empêcher de soupirer.

– Maman, notre monde est en train de s'écrouler pendant que je contemple de fausses étoiles sur le plafond de ma chambre.

– Tu sais bien que nous ferons tout ce que nous pouvons pour éviter un désastre.

– Mais si...

– Tais-toi tout de suite, Marek. Nous allons gagner cette guerre comme nous avons gagné les deux autres. Il nous faut seulement bien jauger notre nouvel ennemi avant de l'attaquer.

– Oui, mais j'aurais aimé être là.

– Et tu sais pourquoi j'ai refusé. Il est tard. Essaie de dormir, mon poussin.

– Oui, maman.

Kira lui souhaita bonne nuit et rompit la communication. L'impuissance de Marek à contribuer à la chute du tyran qui menaçait Enkidiev le frustrait au point où il n'arrivait pas à fermer l'œil. Exaspéré, il enfila sa tunique, son pantalon et ses bottes et quitta le château. Il suivit une allée de petites pierres blanches qui traversait les champs de fraises, de framboises et de myrtilles en direction de l'océan, à quelques heures de marche à peine. Le vent était doux et les oiseaux de nuit poussaient des cris en survolant ce pays où ils n'avaient pas le droit de chasser.

Le jeune homme humait déjà l'air salin lorsque, au détour du sentier, il arriva nez à nez avec un inconnu qui, s'il se fiait à ses vêtements, ne pouvait pas être une Fée. Il faisait trop sombre pour qu'il puisse distinguer ses traits.

– Qui êtes-vous ? demanda le garçon en reculant de quelques pas.

– Tu n'as rien à craindre, Marek.

– Vous connaissez mon nom ?

– Je te surveille depuis un petit moment.

– Moi ? Mais pourquoi ?

– Tu as du sang félin, tout comme moi.

Des lumières s'allumèrent aux branches des arbres de chaque côté de l'allée, révélant enfin le visage de l'étranger.

Marek savait que plusieurs divinités félidés avaient survécu à l'affrontement avec les rapaces.

– Vous êtes un dieu ?

– Oui, mais je ne suis pas tout à fait comme les autres.

« Si le Roi Tilly n'intervient pas, c'est certainement parce qu'ils se connaissent », se rassura Marek. Il ignorait que son interlocuteur l'avait enfermé dans une bulle invisible d'où son énergie ne pouvait pas s'échapper. Il allait demander à l'homme de s'identifier lorsque celui-ci se transforma en un gros cougar au pelage doré et déploya ses ailes blanches dans son dos.

– Waouh ! s'exclama le garçon. Depuis quand les félins ont-ils des plumes ?

– Ils n'en ont pas.

– Mais...

– Je proviens d'un autre univers, Marek.

– Comme Kimaati ? Et Amecareth avant lui ?

– C'est exact.

– Pourquoi êtes-vous ici ? se méfia le jeune homme.

– J'ai besoin de toi pour me débarrasser une fois pour toutes de Kimaati, expliqua Sappheiros en reprenant sa forme humaine.

– Moi ? répéta Marek, effrayé. La dernière fois que je me suis retrouvé face à face avec lui, il a tenté de me jeter en bas d'une tour !

— La dernière fois, tu n'étais pas avec moi.

— C'est sûr que j'aimerais vous aider à éliminer ce tyran, mais ma mère m'a défendu de me mêler de cette guerre et elle est vraiment terrible quand on lui désobéit.

— Ne serait-elle pas plutôt fière d'apprendre qu'elle a mis au monde un héros ?

— Au lieu de jouer de la harpe... réfléchit le garçon.

Son esprit analysa rapidement toutes les conséquences d'une telle indiscipline.

— Si vous n'y voyez pas d'inconvénient, j'aimerais en parler avec le souverain qui m'héberge.

— Le temps nous est compté, Marek.

— Je ne peux pas partir comme un voleur.

D'un geste rapide, Sappheiros tendit le bras et exerça une pression sur le cou de Marek avec le bout de ses doigts. Ce dernier n'eut même pas le temps de crier. Il perdit connaissance, mais ne s'écroula pas sur le sol. Son ravisseur se changea en cougar ailé, s'empara de lui et s'envola.

12

LES LARMES

A près le départ d'Hadrian et de sa femme, Ayarcoutec suivit sagement Cherrval, Rami et Azcatchi le long de la rivière qui remontait vers l'est. Les jours se succédaient, aussi épuisants les uns que les autres. La plupart du temps, il faisait beau, mais le petit groupe essuya aussi de gros orages qui le forcèrent à trouver un refuge en attendant le retour du soleil. Ces tempêtes ne duraient jamais très longtemps, mais elles les ralentissaient néanmoins dans leur quête. Sans même s'en apercevoir, les quatre compagnons entrèrent sur les terres d'Agénor. Personne ne leur barra la route.

Lorsque la petite aperçut enfin l'océan, elle crut qu'ils avaient atteint leur but. Cherrval eut alors la tâche ingrate de lui expliquer que pour atteindre le pays des Ressakans, il leur restait encore à trouver un bateau qui accepterait de les emmener jusqu'à leur grande cité.

– Et avec quoi paiera-t-on le capitaine? s'enquit Rami, découragé.

– Avec le cadeau que m'a fait le Roi Onyx lorsque je l'ai accompagné chez les Mixilzins, répondit le Pardusse.

– Ah oui? fit Ayarcoutec, intéressée.

L'homme-lion sortit une petite bourse de sa ceinture. Elle contenait des pièces d'or.

– Je savais que nous finirions par en avoir besoin.

– Une chance que tu penses à tout, Cherrval! s'exclama l'enfant. Comment trouverons-nous un équipage?

– En remontant la côte, nous devrions finir par tomber sur un port.

Ayarcoutec se tourna vers le dieu déchu Azcatchi. Il ne disait jamais un mot et il était toujours d'accord avec toutes leurs décisions. Sa présence, même silencieuse, lui faisait le plus grand bien, car il ressemblait à Onyx. «Il m'a aidée à m'échapper d'An-Anshar», se rappela-t-elle. «Mes parents devront le récompenser comme il le mérite.»

L'enfant se réjouit de dormir sur la plage, cette nuit-là, mais dut attendre que Cherrval revienne de la forêt avec des bananes avant de pouvoir calmer les grondements de son estomac.

– J'ai hâte de manger un vrai repas, gémit-elle en marchant entre Rami et le Pardusse.

– Tu n'aimes plus les fruits, les noix et les amandes? la taquina Cherrval.

– Ils me sortent par les oreilles!

À la fin de la journée, l'homme-lion capta une odeur de fumée provenant d'un feu de bois.

– Nous approchons de la civilisation, annonça-t-il.

– L'atteindrons-nous à temps pour le repas du soir? espéra l'enfant.

– C'est encore loin et il fera bientôt nuit.

Ayarcoutec se traîna les pieds sans cacher sa déception jusqu'à ce que Rami découvre une petite crique où ils pourraient dormir en toute sécurité. La petite mangea en soupirant les baies cueillies par son protecteur.

– À quoi penses-tu, Azcatchi ? demanda-t-elle pour se changer les idées.

Le crave posa les yeux sur elle sans manifester la moindre émotion.

– Je revois des choses que j'ai faites et je me demande si j'aurais pu agir autrement.

– Moi aussi, je fais ça, parfois.

– Ça m'aide à oublier que j'ai mal aux pieds.

« Il est plus humain que je le pensais, finalement », songea Rami. Même s'il participait à la recherche d'Onyx, au fond de son cœur, le garçon espérait revoir Cornéliane avant de retourner chez lui afin d'apprendre ce qui était arrivé à son propre père. Il monta la garde le premier, puis dormit quelques heures lorsque Cherrval prit la relève.

Pressé par Ayarcoutec, le groupe se remit en marche un peu avant le lever du soleil. Ils ne virent pas le long pont de pierre construit par Onyx, car un bateau de marchands, qui remontait la rivière, les prit à son bord et les déposa dans un village portuaire agénien situé à l'entrée de l'estuaire qui séparait Agénor de Ressakan. Pour faire plaisir à la petite, ils acceptèrent de s'arrêter dans une auberge. Les Agéniens suivirent Cherrval des yeux, mais ne le chassèrent pas, car il marchait sur ses deux jambes comme un homme et que tous étaient les bienvenus dans cet endroit d'échanges commerciaux.

— Mange moins rapidement, Ayarcoutec, l'avertit le Pardusse en la voyant avaler tout rond ce qu'on posait devant elle.

— J'ai faim !

— Tu vas devenir si lourde que tu feras couler le bateau, la taquina Rami.

— C'est vrai ?

— Non, la rassura Cherrval, mais tu risques de vomir ton repas si tu continues de t'empiffrer ainsi.

— Ma mère me dirait la même chose... Elle me manque tellement...

— Tu es sur le point de la revoir, petite fleur.

— Est-ce qu'on part maintenant ?

Ils quittèrent l'auberge quelques minutes plus tard pour se mettre à la recherche d'un capitaine de bateau qui devait se rendre au port de la grande cité royale de Ressakan.

— Tu vas pouvoir reposer tes pieds, Azcatchi, lui dit Ayarcoutec en grimpant dans la large embarcation.

Elle s'installa à la proue et poussa un cri de joie quand les amarres furent enfin détachées. À l'heure du midi, elle accepta les galettes préparées par le cuisinier en se disant que c'était la dernière fois qu'elle ne mangeait pas à sa faim. Elle exprima toutefois son déplaisir lorsqu'elle se rendit compte que le bateau n'atteindrait pas sa destination avant la nuit. Cherrval l'attira contre lui et la berça jusqu'à ce qu'elle s'endorme.

– As-tu des projets d'avenir ? demanda Rami à Azcatchi, qui se laissait aller au gré des vagues, le dos appuyé contre un gros baril.

– Je servirai le dieu-loup.

– Et quand il aura repris sa forteresse ?

– Je n'en sais rien.

– Attendons de voir ce que nous réserve l'avenir avant de faire des plans, intervint Cherrval.

Lorsqu'ils arrivèrent enfin en vue de la capitale ressakane, Ayarcoutec se réveilla d'un coup, rayonnante.

– Ça, c'est une véritable cité !

– Faudra-t-il questionner tout le monde pour retrouver Onyx ? s'enquit Rami.

– Mon père est un empereur, alors le dirigeant de cet endroit saura s'il est passé par ici, répliqua Ayarcoutec. Nous irons le voir directement.

Une fois à terre, ils se firent expliquer la route jusqu'au palais et s'y présentèrent quelques heures plus tard. Les gardes les examinèrent de la tête aux pieds en les empêchant de franchir les grandes portes.

– Je dois absolument parler au roi, protesta l'enfant en se donnant des airs de noblesse. Je suis la Princesse Ayarcoutec d'An-Anshar.

– An-Anshar ? répétèrent les deux hommes, qui avaient déjà entendu ce nom.

– Je suis la fille de l'Empereur Onyx.

– Dans ce cas, veuillez nous suivre, Votre Altesse. Je vais prévenir le Roi Chodek de votre arrivée.

Les quatre amis furent conduits dans un petit salon tandis que l'un des deux soldats grimpait à l'étage royal.

– D'autres visiteurs en provenance des volcans ? voulut s'assurer le souverain.

– Oui, sire, mais à mon avis, ils ressemblent davantage à des paysans. C'est peut-être une ruse.

Refusant d'être escorté par toute sa garde personnelle, Chodek se rendit à l'antichambre où l'attendaient les nouveaux venus.

– Onyx ? s'étonna-t-il en apercevant le crave.

– Non, ce n'est pas lui, soupira Ayarcoutec en se plantant devant le monarque. C'est un ami qui le cherche, tout comme moi, d'ailleurs.

– Je ne comprends pas ce que tu dis...

Rami, qui avait appris à se débrouiller dans la langue des Ressakans au contact d'un esclave capturé par le Prince Fouad, traduisit ses paroles de son mieux.

– L'empereur Onyx s'est en effet arrêté ici, il n'y a pas longtemps, avec toute sa famille, mais il a poursuivi sa route jusqu'à Djanmu.

– Toute sa famille ? répéta Rami.

– Sa femme, quatre garçons et deux filles, si ma mémoire est bonne.

– Tous ses enfants sauf moi ? s'étrangla Ayarcoutec.

Dépitée, elle éclata en sanglots. Cherrval s'empressa de la prendre dans ses bras et de la serrer tendrement contre lui.

– Je suis condamnée à ne plus jamais revoir mes parents, pleura-t-elle dans son cou.

– Le roi vient de te dire que nous sommes sur la bonne voie, petite fleur.

– Un Pardusse réconfortant une enfant humaine ? ne put s'empêcher de s'étonner Chodek.

– Nous avons tissé des liens très forts durant notre quête, expliqua Rami en ressakan. Permettez-moi de me présenter. Je suis Rami, fils du Roi Lugal des Madidjins.

– Nous ignorions qu'un de ses enfants avait survécu à la destruction de son rialté.

– J'ai la conviction que mon père est encore vivant. Lorsque nous aurons retrouvé Onyx, je partirai à sa recherche.

– Cet homme est-il un parent de l'empereur ? voulut savoir Chodek en se tournant vers Azcatchi.

– Non, mais il est l'un de ses fidèles serviteurs, lui révéla Rami, choisissant de taire la véritable identité du crave.

– J'étais sur le point de prendre mon repas et j'aimerais que vous le partagiez avec moi.

Les trois hommes suivirent Chodek, Cherrval gardant la petite dans ses bras. Il la déposa sur un siège devant une table bien garnie, mais elle était si bouleversée qu'elle s'essuya les yeux au lieu de se servir.

— Si vous désirez vous reposer, vous pouvez rester ici quelques jours, offrit le roi.

— Non ! protesta Ayarcoutec lorsque Rami eut traduit son invitation. Maintenant que mes parents sont tout près, je ne veux pas accentuer la distance entre nous.

— Je comprends votre hâte, alors, quand vous aurez fini de manger, je vous emmènerai moi-même à Djanmu.

— Oh merci... s'émut la princesse.

— Les enfants ne devraient jamais être séparés aussi long- temps de leurs parents.

Chodek tint parole et les conduisit jusqu'au cromlech.

— C'est ici ? s'étonna Ayarcoutec.

— Non, mais c'est la seule façon d'y arriver rapidement. Je vous en prie, ne bougez pas un seul muscle pendant le transport.

— Le transport ?

Cherrval ramena l'enfant contre lui et l'immobilisa. En un battement de cils, ils se retrouvèrent au milieu d'un autre cercle de pierres, mais entouré d'un paysage différent.

— C'est donc à ça qu'ils servent ! s'émerveilla la princesse.

— Maintenant nous sommes à Djanmu.

Le roi les mena jusqu'à la merveilleuse cité de Kahei, comme il l'avait fait pour les voyageurs précédents. Curieux lui aussi de voir arriver d'autres membres de la famille d'Onyx, le roi insista pour que ceux-ci lui soient amenés sans tarder. Puisque aucun des quatre compagnons n'avait jamais visité Jade, ils se sentaient un peu dépaysés. Rien de ce que Rami, Azcatchi et Ayarcoutec voyaient ne leur était familier. Ils traversèrent l'immense salle d'audience et s'arrêtèrent au pied de l'escalier qui menait au trône. Kahei descendit vivement les quelques marches pour venir à leur rencontre.

— Vous êtes tous des enfants de l'empereur ? s'étonna-t-il en regardant surtout l'homme-lion.

— Qu'est-ce qu'il dit ? chuchota Ayarcoutec.

— Non, seulement elle, Votre Majesté, précisa Cherrval, qui connaissait quelques rudiments de la langue de Djanmu, pays où il avait séjourné après avoir quitté sa patrie. Voici mes compagnons : Rami des Madidjins et Azcatchi, autrefois du...

— Azcatchi ? répéta le roi, abasourdi, car le peuple de Djanmu vénérait le panthéon aviaire avant de se ranger sous la protection d'Abussos, à la demande d'Onyx. Mais pourquoi un dieu participe-t-il à votre quête ?

— C'est une longue histoire...

— Que vous devrez me raconter lorsque vous vous serez lavés et reposés. Je vais mettre un pavillon à votre disposition.

— Sans vouloir vous déplaire, sire, c'est surtout mon père que je cherche, insista Ayarcoutec, une fois que Cherrval eut traduit ses paroles.

— Il a poursuivi sa route chez les Simiusses.

Ayarcoutec sentit son cœur se serrer dans sa poitrine.

— Mais sa femme et ses plus jeunes enfants sont restés ici.

— Quoi ? explosa la petite, folle de joie. Où est-elle ?

Kahei fit signe à un serviteur d'aller chercher Napashni.

— Maintenant que tu as accepté d'offrir l'hospitalité à tes visiteurs, je vais rentrer chez moi, annonça Chodek.

Les deux souverains se serrèrent la main avec amitié, puis le Roi de Ressakan quitta son ami, accompagné par un des soldats de Kahei.

Ayarcoutec faisait de gros efforts pour ne pas trépigner, mais ses yeux étaient rivés sur les larges portes. L'attente lui parut durer un siècle, puis finalement, sa mère entra dans la salle. Elle portait un vêtement bleu ciel qui ressemblait à celui du Roi de Djanmu.

— Ayarcoutec ? s'exclama Napashni, à la fois surprise de la voir là et soulagée de la savoir sauve.

— Maman !

La petite s'élança à sa rencontre et sauta dans ses bras en pleurant de bonheur.

— Mais qu'est-ce que tu fais ici ?

— Je vous cherchais pour vous dire qu'un bandit s'est emparé d'An-Anshar ! J'ai réussi à m'en échapper avec Azcatchi et Cherrval, mais je ne sais plus où est Marek ! Et nous avons rencontré Hadrian et Rami et nous avons continué vers la mer ! Puis Hadrian est parti avec sa femme et...

— Doucement, mon petit rayon de soleil. Je ne comprends rien à ce que tu me racontes.

— Puis-je vous suggérer de ramener ces gens chez vous et de les rendre présentables pour le repas du soir ? intervint Kahei.

— Avec joie, sire, accepta Napashni. Venez.

Elle réussit à remettre sa fille sur le plancher et lui prit la main pour l'entraîner vers la sortie, aussitôt suivie de Cherrval, Rami et Azcatchi. Ils sortirent du palais et traversèrent l'immense jardin avant d'arriver au pavillon où logeait la famille d'Onyx en son absence.

— Profitez de la quiétude de ma demeure tandis que les enfants sont à leurs cours, plaisanta Napashni en faisant glisser la porte. Il n'y a que Kaolin qui fait sa sieste, en ce moment. Je vais vous conduire à vos chambres, puis vous montrer où sont les bains. Une servante vous apportera de nouveaux vêtements pendant que je ferai nettoyer les vôtres.

— Merci, Votre Majesté, fit poliment le Pardusse. C'est trop de bonté.

— En fait, Cherrval, c'est bien peu pour te remercier d'avoir gardé ma fille en vie.

— Mais je sais me défendre... grommela la petite.

Pendant que les hommes se rendaient ensemble à leur bassin, Napashni emmena sa fille à celui des femmes. Ayarcoutec se débarrassa de sa tenue souillée et sauta dans l'eau. Sa mère s'assit sur le bord du grand bain en marbre.

— Où est papa ?

— Il poursuit sa grande œuvre de paix sans nous, parce que les derniers pays qu'il doit visiter sont trop dangereux pour les bébés.

— Les bébés ?

— Il s'est passé bien des choses depuis notre départ.

— Tu parles ! Un monstre vous a volé votre forteresse ! Vous devez revenir pour le chasser !

— Chaque chose en son temps, ma chérie. Ton père tient à terminer sa mission de paix.

— Ce n'est pas une mauvaise idée, raisonna l'enfant. De cette façon, il pourra disposer d'une imposante armée pour vaincre Kimaati.

Elle fixa alors sa mère dans les yeux.

— Tu as changé, maman, remarqua-t-elle.

Napashni prit alors le temps de lui expliquer ce qui s'était produit le soir où elle avait accouché chez les Anasazis.

— Tu es toi en plus d'être la reine qui nous avait chassées de son château ? s'étonna Ayarcoutec.

— C'est à peu près ça, oui. Mais en réalité, une partie de mon âme se trouvait en chacune de nous. Le fait de mettre nos enfants au monde au même moment a permis à nos deux moitiés de revenir ensemble.

— Est-ce que papa le sait ?

— Oui, et ça n'a pas été facile pour lui, comme tu peux l'imaginer. Mais tout est rentré dans l'ordre.

– Le Roi de Ressakan m'a dit que vous voyagez avec toute la famille. Est-ce que c'est vrai ?

– Il nous manque trois de nos grands garçons, mais les autres sont tous là en effet.

– Ceux de Swan, tu veux dire ?

– Elle est moi, désormais, mon petit rayon de soleil. Ces hommes sont aussi tes frères, maintenant.

– Il va falloir que je réfléchisse à tout ça.

– Fabian et Cornéliane sont venus nous rejoindre dans le nouveau monde par leurs propres moyens et ton père a récupéré Anoki et Jaspe après que ma partie Swan a disparu d'Émeraude. Les deux petits derniers, je les ai mis au monde le même soir.

– Où sont-ils ?

– Dès que tu auras lavé tes cheveux, fit la mère en lui tendant un flacon rempli d'un liquide visqueux couleur de miel, je te présenterai ton petit frère. Les autres sont en train de s'instruire au palais. Ils seront bientôt de retour.

Ayarcoutec s'empressa de finir sa toilette et laissa Napashni la sécher, comme quand elle était toute petite. Elle enfila ensuite la belle robe de soie jaune soleil qu'une servante avait apportée entre-temps.

– La couleur est bien choisie, fit-elle remarquer à sa mère.

Elles se rendirent à la chambre de Napashni, où le bambin dormait dans un berceau de bois.

– Est-ce qu'il parle ?

– Pas encore, mais ta petite sœur, oui. C'est une version miniature de toi.

Elles laissèrent dormir Kaolin et retournèrent dans le grand salon pour y attendre les compagnons de voyage de la petite. Ils arrivèrent quelques minutes plus tard, vêtus de kimonos noirs, mais Cherrval ne portait que le pantalon, ses épaules étant beaucoup trop larges pour les vêtements du pays. Ils prirent place sur des coussins et racontèrent leurs péripéties à la reine depuis l'évasion d'An-Anshar jusqu'à leur arrivée à Ressakan.

– Maman ! s'exclama alors une voix d'enfant.

Un petit garçon fonça dans la pièce et vint se coller contre Napashni. Puis, il remarqua qu'elle avait des invités.

– Jaspe, je te présente ta sœur, Ayarcoutec.

Anoki arriva en tenant par la main la petite Obsidia, qui tenait à marcher comme les grands.

– Qui ? demanda la bambine avant même d'arriver près de sa mère.

Napashni la fit asseoir devant Ayarcoutec et lui expliqua qui elle était, puis lui nomma ses compagnons de voyage. L'enfant promena son regard sur tout le monde, comme si elle prenait le temps de scruter leur âme.

– C'est vrai qu'elle me ressemble, avoua Ayarcoutec.

Les servantes vinrent chercher les enfants pour les laver et les changer avant le repas. Habitués à la routine de leur pays temporaire, ils se hâtèrent de les suivre.

– Alors, ce ne sera plus moi, ton bébé ? balbutia Ayarcoutec.

– Tu viens d'être promue grande sœur, un rôle qui t'ira à merveille, j'en suis certaine, ma chérie.

Lorsque tous furent enfin prêts, Napashni réveilla Kaolin et le transporta jusqu'au hall de Kahei pour le repas du soir. Obsidia fit signe à Ayarcoutec de s'asseoir près d'elle.

– Riz, lui apprit l'enfant en pointant le grand bol. Et là, légumes.

– Pourquoi est-ce que tu parles, alors que tu es née en même temps que Kaolin qui est encore un bébé ?

– Lui, paresseux. Mange.

Ayarcoutec goûta à tout mais regretta de ne pas trouver de maïs sur la grande table. Elle jeta un œil à Azcatchi et vit qu'il se nourrissait sans problème.

– Allez-vous attendre le retour de l'empereur ici ? demanda le roi.

Napashni se mit à traduire les échanges entre Kahei et les voyageurs.

– Si vous n'y voyez pas d'inconvénient, j'aimerais poursuivre ma route jusqu'à ce que je retrouve Onyx, annonça Rami.

– Moi aussi, renchérit Azcatchi, qui s'exprimait pour la première fois.

– Nous aurions préféré que le dieu crave nous honore de sa présence, leur fit savoir Kahei, déçu.

Napashni lui expliqua que, comme bien d'autres divinités, le rapace avait perdu ses pouvoirs.

— Je veux seulement servir Onyx parce qu'il m'a soigné, déclara Azcatchi.

— Si tel est votre désir...

— Je les accompagnerai pour les aider à le localiser plus rapidement, les informa Cherrval dans son djanmu élémentaire.

— J'y vais aussi ! s'exclama Ayarcoutec.

— Il n'en est pas question, jeune fille, l'avertit sa mère. C'est trop dangereux pour une enfant de ton âge.

— Mais maman...

— Maman dit non ! intervint Obsidia avec un air sévère.

Même si le soleil était en train de se coucher, Cherrval exprima le vœu de partir tout de suite après le repas. Il expliqua à ses hôtes que les Simiusses étaient des créatures dangereuses, mais que la plupart se réfugiaient en bande au sommet des arbres pour dormir. Toutefois, les jeunes mâles montaient la garde et n'hésitaient pas à s'attaquer aux étrangers.

— Il nous faudra être silencieux, conclut-il.

— Je peux vous fournir des armes, offrit le roi.

— Ce ne serait pas de refus.

Pour sa part, il n'en avait guère besoin, mais Rami et Azcatchi ne possédaient rien pour se défendre.

Kahei, ses gardes et la famille de Napashni accompagnèrent donc les aventuriers jusqu'à l'orée du bois à la lumière de flambeaux.

— Soyez très prudents, leur recommanda la prêtresse.

— Je flaire déjà la piste de votre mari, Votre Majesté. Il nous suffira de la suivre sans relâche pour le rattraper.

Ayarcoutec serra les trois hommes dans ses bras en regrettant de ne pas pouvoir poursuivre cette aventure avec eux. Armés de sabres et de poignards, Cherrval, Rami et Azcatchi s'enfoncèrent dans la forêt.

13

NOUVELLE PROPHÉTIE

Même s'il avait la ferme intention d'aller au combat avec les Chevaliers d'Émeraude, Nemeroff continuait de chercher d'autres moyens de les aider. Il avait donc décidé d'observer tous les recoins du ciel, la nuit, afin de mieux comprendre les derniers signes que les dieux avaient laissés aux hommes avant de disparaître. Puisque les flambeaux de la cour l'empêchaient de bien voir le firmament, le jeune roi avait choisi de s'installer dans l'ancienne tour de ses parents. Avec sa magie, il avait percé un trou dans le toit du dernier étage et construit un escalier avec des blocs subtilisés à des tailleurs de pierres. Il y avait aussi installé une solide porte en métal pour empêcher la pluie de s'infiltrer dans la tour.

Au moment de monter sur le toit, Nemeroff aperçut un curieux trépied recouvert d'un drap poussiéreux. « Mais qu'est-ce que ça peut bien être ? » se demanda-t-il. Il fit tomber la pièce de toile sur le sol et découvrit la vieille lunette avec laquelle Élund avait si souvent scruté les cieux. Malgré la douleur dans sa jambe, le jeune souverain réussit à la transporter jusqu'à son nouvel observatoire et la dirigea vers les astres qu'il désirait étudier.

La comète qu'il avait repérée dans la constellation de l'Épée n'avait pas encore atteint celle du Bouclier. Les étoiles du Lys étaient toujours enveloppées d'un étrange nuage rouge et celles de la Source scintillaient d'une façon inhabituelle. « J'aurais dû être plus attentif pendant mes cours d'astronomie », regretta Nemeroff. Il avait appris la signification de tous ces regroupements d'étoiles, mais il ne s'en souvenait plus.

— Il y a quelqu'un là-haut ? demanda une voix familière.

Le dieu-dragon sonda le sol sous lui.

— Tu peux monter, Kira, répondit-il.

La Sholienne le rejoignit. Elle avait troqué ses longues robes de Shola pour une tunique courte, un pantalon et des bottes. Ses cheveux étaient attachés sur sa nuque, comme si elle s'apprêtait à partir au combat.

— Quand tu en auras fini avec ce château, on ne le reconnaîtra plus, plaisanta-t-elle en faisant allusion au trou qu'il venait de pratiquer dans le plafond.

— Je suis un fervent partisan du progrès.

— Du nouveau ?

— Oui, mais malheureusement, j'ai oublié beaucoup de notions d'astronomie. Les leçons de mon père me reviennent graduellement en mémoire, mais elles ne concernent pas nécessairement ce que je voudrais savoir. J'ai vu ce qui ressemblait à un éclair il y a un instant dans la constellation du Miroir, mais j'ignore ce que ça veut dire. Toutefois, je me rappelle que mon père prenait ses renseignements dans un vieux livre.

— Nous pourrions essayer de le trouver à la bibliothèque.

– Cela pourrait en effet nous faire gagner beaucoup de temps.

Il la suivit dans l'étroit escalier.

– As-tu réussi à communiquer avec Wellan ?

– Tout comme Onyx, il ne répond pas à mes appels. As-tu eu plus de chance avec ton père ?

– C'est le silence de ce côté également. Je ne peux pas concevoir que mon père refuse de me parler, alors j'imagine qu'il doit se trouver dans une situation qui l'empêche d'utiliser la télépathie.

Ils traversèrent le château. Kira se montra patiente, car le jeune roi ne pouvait pas avancer aussi rapidement qu'elle en s'appuyant sur sa canne. Après avoir grimpé le grand escalier, ils arrivèrent enfin à la bibliothèque. En allumant toutes les bougies de la pièce, Nemeroff fit quelques pas en cherchant à s'orienter.

– Plus rien n'est au même endroit, ici, soupira-t-il.

– C'est pour cela que j'ai conçu un index, fit une voix derrière lui.

Il se retourna et aperçut le sourire rassurant de l'ancien Roi d'Argent.

– Dites-moi ce que vous cherchez et je vous le trouve à l'instant.

– Mon père avait l'habitude de faire sortir de sa section l'ouvrage qui l'intéressait juste par la force de sa pensée, se rappela Nemeroff.

– Je dois avouer qu'il s'agissait d'un pouvoir bien utile que je n'ai jamais réussi à maîtriser moi-même. Nous devrons nous y prendre de la bonne vieille façon.

– Nous avons besoin d'un traité sur l'interprétation des étoiles, préférablement en langue moderne, précisa Kira, car je ne crois pas que notre jeune roi ait eu le temps d'apprendre celle des anciens.

– Je commençais à peine à m'y retrouver lorsque…

Nemeroff s'arrêta net. Pour éviter qu'il ne sombre dans le souvenir de sa mort, Hadrian alla tout de suite chercher l'index des livres d'astronomie.

– Heureusement que nous sommes trois, car il y en a plusieurs, leur apprit-il après l'avoir consulté brièvement.

Il prit une dizaine de gros livres dans les rayons, qu'il dispersa sur plusieurs tables. Nemeroff reconnut aussitôt celui que son père utilisait jadis et le souleva dans ses mains en tremblant. « Son énergie y circule encore », s'étonna-t-il.

– Que doit-on interpréter ? voulut savoir Hadrian, heureux de participer à cet exercice intellectuel.

– Une comète traversant la constellation de l'Épée, en route vers celle du Bouclier, fit le jeune souverain en s'efforçant de ne pas sombrer dans la nostalgie. Aussi, une étrange lueur rouge dans le Lys et un scintillement anormal des étoiles de la Source. J'ai aussi vu un éclair dans la constellation du Miroir.

– Alors, c'est parti.

Ils prirent place chacun à une table différente et se mirent à feuilleter les ouvrages.

– Quand cette guerre sera terminée, pourrais-tu faire des index dans chacun de ces ouvrages, Hadrian ? le taquina Kira, obligée de tourner toutes les pages pour voir ce qu'elles contenaient.

– Je n'y arriverais jamais, même si je vivais encore deux mille ans !

« Mais moi, je suis immortel », songea Nemeroff. « Je pourrais certainement m'y consacrer. » De son côté, Kira ne pouvait pas s'empêcher de penser que le retour au bercail de son fils aîné leur aurait évité tous ces efforts. Wellan avait lu la plupart des livres de la bibliothèque et, mieux encore, il se rappelait tout ce qu'il lisait.

Ils travaillèrent en silence pendant plus d'une heure.

– J'ai trouvé quelque chose sur la constellation du Miroir, annonça Hadrian. On dit ici que les choses ne seront pas ce qu'elles semblent être. Il nous faudra être vigilants.

– Et l'éclair ? s'enquit Kira.

– Cet ouvrage n'en parle pas.

– L'Épée représente un conflit armé, annonça Nemeroff, qui venait de trouver ces étoiles dans le livre qu'affectionnait Onyx. Et le Bouclier, c'est tout autant la résistance devant l'ennemi que la protection divine ou militaire.

– Voici quelque chose d'intéressant, intervint Kira. Les comètes apparaissant dans le ciel indiquent une progression d'événements.

– Puisqu'elle file en direction du Bouclier, cela indique que nous sommes en sécurité, pour l'instant, interpréta Hadrian.

— Mais elle se dirige aussi vers l'Épée, leur fit remarquer Nemeroff.

— Les dieux veulent donc que nous sachions qu'une guerre s'annonce, ajouta Kira.

Plusieurs minutes s'écoulèrent avant qu'ils ne fassent une autre découverte.

— Le Lys est la constellation du sauveur, leur apprit Hadrian pour les rassurer.

— Il faut maintenant savoir pourquoi elle se trouve dans un nuage rouge, murmura la Sholienne, frustrée de la lenteur de ces recherches.

— Ce pourrait être du sang, laissa tomber Nemeroff.

— Un sauveur qui donnera sa vie pour nous? avança Hadrian.

— Ou la petite fille habillée en rouge, répliqua Kira.

— Quelle est sa relation avec la Source? demanda le jeune roi.

— Je ne peux pas croire qu'aucun des Chevaliers n'a continué à étudier les étoiles après la guerre contre les Tanieths! s'exclama la Sholienne. Même Abnar, qui m'a enseigné cette science, n'est plus de ce monde.

— Ne nous décourageons pas, les réconforta Hadrian. Lorsque nous aurons rassemblé tous les morceaux du casse-tête, nous y réfléchirons chacun de notre côté et nous nous rencontrerons demain pour partager nos conclusions.

— Il ne manque que la Source... soupira Kira.

Cependant, ils parcoururent tous les livres sans rien trouver sur le sujet. Finalement, épuisés, ils décidèrent d'aller dormir. Hadrian fut le premier à partir en leur recommandant de ne pas renoncer tout de suite.

— J'aimerais partager son optimisme, avoua Nemeroff.

— Je vais t'accompagner jusque chez toi, décida Kira.

— Sans doute Kaliska ne t'en a-t-elle jamais parlé, mais je ne peux pas dormir dans notre chambre.

— En effet, elle ne m'a jamais dit ça...

— S'il est parfois agréable d'être un dieu, cet état comporte aussi des désavantages. Je ne trouve le sommeil que sous ma forme de dragon. J'ai donc découvert un endroit suffisamment vaste dans mon château pour pouvoir m'y reposer sans blesser qui que ce soit.

Kira ne se souvenait pas que Lassa se soit déjà changé en dauphin dans leur lit ou Kaliska en licorne dans le sien.

— Wellan était en train de lire des livres là-dessus lorsqu'ils ont mystérieusement disparu. Mais ils ne nous auraient sans doute été d'aucun secours, puisqu'ils étaient dans la langue originelle.

— Mon vœu le plus cher, en ce moment, c'est que mon père ait un jour le temps de me transmettre toute la connaissance qu'il n'a pas pu m'enseigner, jadis. J'ai tellement soif d'apprendre.

— Tiens donc, on dirait mon fils, plaisanta Kira.

Elle tapota le bras du jeune roi avec affection.

– Commençons par nous débarrasser du tyran, puis je suis certaine qu'Onyx se fera un plaisir de t'instruire. C'est l'une de ses occupations préférées. Cesse de te torturer, cette nuit, d'accord ? Nous reprendrons ce travail demain.

– Merci d'avoir accepté de m'aider, Kira.

– C'est la moindre des choses. Bonne nuit, seigneur dragon.

Un sourire triste se dessina sur les lèvres de Nemeroff avant qu'il ne disparaisse sous les yeux de la Sholienne. «Contrairement à lui, je ne peux pas me permettre d'utiliser un vortex pour atteindre l'étage royal», songea-t-elle. Certains serviteurs travaillaient parfois au-delà de leurs heures normales et elle ne voulait pas en écraser un avec l'énergie d'un maelstrom. Elle utilisa donc l'escalier. Avant de retourner dans ses anciens appartements, elle s'arrêta à ceux de sa fille. Elle poussa doucement la porte et se rendit jusqu'à la chambre de Kaliska sur la pointe des pieds.

N'allumant qu'une seule paume d'une douce lumière blanche, elle éclaira les berceaux et contempla la frimousse de ses petits-enfants. Héliodore avait pris du poids et il était presque de la taille d'Agate. Kira se surprit à penser qu'elle avait bien hâte qu'ils soient assez vieux pour leur raconter des histoires.

Le visage de ses propres jumeaux apparut dans l'esprit de la Sholienne. Elle savait bien que Maélys et Kylian avaient tout ce qu'il leur fallait au Royaume des Fées et que leurs grands frères veillaient sur eux, mais ces dernières années, elle s'était habituée à sa vie de maman. Sa soudaine liberté était grisante, mais Lassa et les enfants lui manquaient terriblement. «Peut-être que je devrais faire comme Jenifael et aller leur faire un petit coucou de temps en temps ?»

Avant de quitter la chambre de sa fille, Kira s'approcha de son grand lit pour la border, mais s'arrêta net. Ce n'était pas Kaliska qui reposait sur les draps, mais une licorne toute noire !

– Par tous les dieux... s'étrangla la mère.

Les paroles de Nemeroff lui revinrent aussitôt à l'esprit. «Est-ce là la malédiction des enfants d'Abussos ?» Ignorant si sa fille changeait de caractère lorsqu'elle se transformait, Kira jugea préférable de ne pas la réveiller et recula en silence.

14

PERCÉE

La tête d'Auroch, un des soldats renégats du palais d'Achéron, ayant été mise à prix, comme celle de tous les taureaux qui avaient participé à la rébellion contre Achéron, il ne pouvait plus vivre dans la cité divine. Il avait donc été obligé de se cacher avec ses soldats dans les denses forêts d'Alnilam. Par fierté, il avait menti à Kimaati en lui laissant croire qu'il faisait encore partie de l'armée et qu'il devait retourner dans leur monde avant que son absence soit remarquée.

Il n'était pas facile de survivre sur la terre des humains, car les Chevaliers d'Antarès, échaudés par les continuelles attaques des hommes-scorpions, s'en prenaient à tous les étrangers de crainte qu'ils ne soient des espions. Auroch avait donc dispersé ses troupes dans les régions sauvages du pays d'Antarès, où chacun devait assurer sa propre subsistance. Il avait enduré cette existence de misère pendant de longues années, mais il savait que le dieu-lion ne laisserait pas tomber ses fidèles serviteurs.

Tel que convenu avec Kimaati au moment de leur déconfiture, Auroch avait attendu un certain temps avant de partir en éclaireur afin de le retrouver. Il savait qu'au sommet de la montagne se trouvait un vortex qui menait jusqu'au palais d'Achéron, mais un sorcier déchu lui avait également appris qu'il existait d'autres portails à Alnilam. L'un d'eux se situait dans un grand lac d'Antarès, sur les berges duquel les animaux n'allaient jamais boire. Auroch s'y était d'abord aventuré seul pour s'assurer que cette route était sûre. Il avait plongé dans les eaux claires et, au lieu de se retrouver sur la plateforme de la cité céleste, il était souplement retombé au fond d'une crevasse, dans un monde qui lui était inconnu. Tous ses sens à l'affût, il avait escaladé la paroi rocheuse.

De façon à retrouver son chemin plus tard, Auroch avait semé derrière lui de petits cailloux blancs. Puis, au loin, il avait enfin aperçu les énormes portes d'acier gardées par des vautours et des serpents. Encore là, il avait menti à Kimaati en lui disant qu'une de ces sentinelles était disposée à le laisser passer sans sonner l'alarme. Il n'en connaissait aucune.

Accroupi, afin que les gardiens ne le voient pas, il s'était demandé de quelle façon il pourrait se faufiler dans l'autre monde et, pire encore, comment des centaines de fantassins pourraient franchir ces portes sans qu'Achéron en soit prévenu. Ses taureaux ne feraient qu'une bouchée des sentinelles, mais le dieu-rhinocéros aurait tôt fait de lancer son armée à leurs trousses.

Auroch ne savait pas non plus ce qui l'attendait de l'autre côté. Il était en train d'y réfléchir lorsqu'il sentit un coup de vent sur sa nuque. Instinctivement, il fit volte-face et se retrouva face à face avec un humain aux longs cheveux châtains et aux yeux bleus perçants, qui portait un pantalon et une chemise brune sous une longue cape noire.

— Servez-vous Achéron ? demanda Auroch sur un ton menaçant.

– Je ne vous veux aucun mal.

– Répondez-moi.

– Permettez-moi de me présenter. Je m'appelle Salocin. J'ai été l'un des sorciers du rhinocéros pendant bien longtemps, mais comme mes services ne l'intéressaient plus, j'ai décidé d'aller mettre ma magie au service de ceux qui pouvaient me payer.

– Que faites-vous ici ?

– La même chose que vous, je pense.

– Vous ne savez rien de moi.

– Êtes-vous en train de sous-estimer mes pouvoirs, Auroch ?

Le taureau retira une dague de sa ceinture.

– Cette violence est parfaitement inutile.

– Si vous savez mon nom, c'est que vous servez le tyran.

– Je vous en prie, calmez-vous. Je vous ai connu lorsque vous étiez un docile petit soldat, mais apparemment, vous ne vous souvenez pas de moi. Même dans mon exil, à Alnilam, je me suis fait un devoir de me tenir informé de ce qui se passait tant sur la terre des hommes que dans la cité divine. Kimaati a tenté de détrôner son père sans s'y préparer adéquatement et il a été banni. Ses loyaux sujets se sont cachés dans la forêt, où ils attendent patiemment leur heure de gloire.

– M'avez-vous suivi ?

– J'allais vous poser la même question...

181

— Je ne savais pas qu'il y avait des sorciers, ici.

— Il n'y en a aucun, à part moi. Ce monde, désormais désolé, appartient aux dieux. Il a déjà été recouvert de végétation, sillonné de rivières et peuplé d'Immortels qui y vivaient en toute liberté... jusqu'à ce que le rhinocéros décide d'en faire ses esclaves et de les attirer dans sa cité de fer. Je viens souvent y prélever des ingrédients dont j'ai besoin, car tout n'a pas complètement disparu. Maintenant, c'est à votre tour de me dire ce que vous faites dans l'Éther.

Le mercenaire hésita.

— Alors, soit. Heureux de vous avoir revu, Auroch.

Salocin pivota sur ses talons et s'éloigna

— Attendez.

Le mage se retourna de façon désinvolte.

— Si vous êtes vraiment un sorcier, vous devez savoir comment déjouer la surveillance des sentinelles.

— Donc, votre but est de passer dans le monde suivant... mais pourquoi ?

— Pour voir ce qui s'y trouve, mentit Auroch.

Ne sachant pas si le sorcier Salocin était ou non à la solde d'Achéron, le soldat n'allait certainement pas lui avouer qu'il cherchait Kimaati.

— Un taureau aventurier... C'est nouveau, ça. Rien ne m'est impossible, mon brave, mais je ne travaille pas gratuitement.

– Je n'ai rien sur moi à vous offrir, mais à mon retour je saurai vous récompenser.

– Vous possédez une très belle dague.

C'était également la seule arme que le mercenaire avait apportée. Toutefois, en situation de danger, il lui était toujours possible de se transformer et d'utiliser ses cornes pour se défendre... Il tendit donc sa dague à Salocin.

– Magnifique... apprécia le sorcier. Si vous voulez bien me suivre, Auroch, je vais vous ouvrir personnellement les portes de l'univers du dieu Abussos.

Le taureau ne voyait pas comment il l'emporterait sur autant de vautours et de serpents, mais il le suivit tout de même en direction du portail. En les voyant approcher, les cobras se relevèrent de façon inquiétante. Salocin prononça des paroles incompréhensibles et un léger brouillard se forma devant lui. Il souffla : le nuage blanchâtre le précéda jusqu'au portail. Chaque fois qu'il atteignait l'une des sentinelles, elle s'écroulait sur le sol, endormie. Lorsqu'elles furent toutes neutralisées, le sorcier fit un geste de la main : l'une des deux lourdes portes s'ouvrit en grinçant.

– Ce fut un plaisir de faire affaire avec vous, fit Salocin avec une révérence moqueuse.

– Comment pourrai-je revenir ?

– Abussos n'a pas jugé bon de poster des gardiens de l'autre côté. Si vous voulez mon avis, il devrait se méfier davantage.

– Mais j'imagine que les serpents et les vautours se seront réveillés à mon retour.

– Bien sûr. Alors, je vous conseille de prendre vos jambes à votre cou quand vous franchirez les portes en sens inverse.

Salocin glissa la dague dans sa ceinture avant de rebrousser chemin. Sans plus attendre, Auroch fonça dans l'ouverture et poursuivit sa route jusqu'à ce qu'il trouve l'étang magique de Parandar, qui lui donna accès au monde des humains. Il n'eut qu'à suivre la trace magique de son maître pour le retrouver.

Après son court séjour dans la nouvelle forteresse de Kimaati à An-Anshar, Auroch dut finalement revenir dans son propre monde afin de préparer l'armée à quitter sa cachette et à rejoindre le maître dans ses nouveaux quartiers. Le sorcier avait dit vrai : Auroch ne trouva personne devant la brèche dans le monde d'Abussos. Il se transforma en bovidé et appuya de toutes ses forces sur la porte. Il se faufila dans l'ouverture et courut comme si le feu était à ses trousses en suivant les petits cailloux qu'il avait semés à son premier passage. Il entendit les lourds battements d'ailes des rapaces qui le pourchassaient. Mais juste au moment où ils piquaient sur lui, Auroch s'élança dans la crevasse et disparut. Le choc de l'eau froide fut brutal et, puisqu'il n'avait pas rempli ses poumons avant de sauter, il s'empressa de remonter à la surface avant de se noyer.

Le taureau reprit ses forces avant de s'enfoncer dans la forêt et de rejoindre la partie de ses troupes qui y vivait. À son arrivée, les soldats l'entourèrent en manifestant leur joie de le revoir. Autour d'un feu de camp, le général raconta à ses mercenaires tout ce qui lui était arrivé, pour finalement leur transmettre les ordres du dieu-lion.

– Nous partons bientôt ! conclut-il.

– Quand dois-je réunir tout le monde ? demanda Gyak, à qui Auroch avait confié le commandement en son absence.

– Tous devront se rendre au lac magique à la prochaine lune.

– Je m'en occupe.

Pendant que Gyak parcourait le pays pour transmettre les ordres de son commandant et que les soldats affilaient leurs sabres et leurs dagues, Auroch se retira pour réfléchir. Il y avait une seule façon de quitter le monde d'Achéron, soit par le portail que surveillaient les sentinelles. Un combat contre celles-ci ferait gaspiller un précieux temps à son armée en plus d'entraîner des pertes de vies. « À moins que je retrouve ce sorcier... », songea le taureau.

Salocin lui avait révélé qu'il ne se rendait dans l'Éther que pour y cueillir des ingrédients. Cela signifiait sans doute qu'il n'habitait pas très loin du lac qui y donnait accès. Les mercenaires se terraient au sud de la grande étendue d'eau et aucun d'entre eux n'avait rapporté la présence de ce curieux personnage. Selon toute logique, le sorcier avait donc dû s'établir au nord. Auroch prévint ses hommes qu'il serait absent quelque temps et ratissa la forêt en remontant vers les falaises. Lorsqu'il arriva dans une clairière où les oiseaux ne chantaient plus, il sut qu'il avait trouvé ce qu'il cherchait. Il ralentit prudemment le pas et scruta les lieux. Les mages n'aimaient pas que des étrangers s'approchent de leur antre, alors ils installaient souvent des pièges magiques tout autour.

– Si ce n'est pas le taureau ! s'exclama alors Salocin.

Auroch pivota rapidement sans apercevoir son interlocuteur. Une explosion le fit sursauter. Il recula et, lorsque la fumée se fut dissipée, il aperçut le visage moqueur du sorcier.

— Vous êtes perdu ou vous me cherchiez ?

— J'ai besoin de vous.

— L'utilisation de mes services crée malheureusement de la dépendance. De quoi s'agit-il, cette fois ?

— Je dois de nouveau franchir la brèche entre les univers célestes.

— C'est l'amour qui vous pousse à mettre ainsi votre vie en danger ?

— Non. C'est l'appel de mon maître.

Salocin perdit instantanément son sourire.

— De qui parlez-vous, exactement ?

— De celui qui devrait régner sur ce monde, mais qui en a été chassé à tout jamais.

— Kimaati... Savez-vous qu'Achéron offre une importante récompense à celui qui le lui livrera ?

— Nous sommes ses loyaux guerriers.

— Vous êtes donc en train de préparer une autre révolte, fit le sorcier en se croisant les bras.

Auroch garda le silence.

— Si vous voulez que je vous aide, il va falloir m'en dire plus, soldat.

— Nous désirons l'appuyer dans sa conquête d'un monde différent.

— Nous? Combien de taureaux ont l'intention de franchir le portail?

— Deux mille.

— Je vois...

Le mage se mit à marcher autour du bovin en se grattant pensivement le menton.

— Qu'êtes-vous prêts à me donner en échange?

— Ce que vous voudrez, sauf nos armes. Nous en aurons besoin.

— J'aime l'or, les pierres précieuses et les faveurs.

— Quelle sorte de faveurs?

— Vous pourriez parler en bien de moi à Kimaati, au cas où j'aurais un jour envie de changer de vie.

— Ce sera fait.

— Quand désirez-vous partir?

— À la prochaine lune, je ferai plonger tous mes hommes dans le lac.

— Je vous attendrai dans l'Éther.

— Ne me faites pas faux bond, sorcier.

— Ne me faites pas de menaces, taureau.

Salocin se volatilisa sous les yeux d'Auroch. Sans perdre un instant, le général retourna à son campement et attendit l'arrivée de toutes ses troupes. Gyak ne revint que quelques jours plus tard pour lui annoncer que tous les mercenaires avaient reçu ses ordres et que la plupart s'étaient déjà mis en route.

– Nous allons nous rapprocher du lac, lui dit-il. Ainsi, les divisions qui arriveront pourront se placer à la suite de celles qui seront déjà sur les berges. Il ne faudra pas perdre une seconde, une fois que nous serons assemblés, car l'arrivée dans le monde céleste d'un si grand nombre de soldats pourrait fort bien être remarquée.

– Nous sommes prêts à nous battre, Auroch.

– Je préférerais que nous conservions nos forces pour les mettre au service du maître. Si c'est possible, j'aimerais que nous traversions dans son nouvel univers sans alarmer Achéron.

– C'est une sage décision.

– Dis aux hommes qu'ils devront garder le silence jusqu'à ce que nous soyons devant Kimaati.

Sans même prendre le temps de se reposer, le jeune taureau bondit pour aller répéter ses paroles à tout le monde. «Le maître sera content», se dit Auroch en s'allongeant sur le sol pour dormir.

Le soir convenu, le commandant rassembla sa propre division sur le bord du lac et attendit que toutes les autres s'y adjoignent. Lorsque Gyak arriva au grand galop pour l'informer que l'armée était au complet, Auroch ordonna aux premiers de se jeter à l'eau et de l'attendre dans l'Éther. Sans la moindre hésitation, les bovins lui obéirent.

Le rassemblement dans l'ancien monde des Immortels dura plusieurs heures, mais se fit en silence, comme le général l'avait exigé. Les soldats se placèrent en groupes bien ordonnés et attendirent la suite des événements. Lorsqu'ils furent tous arrivés, Salocin apparut près d'Auroch en tapant dans ses mains pour afficher son admiration.

— Nous sommes prêts à partir, déclara le commandant.

— N'oubliez pas votre promesse.

— Je ferai ce que vous m'avez demandé.

— Suivez-moi sans faire de bruit.

Le sorcier prit les devants, sa cape noire battant sur ses talons. Quand il fut suffisamment près du portail, il lança de nouveau son puissant sort qui neutralisa les sentinelles. Utilisant la force du vent, il ouvrit toutes grandes les deux portes d'acier et se rangea sur le côté. Auroch leva la main pour signaler à ses hommes de le suivre au galop.

Immobile, Salocin assista à l'exode en se disant que c'était une bonne chose qu'il n'y ait pas de poussière dans cet univers désolé, sinon les sabots auraient formé un énorme nuage qui aurait pris des heures à retomber. Il était important, lorsque les gardiens reviendraient à eux, qu'ils ne remarquent rien de différent. Dès que les derniers taureaux furent passés dans l'univers d'Abussos, le sorcier referma les portes et repartit en direction de la crevasse en se frottant les mains avec satisfaction.

15

SOMBRE FORÊT

Une fois que le Roi Kahei eut montré à Cherrval le sentier par lequel Onyx et son groupe, puis, peu de temps après, Lassa et les moines sholiens, étaient partis, le Pardusse se mit au travail. Rami et Azcatchi sur les talons, il flaira attentivement le sol. Il n'était pas carnivore comme ses semblables, mais il n'avait pas perdu pour autant la faculté de pister le gibier. Il démêla d'abord les différentes odeurs laissées par les humains et espéra qu'ils avaient tous suivi le même chemin. En cas de doute, cependant, il choisirait la trace de l'empereur.

Les trois amis marchèrent toute la nuit et ne cherchèrent un abri que lorsque la jungle s'anima à l'aube. Les oiseaux se mirent à chanter et à se poursuivre entre les branches et, au loin, les singes crièrent pour saluer le retour du soleil.

Cherrval, qui connaissait bien ces forêts, savait que les racines de certains arbres se soulevaient du sol, comme s'ils voulaient se tenir sur le bout des orteils. Les petites grottes qui se formaient sous ces géants sylvestres servaient souvent de cachette à bien des animaux, sauf lors des pluies diluviennes.

Dès qu'il eut trouvé un trou où ses compagnons et lui pouvaient se faufiler sans difficulté, le Pardusse s'arrêta pour se reposer. Le terrier était suffisamment haut pour que Rami et Azcatchi puissent s'asseoir sans se frapper la tête, mais pas pour qu'ils puissent s'y tenir debout. Puisqu'ils étaient plus fatigués qu'affamés, les trois hommes commencèrent par dormir. Cherrval s'était posté devant la plus grande des ouvertures pour décourager tout prédateur d'entrer dans leur refuge.

À leur réveil, les aventuriers mangèrent une partie des provisions que leur avait offertes le Roi de Djanmu et burent un peu d'eau de leurs gourdes.

— Les fruits sont-ils comestibles par ici ? demanda Rami.

— Pas tous, le renseigna Cherrval. Consultez-moi avant de croquer quoi que ce soit.

— Et l'eau ?

— Il y a des sources un peu partout.

— Tu es né par ici, n'est-ce pas ?

— Pas tout à fait. Simiussa se situe au sud de Pardue et nous n'avons jamais entretenu de bons rapports avec les grands singes. En fait, plusieurs d'entre eux servent de repas aux Pardusses chaque année.

— Vous mangez vos voisins ? s'horrifia Rami.

— Ce ne sont pas des créatures pensantes comme nous, mais des animaux qui vivent dans les arbres et qui nous attaquent sans raison. Si nous ne sommes pas suffisamment prudents, tu finiras bien par en voir quelques-uns, ce que je ne souhaite pas, personnellement.

— Parce qu'ils sont agressifs ?

— Territoriaux, plutôt. Ils ne supportent pas que d'autres créatures traversent leur territoire.

— Avec qui Onyx a-t-il l'intention de négocier, selon toi ?

— Avec les Kentauros, des hommes-chevaux. Ils vivent dans une grande cité en pierre. Si son but est de parler aux dirigeants de tous les États d'Enlilkisar, il n'a certainement pas perdu son temps à discuter avec les Simiusses. Alors, à mon avis, il a dû se mettre à la recherche du grand chef des Kentauros.

— Sont-ils paisibles ?

— Oui, sauf quand ils se sentent menacés. Alors ils peuvent devenir de terribles adversaires. Je ne voudrais pas me retrouver sous les sabots d'un Kentauros en colère.

La chaleur devenait de plus en plus insupportable dans la grotte végétale, mais les trois voyageurs ne pouvaient pas se permettre d'être aperçus par les singes.

— Comment peut-on se défendre contre un Simiusse ? demanda Rami, au bout d'un moment.

— Il faut à tout prix éviter leurs griffes et leurs dents pointues. Mais c'est surtout contre leur nombre qu'on ne peut rien faire. Lorsqu'ils attaquent les intrus, ils le font en bande. Fais-moi confiance, jeune homme. Il est préférable de les éviter, surtout que vous ne possédez aucune magie.

Ils dormirent jusqu'au coucher du soleil. Les cris des singes se firent de plus en plus rares.

— C'est le moment de partir, annonça Cherrval.

Ils sortirent de leur cachette et se remirent en route. Le Pardusse remercia le ciel qu'il n'ait pas encore plu, car il aurait facilement perdu la trace d'Onyx dans la boue. Il accéléra le pas pour arriver à la légendaire cité avant le réveil des Simiusses, au matin. S'assurant de rester près derrière lui, Rami et Azcatchi maintenaient le rythme en silence.

— J'ai perdu la trace d'Onyx, annonça soudain Cherrval.

— Alors, essaie de deviner par où il a pu aller.

— Et si je me trompe ?

— Il nous restera toujours la solution d'attirer l'attention des hommes-chevaux, qui doivent sûrement l'avoir vu.

Le soleil commençait à poindre derrière eux lorsqu'ils atteignirent une curieuse clairière où s'élevaient une tour et une multitude de pierres de différentes formes géométriques.

— J'espère que ce n'est pas ça, ta cité légendaire ? se découragea Rami.

— Ce n'est pas ce que m'a décrit mon ami, non.

Ils avancèrent, tous leurs sens aux aguets, car ils étaient maintenant à découvert et qu'il commençait à faire jour. Ils s'arrêtèrent près d'un monument circulaire sur lequel des inscriptions avaient été gravées.

— Tu peux les lire ? demanda le Pardusse au jeune Madidjin.

— Non. C'est une écriture qui m'est étrangère.

— Et toi, Azcatchi ?

— Ce n'est pas la langue des dieux, affirma-t-il.

– Allons nous mettre à l'abri, suggéra Cherrval.

– Dans la tour ?

– Non. Si les singes flairent notre passage, ils nous y assiégeront.

Ils quittèrent le cimetière et s'enfoncèrent de nouveau dans la forêt, à la recherche d'un arbre géant. Cherrval pressa ses compagnons de s'engouffrer sous les racines.

– Il y a beaucoup d'odeurs différentes par ici, leur dit-il. Nous sommes probablement très près de notre but.

– Sauf que nous ne savons pas dans quelle direction nous diriger, soupira Rami. Si ce n'était pas de la menace des Simiusses, je pourrais grimper dans les hautes branches et jeter un coup d'œil. Une grosse ville en pierre ne doit pas être si difficile à repérer.

– N'y songe même pas, Rami. Les singes sont beaucoup plus agiles que toi et ils auraient tôt fait de te précipiter sur le sol pour t'achever.

– Et moi qui croyais que le pays le plus dangereux d'Enlilkisar, c'était celui des Madidjins...

– Essayez de dormir.

Rami et Azcatchi lui obéirent docilement, mais Cherrval eut de la difficulté à trouver le sommeil. Ses sens aiguisés lui indiquaient que cette région était beaucoup plus peuplée que celles qu'ils avaient traversées jusqu'à présent. Les cris des singes étaient incessants et il pouvait même entendre craquer les branches sur lesquelles ils sautaient. « S'il y a autant de Simiusses, c'est que nous ne sommes plus sur le territoire des

Kentauros », conclut-il. Il était impossible de distinguer la position du soleil ailleurs que dans une clairière et le Pardusse en aurait eu besoin pour se diriger. Puisqu'il ne pouvait rien faire avant la nuit, il ferma les yeux. À son réveil, il mangea avec ses compagnons et leur exposa ses craintes.

— Laissez-moi d'abord sortir seul, exigea le Pardusse.

Il se glissa dans l'ouverture et tendit l'oreille. Il y avait encore des couinements dans la canopée, mais aucun cri d'alarme. Cherrval allait se retourner pour faire signe à ses amis de le suivre lorsqu'une forte pluie s'abattit brusquement sur la forêt. Puisque la voûte végétale était moins dense à cet endroit, sans doute parce que les singes l'empruntaient trop souvent et en dévoraient tous les fruits, l'eau se mit à couler à torrents entre les arbres.

— Sortez de là ! ordonna l'homme-lion.

Rami et Azcatchi se hâtèrent de s'extirper des racines avant d'être étouffés dans la boue.

— Qu'est-ce qu'on fait, maintenant ? s'inquiéta le Madidjin.

— Accrochez-vous aux troncs pour ne pas être emportés par l'eau. La clairière est de ce côté, indiqua le Pardusse.

Ils avancèrent de leur mieux, leurs pieds s'enfonçant dans la terre détrempée.

— Nous aurions dû déjà l'atteindre, fit remarquer Rami, au bout d'un moment.

— Il y a une trouée droit devant, les encouragea Cherrval.

Ils émergèrent en effet dans une clairière, mais ce n'était pas celle où se dressait la tour. La pluie s'arrêta d'un seul coup pour laisser place aux rayons orangés du soleil couchant. Soudain retentit un tumulte de cris perçants. Une centaine de grands singes roux atterrirent sur le sol et se mirent à lancer des fruits piquants aux intrus.

— Ne les laissez surtout pas vous mordre ! hurla Cherrval.

Rami et Azcatchi décrochèrent les longs poignards de leur ceinture et frappèrent au hasard dans le tourbillon de poils qui s'était matérialisé autour d'eux. Des hurlements de douleur leur apprirent qu'ils avaient touché quelques ennemis, mais ils eurent aussi pour effet d'attiser la colère des Simiusses.

— Ils sont trop nombreux ! se désespéra Rami.

Il n'avait pas fini de prononcer le dernier mot que le sol se mit à trembler sous ses pieds.

— Qu'est-ce que c'est encore ?

— Les Kentauros ! se réjouit le Pardusse.

Armés de lances, les centaures galopèrent autour d'eux, faisant fuir les singes qui les craignaient plus que tout.

— Cherrval ? s'exclama l'un d'eux.

— Tozc ? rétorqua l'homme-lion.

Le Kentauros à la robe gris pommelé et à la longue chevelure noire s'arrêta devant lui, tandis que ses compagnons formaient un cercle autour des voyageurs.

— Content de te revoir, mon ami ! Mais ne restons pas ici. Suivez-nous, ordonna-t-il.

Les centaures escortèrent jusqu'au cimetière les trois amis couverts de boue.

— Nous ne pourrons pas rentrer à la cité ce soir, annonça Tozc. Ce serait trop dangereux.

— Les Simiusses peuvent donc attaquer même la nuit ? s'étonna Rami.

— Habituellement non, étranger, mais leurs gardiens ne dorment pas et ils ne sont pas les seuls prédateurs de la forêt.

— Les Scorpenas, devina Cherrval. Nous avons eu beaucoup de chance de ne pas être tombés sur eux, car nous avons surtout voyagé de nuit.

— Nous ne risquons rien sur cette terre sacrée des géants, car ils craignent cet endroit tout autant que les singes.

Attiré par les voix, Miézone sortit de sa tour.

— Mais que se passe-t-il ici ? Qui sont ces gens ?

Les Kentauros se courbèrent devant l'homme-cheval tout blanc.

— Des voyageurs que nous avons sauvés d'une mort certaine, vénérable Miézone, répondit Tozc.

— D'autres étrangers ?

— L'un d'eux est un ami de longue date.

— Le Pardusse, j'imagine.

— C'est exact.

— Je m'appelle Cherrval et voici mes compagnons Rami et Azcatchi. Nous sommes à la recherche du Roi Onyx.

— Vous aussi ?

198

– D'autres le cherchent ? s'étonna Rami.

– Trois autres hommes sont passés par ici. Je les ai fait conduire à la cité.

– Connaissez-vous leurs noms ?

– L'un d'eux s'appelle Lassa.

Des flambeaux sortirent de terre sur le pourtour du cimetière et s'allumèrent.

– Êtes-vous magicien ? demanda Rami.

– Bien sûr que non ! Ce phénomène se produit de lui-même toutes les nuits. Il nous a sans doute été légué par les géants qui ont vécu dans la région avant nous. Heureusement pour moi, le feu sème la terreur dans le cœur des singes, alors vous serez en sécurité jusqu'au matin.

– Et demain, vous nous indiquerez également la route qui mène chez votre chef ? voulut s'assurer Cherrval.

– Mieux que ça, je t'y emmènerai moi-même, lui promit Tozc. D'ici là, nous avons beaucoup de choses à nous raconter, je pense.

– Où dormirons-nous ? s'inquiéta Rami.

– N'importe où à l'intérieur du cercle de feu, répondit l'ancien.

– Nul besoin de nous abriter ?

– Il ne pleuvra plus, cette nuit, et rien ne peut vous arriver ici. Je vous souhaite un sommeil paisible.

Miézone retourna dans sa tour pour vaquer à ses dernières activités de la soirée. Les voyageurs allèrent se débarrasser de la boue à la petite source, après quoi ils revinrent s'installer au centre de la clairière. Les centaures se couchèrent en rond autour d'eux.

— As-tu réussi à te rendre où tu le désirais, mon vieil ami ? demanda Tozc à Cherrval.

— Oui et plus loin encore. Je me suis même lié d'amitié avec un jeune prince itzaman. J'ai participé aux recherches pour retrouver le fils d'Onyx chez les Tepecoalts et je suis allé de l'autre côté des volcans avant de devenir le gardien d'une magnifique petite princesse mixilzine.

— Tout ça depuis la dernière fois que nous nous sommes vus ?

— Oui et j'en passe. Et toi, Tozc ?

— J'ai pris épouse et j'ai deux fils dont je suis très fier. Je te les présenterai demain. Autrement, l'existence que nous menons n'est pas aussi excitante que la tienne, on dirait.

— Je te rappelle que je t'avais offert de m'accompagner.

— Les Kentauros ne peuvent pas quitter ce pays, tu le sais bien.

— Pourquoi ? s'enquit Rami.

— Ils ne veulent pas tomber sur ceux qui les ont abandonnés ici.

— Je connais cette peur, avoua le Madidjin, mais vous ne devez pas la laisser vous empêcher de réaliser vos rêves les plus chers.

– Tu as donc subi le même sort...

– Oui, pendant une attaque sauvage, mais je retrouverai ceux que j'ai perdus.

– Et toi ? fit le centaure en se tournant vers Azcatchi.

– Moi, je n'ai plus qu'un seul rêve et il va bientôt se concrétiser.

Le crave se coucha sur le sol et ferma les yeux.

16

MAREK

Kira était en train de partager le premier repas du jour avec Bridgess, Santo et Jasson en attendant l'arrivée des autres Chevaliers. Il était encore très tôt, mais comme elle n'avait plus sommeil, elle était descendue à tout hasard dans le hall et y avait trouvé les trois autres en train de boire du thé et manger du pain chaud et du fromage.

— Je suggère que nous nous y prenions comme autrefois, fit Jasson. Rendons-nous sur place et notre intuition nous dira quoi faire.

— J'y avais songé, avoua Kira, mais je n'ai pas l'emprise qu'avait Wellan sur nos troupes. Je ne voudrais pas que la ferveur de nos compagnons les pousse à donner l'assaut de façon prématurée.

— Nous n'avons jamais eu de difficulté à maîtriser les ardeurs de nos divisions, la rassura Santo. Tu n'as qu'à nous transmettre tes ordres pour que nous les fassions exécuter. C'est à ça que servent les lieutenants.

— Lors des derniers affrontements contre les Tanieths, je n'étais qu'un simple soldat, s'excusa la Sholienne. Je pense que je vais remettre le commandement à Hadrian, qui a une bien plus grande expérience de la guerre que moi.

— À mon avis, tu te débrouillerais très bien, lui dit Jasson, mais c'est ta décision.

— *Maman ?* fit alors la voix angoissée de Lazuli dans leur esprit.

— *Qu'y a-t-il, mon chéri ?* s'inquiéta Kira.

— *On ne trouve plus Marek nulle part.*

La Sholienne se cacha le visage dans les mains en prenant une profonde inspiration.

— *Le Roi Tilly est déjà à sa recherche et il veut que je te dise de ne pas t'en faire.*

— *Tu peux informer Sa Majesté que ce sera bien difficile, mais que j'essaierai de ne pas paniquer.*

— *Nous pensons qu'il est peut-être allé sur le bord de la mer, parce que quelqu'un l'a vu partir de ce côté. Je te reparle plus tard. Je t'aime.*

Kira laissa ses mains retomber sur la table et son air découragé fit rire Jasson.

— Si ça peut te consoler, ça arrive régulièrement à bien des parents, affirma-t-il.

— Ce ne sont pas tous les enfants qui aiment fuguer, Jasson, répliqua Bridgess. Ça dépend de leur tempérament.

— Et puisque Marek a hérité de celui de sa mère... ajouta Nogait en arrivant dans le hall des Chevaliers.

— Ne me cherche pas querelle, ce matin, l'avertit Kira.

– Tu parles à un homme qui n'a jamais été capable de garder son fils Cameron en place plus de dix minutes à la fois quand il était jeune et regarde ce qu'il est devenu !

– Je suis certaine qu'il n'a jamais été aussi difficile que Marek.

Kira ferma les yeux et utilisa ses sens invisibles pour scruter l'ouest du continent. Pourtant, malgré tous ses efforts, elle ne réussit pas à pénétrer le Royaume des Fées. Elle poursuivit ses recherches sur tout Enkidiev, sans succès. « Lazuli a sans doute raison », se dit-elle. « Il doit être sur le bord de la mer. » Elle décida de ne pas inquiéter inutilement Lassa avant de recevoir des nouvelles de son cadet.

✳ ✳ ✳

Au même moment, la Reine Calva et le Roi Tilly avaient demandé à leurs sujets de se mettre à la recherche de Marek. Les Fées sillonnaient donc le pays, regardant entre les arbres, sous les fleurs et les champignons et même dans les rivières et les étangs. Certaines allèrent jusqu'aux plages de galets où s'élevaient de gros rochers pointus en forme de dents de loup.

Lorsqu'elles rentrèrent finalement au château, Tilly allongea son hall pour l'occasion et se mit à faire les cent pas en écoutant les rapports de toutes les équipes. Marek restait introuvable, ce qui était impossible, puisque le roi savait toujours ce qui se passait dans son royaume et que personne ne pouvait franchir ses frontières sans qu'il s'en aperçoive.

– Marek ne peut pas s'être envolé, tout de même ! laissa tomber Calva.

— Surtout qu'il est un chat et pas un oiseau, crut nécessaire d'expliquer Maélys.

— Il a déjà été enlevé par le passé, les informa Lazuli.

— Sait-il comment accéder directement au monde des dieux ? demanda Nartrach.

— Ce monde n'existe plus, lui rappela Tilly. Gardez l'œil ouvert pendant que je mène ma propre enquête.

— Je vous accompagne, décida le dragonnier.

Nartrach et le souverain quittèrent la salle au milieu des bourdonnements des Fées, qui multipliaient les hypothèses au sujet de la disparition du jeune Sholien. Lazuli, qui tenait les jumeaux par la main, ferma les yeux pour se concentrer.

— *Maman ?*

— *Je suis là, mon chéri.*

— *C'est juste pour te dire qu'on ne l'a pas encore trouvé et que le roi continue de le chercher.*

— *Si quelqu'un peut localiser ton frère, c'est bien lui.*

— *Aurait-il pu avoir envie de s'enfuir ?*

— *C'est possible. Tu connais Marek. Il n'est jamais content de son sort.*

— *Moi, je ne pense pas qu'il nous aurait quittés sans prévenir quelqu'un. J'ai peur qu'il ait encore été kidnappé.*

— *Attendons les conclusions du Roi Tilly avant de nous alarmer, d'accord ? Maélys et Kylian sont-ils avec toi ?*

– Sois sans crainte, je les garde à l'œil.

– Merci, Lazuli.

Les deux hommes-Fées retracèrent les pas de Marek, qui avait quitté le château pour s'enfoncer dans la forêt vers l'ouest. Les oiseaux voletaient devant les yeux du monarque pour lui manifester leur joie de le voir et les animaux sortaient la tête entre les troncs pour le voir passer.

– Tu es bien certain qu'il n'est pas allé se promener sur le dos de ton dragon ? demanda Tilly.

– Nacarat dort depuis deux jours et il est le seul dragon d'Enkidiev.

Lorsqu'ils arrivèrent à l'endroit où Sappheiros était apparu à Marek, le roi s'immobilisa.

– Comment se fait-il que je n'aie pas senti cela à partir du palais ? murmura-t-il, surtout pour lui-même.

– Senti quoi ? demanda Nartrach.

– Une énergie qui n'est pas de ce monde...

– Kimaati ?

– Il n'y a qu'une seule façon de le savoir.

Tilly ramassa un peu de poussière. Il prononça des paroles dans sa langue cristalline et souffla sur sa paume. Les fines particules formèrent d'abord un tourbillon sous ses yeux, puis se réorganisèrent pour créer l'image d'un gros chat ailé.

– Mais qu'est-ce que c'est ? s'étonna le dragonnier.

– Un être magique ou Kimaati lui-même.

— Il aurait des ailes ?

— C'est possible, mais gardons-nous de faire de telles suppositions. Je vais me rendre à Émeraude pour en parler avec Kira après avoir instauré des mesures d'urgence. Plus personne ne doit disparaître de mon royaume. Jusqu'à ce que nous ayons élucidé ce mystère, j'aimerais que tu t'installes au palais avec Améliane et votre petite fille. Fais aussi chercher Éliane et sa mère, qui sont isolées sur leur île.

— J'y pensais justement. Je vais également ordonner à Nacarat de monter la garde. Lorsqu'il n'est pas en train de dormir, c'est un bon gardien.

Ils rentrèrent d'abord au château de verre, où Tilly rassembla encore tout son peuple pour lui faire savoir qu'une curieuse créature avait réussi à déjouer sa vigilance et qu'elles devraient limiter leurs sorties jusqu'à ce qu'il l'ait capturée. Pas très braves de nature, les Fées lui promirent de rester à l'intérieur jusqu'à ce qu'il leur donne la permission de quitter la sécurité du palais. Tilly recommanda ensuite à sa femme de veiller sur les trois enfants de Kira, car il ignorait si l'intrus en voulait à sa famille ou juste à Marek. Il l'embrassa et se dématérialisa.

Quelques secondes plus tard, il réapparut sur la passerelle de la muraille de la forteresse d'Émeraude, où Kira marchait de long en large en scrutant les volcans au loin. En se retournant, elle s'arrêta net devant le gracieux personnage.

— Vous ne l'avez pas trouvé, n'est-ce pas ? se désespéra la mère.

— Je crains qu'il ait été enlevé.

— Par qui ?

Tilly tendit la main et fit apparaître une reproduction holographique du félin ailé.

— Savez-vous qui c'est ?

— Non, avoua-t-elle, mais ça me dit quelque chose.

— Marek est d'essence féline.

— Je vous jure que mon fils n'a pas d'ailes.

— Kimaati, alors ?

— Non plus.

— Alors, il s'agit sûrement d'un autre dieu dont nous ignorions l'existence.

— Ou d'un serviteur de Kimaati en provenance de son monde parallèle, avança Kira. Si Wellan était ici, il pourrait nous venir en aide, mais il refuse de répondre à mes appels. Je suggère par contre de montrer cet animal au Roi Hadrian, qui possède un grand savoir.

La Sholienne le chercha avec son esprit.

— Il est dans la bibliothèque.

Elle n'eut pas le temps de prendre les devants que l'homme-Fée appuyait sa main sur son bras pour les transporter instantanément tous les deux dans la grande salle, où Hadrian continuait de lire tous les traités d'astronomie qui lui tombaient sous la main. Il leva les yeux en entendant des pas.

— Votre Majesté, fit-il en se redressant pour saluer le Roi des Fées.

— Nous avons besoin de tes connaissances, Hadrian, lui dit Kira, le visage crispé par l'inquiétude.

— Si je peux vous être utile...

Tilly lui montra l'image en trois dimensions. L'ancien Roi d'Argent plissa le front en fouillant dans sa mémoire.

— Un vieil Itzaman nous a parlé d'un dieu ailé qui avait le corps d'un grand chat... murmura-t-il en s'efforçant de rappeler cette conversation à son esprit.

Il n'était pas facile pour lui de naviguer à travers plusieurs centaines d'années de souvenirs.

— C'était à l'époque où nous étions à la recherche d'Atlance. Onyx voulait en savoir davantage sur la marque qu'il porte à l'épaule.

— Est-ce une divinité appartenant à nos panthéons? demanda Kira.

— Si c'est le cas, je n'ai jamais rien lu à son sujet. Pourquoi ne pas questionner Onyx?

— Très drôle...

— En attendant de trouver une façon de communiquer avec lui, je vais voir si un de ces ouvrages en parle.

— Je dois retourner dans mon royaume, annonça Tilly.

— Est-il en votre pouvoir de nous laisser cette image? tenta Kira, qui était certaine qu'en identifiant la créature, elle pourrait retrouver son fils.

Le Roi des Fées se retourna vers un mur entre deux fenêtres où il n'y avait pas de tablettes et y projeta l'hologramme. Il se grava dans la pierre en faisant jaillir de petites étoiles argentées.

— Cela vous convient-il ?

— Vous n'auriez pas pu faire mieux, avoua Hadrian, impressionné.

— Ne perdez pas courage, Lady Kira, fit le souverain en lui serrant les mains. Nous retrouverons Marek.

Il se courba devant elle et disparut.

— Et je lui tordrai le cou ! s'exclama la mère, mécontente.

— Si une telle créature s'est attaquée à ton fils, il n'y a pas grand-chose qu'il pouvait faire sinon se laisser emmener, fit Hadrian pour la consoler.

— Possédons-nous des ouvrages sur les dieux du monde parallèle ?

— Je n'en ai jamais vu.

— À part Kimaati, qui pourrait nous renseigner ?

— Est-ce que Lassa ou toi entretenez de bonnes relations avec Abussos ? plaisanta Hadrian.

Kira écarquilla les yeux.

— Mais oui, mon mari ! s'exclama-t-elle.

— Pendant que je parcours l'index une fois de plus, je te suggère de lui en parler.

La Sholienne alla se planter devant le bas-relief que Tilly avait sculpté.

– Lassa ?

– J'ai entendu toutes tes conversations avec Lazuli et j'avais bien hâte que tu communiques avec moi, répondit-il par télépathie. *Du nouveau ?*

– Nous avons une image de la créature qui a enlevé Marek, mais nous ne savons rien à son sujet.

– Ce n'est guère rassurant.

– Pourrais-tu commencer par me dire où tu es rendu, mon chéri ?

– Je suis dans un pays du nouveau monde qui s'appelle Simiussa. Je pense qu'il se situe à la hauteur des Royaumes de Rubis et d'Opale, immédiatement de l'autre côté des volcans.

Kira allait lui faire remarquer que leur famille traversait une autre crise et qu'il serait beaucoup plus utile qu'il rentre tout de suite à Émeraude, mais les paroles d'Hadrian résonnèrent dans sa tête.

– Avez-vous trouvé Onyx ? demanda-t-elle plutôt.

– Nous arrivons à l'instant dans la cité des Kentauros. Onyx vient justement à notre rencontre avec Cornéliane, Fabian et...

Elle sentit la surprise dans sa voix.

– Et qui ?

– Mais c'est impossible... s'étrangla son mari.

Puisqu'elle n'avait jamais mis les pieds à Simiussa, elle ne pouvait pas se transporter là-bas pour voir ce qui se passait.

– *Lassa ?*

– *L'homme qui les accompagne ressemble tellement à notre ancien commandant Wellan que j'en suis tout bouleversé.*

– *Je t'en prie, concentre-toi sur notre problème à nous et demande à Onyx s'il a déjà entendu parler d'une divinité féline qui a des ailes.*

Le silence de Lassa ne dura que quelques minutes, mais Kira eut l'impression qu'il l'avait oubliée.

– *Il s'appelle Sappheiros, lui apprit finalement son mari. C'est tout ce qu'il se rappelle.*

– *Il ne sait donc rien de plus sur lui ?*

– *Rien du tout, sauf qu'Onyx était censé être un de ses descendants, mais que le dieu Corindon qui lui a raconté cette histoire l'a probablement trompé. Si tu veux bien, ma chérie, nous nous reparlerons plus tard, ce soir. Je vais voir si je peux en apprendre davantage.*

– *Oui, certainement. Je vais en faire autant de mon côté. Oh ! Et si tu le peux, pourrais-tu aussi te renseigner auprès d'Abussos ?*

– *Euh... c'est toujours lui qui est venu à moi et jamais le contraire, mais je verrai si c'est possible. Je t'aime.*

– *Pas autant que moi.*

Kira se tourna vers Hadrian, debout devant le gros livre où il avait répertorié tous les ouvrages de la bibliothèque.

– Sappheiros, donc, fit-il. Il me semble avoir déjà entendu ce nom.

– Il faudra m'enseigner un jour comment maîtriser les conversations privées, soupira-t-elle. Je me demande si les dieux qui ont survécu à la trombe connaissent sa légende...

– Possèdent-ils encore le don de nous entendre par télépathie ?

– Je crains que non, mais je sais que Jenifael fait de petits sauts à Fal pour aller voir son fils. Sans doute pourrait-elle questionner Theandras à ce sujet.

Pendant que l'ancien roi continuait de chercher une référence au cougar ailé dans la bibliothèque, Kira se précipita dans l'escalier et retourna dans le hall des Chevaliers.

– Moi aussi, je t'aime ! lança Nogait.

La Sholienne choisit de l'ignorer et se rendit tout droit à la table où Jenifael était assise avec son mari.

– Nous étions justement sur le point d'aller à ta rencontre, lui dit la jeune femme. Mahito en sait plus que nous sur ce dieu.

– Alors, dis-moi tout, jeune homme, exigea Kira en s'installant devant eux.

– Quand j'étais enfant, mon père m'a raconté qu'un dieu ailé vivant dans un monde lointain était revenu de la chasse pour trouver sa famille massacrée, lui révéla le dieu-tigre.

– Est-ce une légende ou a-t-il vraiment existé ? Et où Danalieth en a-t-il entendu parler ?

– Apparemment, c'est une histoire vraie qui lui vient de Fan.

– De ma mère ? s'étonna Kira. Pourquoi ne m'en a-t-elle jamais dit un mot ? Et malheureusement, je n'ai aucun contact avec elle depuis que Kimaati l'a emprisonnée dans sa forteresse avec le reste de la famille.

– La question que nous devons nous poser, c'est pourquoi ce Sappheiros a-t-il enlevé ton fils ? fit Jenifael, songeuse.

– Moi, ce qui me trouble beaucoup, c'est qu'il est peut-être de mèche avec Kimaati. Il continue peut-être de se saisir de tous ses descendants. Merci, Mahito. Et reste sur tes gardes, puisque tu es aussi un descendant de Kimaati.

– J'en suis conscient.

Kira s'empressa de quitter le hall pour retourner à la bibliothèque.

17

RÉUNIS

Lassa, Hawke et Briag avaient eu beaucoup de chance de ne pas être attaqués par les singes et de tout de suite tomber sur un groupe de patrouilleurs Kentauros, tandis qu'ils traversaient la forêt pour retrouver Onyx. Le premier choc passé devant ces magnifiques créatures mi-homme mi-cheval, ils avaient expliqué à grand renfort de gestes le but de leur présence.

Ne comprenant que le mot Onyx dans toute leur explication, les centaures les avaient ramenés à la citadelle. C'était justement à ce moment-là que Kira avait communiqué avec Lassa, tandis qu'il marchait entre ses nouveaux protecteurs.

Chéalyne avait aussitôt été prévenu de l'arrivée des trois étrangers et s'était empressé de sortir du hall des géants pour aller voir de quoi il retournait.

– D'autres humains ? Est-ce une invasion ? se moqua le chef.

– Je regrette de ne pas comprendre votre langue, s'excusa Lassa.

– Alors, permets-moi de traduire ses mots pour toi, fit Onyx, qui suivait le centaure.

Pendant qu'Onyx servait d'interprète à Chéalyne, Lassa vit Fabian, Cornéliane et un autre homme blond de forte carrure marchant derrière lui. Ce dernier ressemblait tellement au défunt commandant des Chevaliers d'Émeraude qu'il ne put s'empêcher de le dévisager.

– Veuillez excuser ma surprise, fit-il, mais avant que je vous en parle plus longuement, Kira a besoin de savoir si tu as déjà entendu parler d'un dieu félin ailé, Onyx.

– On m'a raconté brièvement sa légende, jadis. Il s'appelait Sappheiros, je pense. Et le dieu Corindon m'a dit que j'étais son descendant, mais il m'a probablement menti, parce que je n'ai pas une seule goutte de sang félin dans les veines.

Lassa répéta ces informations à sa femme, puis mit fin à sa communication télépathique avec elle.

– On dirait que ce ne sont pas les Kentauros qui te surprennent le plus, remarqua Onyx.

– En effet, balbutia le dieu-dauphin en continuant de dévisager Wellan, tout comme Hawke, d'ailleurs.

– Eh oui, c'est bien celui à qui tu penses.

– Heureux de te revoir, Lassa, fit l'ancien commandant en lui tendant les bras à la façon des Chevaliers.

– Mais... s'étrangla le porteur de lumière en se laissant serrer les biceps. Si c'est vraiment toi, où est mon petit garçon ?

– Onyx m'a permis de reprendre mon ancienne apparence.

– Pour combien de temps ?

– Jusqu'à ma prochaine mort.

– C'était ton vœu ?

– Secrètement, oui. Je me sentais bien démuni dans un corps d'Elfe, plaisanta Wellan.

– Pendant que vous renouez avec le passé, je vais retourner dans le hall et vous y attendre, décida Chéalyne.

– Nous vous y suivrons bientôt, promit Onyx.

– Tu comprends ce qu'il dit ? s'étonna l'Elfe.

– Heureux de te revoir, Hawke.

– Tu connais Briag ?

– Pas vraiment, mais je suis enchanté de refaire ta connaissance si nos routes se sont déjà croisées. Pour que vous puissiez profiter davantage de cette fabuleuse expérience en terre étrangère, je vais vous faire un présent. Réunissez vos mains droites.

Ils obéirent sans hésitation et Onyx y ajouta la sienne, leur transmettant instantanément le sort d'interprétation.

– À partir d'aujourd'hui, vous comprendrez toutes les langues.

– Magnifique ! apprécia Lassa.

– Maintenant, dites-moi ce que vous faites ici.

– Pour tenter de résumer le tout, Abussos m'a demandé de protéger une petite fille qui avait le pouvoir d'empêcher la prochaine guerre, alors je me suis mis à sa recherche avec mes amis Sholiens, expliqua Lassa sans pouvoir détacher son regard du visage de Wellan. Nous l'avons trouvée à Djanmu.

— En fait, c'est ta fille Obsidia, précisa Hawke.

— Ça ne me surprend même pas, avoua Onyx. Cette enfant est vraiment exceptionnelle.

— Puisqu'elle est en sûreté auprès de Napashni, nous avons décidé de partir à ta recherche.

— Quelle prochaine guerre ?

— Ta forteresse a été prise d'assaut par un dieu d'un monde parallèle.

— Oui, je sais.

— Et il n'a pas l'intention de s'arrêter là. Il veut dominer notre monde.

— Je lui réglerai son compte dès que j'aurai terminé ma mission de paix.

Il lui serra la main à la façon des Chevaliers. Un éclair tomba du ciel et enveloppa les deux hommes, forçant leurs compagnons et les centaures à reculer en toute hâte. Les deux hommes se séparèrent et s'observèrent avec stupéfaction.

— Mais qu'est-ce que c'était que ça ? fit l'empereur, sur ses gardes.

— Si vous me permettez ? intervint Briag.

Les deux frères célestes se tournèrent vers lui.

— J'ai nettement aperçu un dauphin et un loup dans cette intense lumière.

— C'est comme si vos énergies divines s'étaient reconnues, ajouta Wellan. Êtes-vous souffrants ?

— Moi, ça va, assura Onyx. Lassa ?

— À part un léger étourdissement, je me porte bien.

— Cessons de terroriser les Kentauros. Suivez-moi.

Regroupés à l'autre bout de la cour, les hommes-chevaux effrayés regardaient du côté des humains. Fabian, Cornéliane, Hawke et Briag suivirent Onyx à l'intérieur de l'édifice en pierre rose. Mais Lassa resta planté devant Wellan.

— Je suis désolé que mon apparence te cause un si grand choc, s'excusa-t-il. Mais j'ai pensé que ce corps serait plus adapté à la vie que j'ai envie de mener.

— Je finirai par m'en remettre, j'imagine, mais je n'en suis pas aussi sûr pour ta mère.

— Je suppose qu'elle aura plus de difficulté à me donner des ordres, maintenant, plaisanta Wellan.

Il saisit Lassa par les épaules en esquissant un large sourire.

— Je n'oublierai jamais vos bons soins et tout l'amour que vous m'avez prodigué quand je grandissais, mais j'ai besoin d'être libre.

— Redeviendras-tu le chef des Chevaliers ?

— Pas si je peux l'éviter. Dans cette deuxième vie, je veux explorer le monde et en parler dans des centaines de livres.

— C'est ce que tu fais en suivant Onyx dans le nouveau monde ? Tu écris des livres ?

— Avoue que c'était l'occasion parfaite de visiter tout le continent et c'est sans doute moins dangereux que si je le faisais seul.

– Mon petit garçon va beaucoup me manquer, mais je comprends tes nouvelles ambitions.

– Elles ne sont pas vraiment nouvelles, mais refoulées, parce que je n'ai pas eu d'autre choix que d'être soldat dans ma première vie.

Il l'entraîna vers les portes géantes du plus élevé des bâtiments.

– Alors, Marek a encore fugué ? fit Wellan sans cacher son inquiétude.

– Cet enfant est incapable de rester en place, mais nous avons des raisons de croire qu'il a de nouveau été enlevé. À mon avis, c'est ce bandit de Kimaati qui essaie de rassembler tous les félins dans sa forteresse.

– Aucun des félidés n'a des ailes. Cette créature provient certainement d'un autre panthéon.

– De celui du dieu-lion, sans doute.

– Tu as probablement raison, mais nous ne pouvons pas supposer ses intentions. Nous avons besoin de plus d'informations.

– Et où les trouverons-nous ?

– Avez-vous essayé de communiquer avec Marek ?

– J'imagine que Kira doit le faire à intervalles réguliers...

Une fois assis à la table d'Onyx, Wellan et Lassa tentèrent tous deux d'entrer en contact avec l'adolescent, en vain. Il se trouvait certainement dans un endroit où la magie ne pouvait pas pénétrer.

Pendant quelques minutes, les humains se régalèrent des plats en provenance d'Émeraude.

– As-tu l'intention de reprendre An-Anshar ? demanda alors Lassa à Onyx.

– Dès que j'aurai convaincu tous les peuples d'Enlilkisar de se ranger sous mon aile. Il ne me reste que les Kentauros, les Pardusses et les Madidjins. Nous devrons accélérer le rythme des négociations.

– Les Kentauros vous sont acquis, mon ami, annonça le chef des centaures. Nous ne sommes pas belliqueux, mais si vous nous appelez aux armes, nous répondrons à votre appel.

– Merci, Chéalyne, nous nous remettrons en route demain.

– Je vous fournirai des guides parmi mes meilleurs patrouilleurs. De cette façon, vous ne ferez pas de détours inutiles.

Onyx se tourna vers les nouveaux venus.

– Vous rentrez à Émeraude ? s'enquit-il.

– Certainement pas ! s'exclama Briag. Il y a sûrement quelque chose que nous pouvons faire pour vous aider.

– En ce qui me concerne, il serait préférable que je rentre à Émeraude pour épauler Kira dans la recherche de notre fils, s'excusa Lassa.

– Je ferais la même chose, lui assura Onyx.

– Maintenant que nous savons que la petite fille en rouge est bien protégée, notre mission est terminée, leur fit savoir Hawke.

– Je ne veux pas retourner au sanctuaire, grommela Briag.

– Ça, je l'avais bien compris, mais je n'ai aucune raison de rester dans le nouveau monde.

– Alors, pars avec Lassa et laisse-moi ici, le supplia le Sholien.

– Nous en reparlerons tout à l'heure, si tu veux bien.

– Tu n'arriveras pas à me persuader de te suivre même si tu essaies de me convaincre en privé.

– Je ne pensais jamais rencontrer un moine rebelle, s'amusa Onyx.

– Moi non plus, avoua Hawke.

Pendant que les Sholiens se parlaient tout bas, Onyx se tourna vers Lassa.

– Avant de partir, dis-moi si tu te changes en animal, toi aussi.

– Justement, depuis quelque temps, je me transforme en dauphin ailé. Au début, je trouvais ça plutôt traumatisant, puis je m'y suis habitué. J'ai même profité de mes nouvelles facultés pour me rendre plus rapidement à Djanmu.

– Je commence à peine à maîtriser ma propre métamorphose, avoua Onyx.

– Moi, je suis un guépard, révéla Cornéliane.

– Tandis que moi, je n'arrive plus à reprendre ma forme d'oiseau de proie, soupira Fabian.

– Personnellement, je ne veux plus jamais que ça m'arrive, marmonna Wellan.

– En quoi te changes-tu ? s'enquit Cornéliane, curieuse.

– Une espèce de monstre volant qui n'apparaît nulle part dans nos livres de zoologie.

– Dans ce cas, j'approuve, le taquina Fabian.

– Mon tout dernier changement de corps me convient parfaitement.

Lassa lui jeta un regard de côté. « Comment vais-je annoncer ça à Kira ? » se dit-il.

Ayant terminé leur assiette, les deux moines allèrent discuter à l'extérieur.

– Les paris sont ouverts, fit moqueusement Fabian.

– À mon avis, Hawke n'arrivera pas à convaincre Briag de rentrer à Enkidiev, prédit Lassa. Ce jeune homme a vécu trop longtemps sous terre et il a soif d'aventures.

– Il faudrait peut-être lui expliquer que notre entreprise est risquée, intervint Wellan. Les Pardusses ne sont pas très aimables envers les humains et, aux dires de Cornéliane, les Madidjins sont toujours en train de se faire la guerre.

– C'est exact, confirma la princesse.

– Je n'ai pas l'impression que ça le découragera, laissa tomber Onyx. Je connais ce feu qui l'anime.

– Il veut devenir un héros, lui aussi, crut comprendre Wellan.

— Pourquoi pas ? fit l'empereur en haussant les épaules. Ce n'est pas comme si je ne pouvais pas en nourrir un de plus. Qui veut du vin ?

Il fit apparaître deux amphores et plusieurs coupes. Lassa, qui ne consommait habituellement pas d'alcool, se versa une rasade.

— À la famille divine ! s'exclama l'empereur en riant. Moi, c'est Nashoba, et toi, c'est qui déjà ?

— Nahélé, répondit Wellan, qui avait longuement étudié ce panthéon supérieur. Le véritable nom de Nemeroff, c'est Nayati.

— Et celui de Napalhuaca est Napashni, qu'elle a d'ailleurs adopté pour marquer la fusion des deux parties de son âme, ajouta Onyx. Qui y a-t-il d'autre ?

— Naalnish, les renseigna Wellan. C'est Kaliska. À mon avis, si vous vous mettiez tous les cinq contre ce Kimaati, vous n'en feriez qu'une bouchée.

— Peut-être en arriverons-nous là, mais je lui donnerai d'abord la chance de partir.

— C'est très sage, le félicita Lassa.

— Il faut que je donne le bon exemple à mes enfants, plaisanta Onyx.

Lorsque les moines revinrent à la table, Briag avait les yeux chargés d'étoiles, mais Hawke semblait parfaitement calme.

— Il restera ici. Si Onyx est d'accord, bien sûr, annonça l'Elfe.

— Un moine dans notre compagnie ? Pourquoi pas ? fit l'empereur en lui levant son verre.

— Je vous en prie, ne le laissez pas boire en plus.

— Nous avons tous des choix à faire dans la vie.

Lassa et Hawke dirent adieu à leurs amis et disparurent dans le vortex du dieu-dauphin. Onyx se tourna vers Briag.

— Pour que ce soit bien clair, si tu changes d'idée, je peux au moins te reconduire jusqu'à Shola.

— Je ne crois pas que ce sera nécessaire et je vous promets de ne pas être un fardeau.

Le soleil avait commencé à décliner dans le ciel, alors ils grimpèrent jusqu'à la grande chambre que leur avait attribuée Chéalyne. En réponse aux lamentations de sa fille, qui n'arrivait plus à dormir dans un tas de paille qui traversait sa couverture et lui piquait la peau, Onyx avait emprunté des lits remisés au grenier du Château d'Émeraude et des matelas tout neufs chez un marchand de Rubis. Pour qu'il ne subisse pas de perte, il avait laissé des pièces d'or dans son atelier.

— Briag peut dormir avec moi, déclara Fabian, car il n'y avait pas de lit pour le moine.

— Je suis prêt à coucher sur le sol pour ne pas m'imposer.

— Quand j'offre, il faut accepter.

Briag ne protesta plus. Tous s'allongèrent sur leurs couvertures et Wellan s'assura que les volets étaient bien fermés. Quelques minutes plus tard, presque tout le monde ronflait. Les bras croisés sous la nuque, Onyx laissa errer son esprit en direction des volcans pour commencer à s'informer de cet adversaire qu'il lui faudrait affronter dès qu'il se serait assuré l'allégeance des Madidjins. Il trouva sa forteresse enveloppée dans un cocon d'énergie qu'il n'arrivait pas à percer. « Il faudra bien qu'il en sorte quand je le provoquerai en duel », se dit-il en fermant les yeux.

Briag parvint à dormir, malgré les cris perturbants des animaux nocturnes. Une fois de plus, il rêva à Myrialuna. Elle était assise devant le feu qui brûlait dans un grand âtre.

— *Vous n'avez pas sommeil ?* se troubla le moine.

— *Le désespoir me gagne de jour en jour.*

— *Êtes-vous maltraitée ?*

— *Non, mais je suis confinée dans une forteresse qui n'est pas mienne. Pire encore, je ne sais pas ce qui nous arrivera.*

— *Nous serons bientôt là, Myrialuna. Je vous jure que vous ne finirez pas vos jours à An-Anshar. Tenez bon.*

— *J'essaie d'être forte, pour les enfants, mais lorsqu'ils sont tous couchés, je pleure.*

— *Si je le pouvais, j'essuierais vos larmes, mais je ne suis qu'une voix dans vos pensées.*

Briag décida de lui changer les idées.

— *Je vous en prie, racontez-moi ce qui se passe dans le château.*

— *C'est toujours la même routine, mais nous sommes un peu moins effrayés depuis que Moérie est morte.*

– *Kimaati l'a finalement tuée ?*

– *Non, ce n'est pas lui. Un autre dieu félin de la famille de Solis est arrivé et il était tellement en colère contre elle qu'il lui a rompu le cou.*

– *Êtes-vous en danger de subir le même sort ?*

– *Non. Corindon s'est surtout vengée de Moérie parce qu'elle a causé sa mort en le trahissant du même coup. Il est revenu à la vie et cette obsession l'a apparemment conduit jusqu'ici. Malheureusement, Kimaati a bouché l'ouverture par laquelle il s'est infiltré dans le palais et nous ne pouvons plus l'utiliser pour fuir.*

– *Comment l'avez-vous appelé ?*

– *Corindon. Vous le connaissez ?*

– *Je viens d'entendre parler de lui. Il aurait raconté une légende à Onyx sur un homme ailé qui s'appelait Sappheiros. Si vous pouviez en apprendre davantage à son sujet, cela nous aiderait beaucoup.*

– *En quoi ?*

– *Marek a été enlevé et nous croyons que ce Sappheiros est son ravisseur. Le garçon a-t-il été emmené à An-Anshar ?*

– *Pas à ce que je sache, mais je tâcherai de m'en informer.*

– *Je vous en remercie.*

– *Briag, continuez de me visiter dans mes rêves, ça me fait vraiment plaisir.*

– *Je vous le promets.*

Myrialuna lui souffla un baiser. Son geste troubla Briag et lui fit battre des paupières, ce qui le réveilla. «Je suis vraiment en train de tomber amoureux...» se dit-il en souriant.

18

D'AUTRES HUMAINS

Au matin, ce furent les bruits de la cour qui réveillèrent Briag. Il sursauta et regarda autour de lui. Des filets de lumière pénétraient dans la chambre à travers les interstices des volets. «Je ne pourrai plus jamais me passer du soleil», songea-t-il. Ses nouveaux compagnons commençaient à se réveiller. «Pourquoi mes frères Sholiens n'ont-ils pas envie de tout ça?» se demanda le jeune moine.

Cornéliane se leva la première et ouvrit les panneaux de bois, éclairant la pièce. Wellan fut le suivant. Il étira ses muscles et se remit sur pied.

— Je vais me purifier, annonça-t-il.

— Puis-je y aller aussi? demanda Briag.

— Certainement.

Le Sholien suivit Wellan dans l'escalier de pierre qui menait au rez-de-chaussée.

— Tu n'as jamais fait ça auparavant, n'est-ce pas?

— Jamais, confirma Briag, mais je veux tout apprendre.

— Je n'imaginais pas les moines comme toi.

– Les autres moines me ressemblent physiquement, mais pas mentalement. Ils se contentent d'une existence monotone et sans avenir. Ils prient toute la journée et finissent par mourir dans leur cellule. Moi, j'ai envie de vivre autrement. Je veux faire quelque chose d'excitant, sentir le soleil sur ma peau, le vent dans mes cheveux. J'aimerais sauver le monde avec vous.

– Dans ce cas, tu viens de te joindre à la bonne équipe.

Les deux hommes sortirent dans la cour et marchèrent jusqu'à la fontaine en évitant d'être heurtés par les poulains qui se pourchassaient en riant. Briag observa d'abord les gestes de Wellan. À l'aide d'un seau de bois, le grand commandant se versa de l'eau sur la tête.

– Cela suffit-il pour se purifier ? s'étonna le Sholien.

– Il est toujours préférable de s'immerger complètement, mais les rivières de ce continent ne sont pas sûres et cette fontaine n'est certainement pas assez profonde pour moi. Nous devons bien souvent nous contenter de ce que nous trouvons.

Briag rassembla son courage et remplit un seau lui aussi. Il frissonna lorsque l'eau toucha sa peau sensible, mais s'efforça de sourire en voyant que Wellan l'observait.

– Et ensuite ? demanda-t-il en claquant des dents.

– Ne t'inquiète pas, la chaleur sèche rapidement nos vêtements. Quand nous ne sommes pas pressés, j'aime bien méditer quelques minutes, même si je ne suis pas un moine.

– Comment les humains s'y prennent-ils ?

– Ils s'installent dans un endroit tranquille et ils vident leur esprit.

Briag douta qu'ils puissent s'isoler où que ce soit dans la grande cour qui grouillait de plus en plus d'activité.

– Viens, l'invita Wellan. Non seulement j'ai trouvé une oasis de paix dans cette cité, mais je pense qu'elle t'intéressera pour d'autres raisons.

Il emmena le Sholien jusqu'à la chambre des bas-reliefs, où il alluma les torches. Briag écarquilla les yeux avec émerveillement en pivotant sur ses talons pour admirer tous les murs.

– Voilà une activité qui m'aurait plu dans nos tunnels souterrains, laissa-t-il tomber.

– Lorsqu'un peuple écrit son histoire dans la pierre, elle ne se perd pas, tandis que les parchemins et les livres finissent par disparaître lorsqu'on ne fait pas l'effort de bien les conserver.

– Ces sculptures racontent donc quelque chose.

– En effet. Elles nous informent que cette forteresse au milieu de la jungle a été bâtie par des hommes qui sont venus d'ailleurs et qui sont ensuite repartis.

– C'est fascinant...

Wellan s'assit en tailleur au milieu de la pièce, aussitôt imité par le moine.

– Alors, voilà, je chasse toutes mes pensées obsédantes et je me réfugie dans un coin de ma tête où rien ne peut me perturber. Pour moi, il s'agit d'une caverne sous-marine que je fréquentais quand j'étais enfant. Je me laisse bercer par le clapotis des vagues et le jeu de la lumière sur l'eau.

— Comment trouverai-je mon coin à moi ?

— En puisant très loin dans tes souvenirs. Il y a certainement un endroit où tu t'es un jour senti tout à fait en sécurité. Il te suffit de chercher, Briag. Peut-être n'y arriveras-tu pas la première fois. L'important, c'est de continuer d'essayer.

— Alors, je veux bien tenter cette expérience.

Assis devant Wellan, il ferma les yeux et fouilla dans sa mémoire. Il avait toujours vécu sous la terre comme tous les autres Sholiens, qui ne pouvaient pas supporter le froid et la lumière crue de leur pays enneigé. Il se rappela ses parents, aussi stricts qu'Isarn, et ses frères, beaucoup moins turbulents que lui. Lorsqu'il désobéissait, ce qui arrivait souvent lorsqu'il était très jeune, son père l'envoyait réfléchir dans une des nombreuses salles construites sous le Château de Shola.

Briag n'y avait plus repensé en vieillissant, mais c'était une pièce éloignée de celles où le reste de la colonie vaquait à ses occupations. On y avait entreposé des milliers de pierres précieuses dans des tonneaux. Il se souvint qu'il aimait plonger les mains dans les rubis, les saphirs et les diamants pour les regarder glisser entre ses doigts. «C'est ma caverne à moi», comprit-il. Il s'imagina y être et se mit à vider le contenu des barils, tapissant le sol de joyaux, où il s'allongea pour apaiser son esprit. Lorsqu'il ouvrit enfin les yeux, Wellan le regardait avec amusement.

— On dirait bien que tu as trouvé ton oasis.

Briag lui raconta ce qu'il avait vu tandis qu'ils se rendaient au grand hall, où Onyx venait de les convier. Puis, il lui parla de ses conversations avec Myrialuna.

– Au début, je pensais que ce n'étaient que des rêves, mais je suis maintenant persuadé que ce sont des communications télépathiques. Elle est véritablement retenue prisonnière à An-Anshar.

– Je pense que ça intéressera Onyx.

– Ah oui ? fit l'empereur en les voyant approcher.

Ils prirent place à sa table, où il était déjà installé avec ses enfants.

– Je vous écoute, messieurs, fit Onyx en faisant apparaître du pain, du jambon et des œufs brouillés.

– Briag me disait qu'il a des contacts avec Myrialuna, que Kimaati retient prisonnière chez toi avec toute sa famille.

– Elle ne croit pas que Marek y a été emmené, continua le moine, mais elle va tenter de s'en assurer. Elle m'a aussi révélé qu'un certain Corindon était arrivé à la forteresse et avait tué Moérie.

– Bon débarras, grommela Onyx en se rappelant que c'était cette enchanteresse qui lui avait bleui la peau.

– Corindon ? intervint Fabian. N'est-ce pas lui qui t'avait dupé ?

– C'est un fieffé menteur et sûrement un traître aussi s'il s'est allié à Kimaati.

– Sans l'ombre d'un doute, concéda Wellan, mais Briag est capable de communiquer avec quelqu'un à l'intérieur du château.

– Une informatrice ! comprit Cornéliane. C'est très bon pour nous, n'est-ce pas, papa ?

– Briag, j'espère que tu te rends compte que je ne pourrai plus me passer de toi, le taquina Onyx.

Tout en mangeant, le moine leur fit part de la teneur de ses conversations avec Myrialuna. C'est alors qu'ils entendirent un grand tumulte dans la cour.

– Chéalyne ! s'écria un centaure en galopant dans le hall. D'autres humains !

– Encore !

Onyx et ses compagnons s'empressèrent de suivre le chef des Kentauros dehors. Quelle ne fut pas leur surprise d'apercevoir Cherrval, Rami et Azcatchi qui franchissaient les grandes portes des murailles en compagnie des patrouilleurs.

– Si ça continue ainsi, il y aura plus d'humains ici que de Kentauros ! s'exclama moqueusement Chéalyne. Qui êtes-vous ?

– Nous sommes des sujets de l'Empereur d'An-Anshar, répondit le Pardusse. Sa forteresse a été prise d'assaut et nous sommes venus l'en informer.

– Je suis déjà au courant, répliqua Onyx en s'approchant.

– Alors pourquoi n'êtes-vous pas en route pour aller la reprendre ? s'étonna Rami.

Les traits du dieu-loup se durcirent.

– C'est ce que nous ferons dès que mon père aura achevé sa mission, intervint Cornéliane pour éviter un nouvel affrontement entre les deux hommes.

– Je vous avais confié Ayarcoutec ! tonna Onyx.

— Elle est sauve, le rassura Cherrval. Nous l'avons laissée avec sa mère au palais de Djanmu.

— Alors, là, je n'y comprends plus rien... avoua Fabian en se grattant la tête.

— Venez nous raconter ça à l'intérieur, décida Chéalyne, car nous n'avons pas encore terminé notre repas du matin.

Tozc escorta les trois compagnons dans le hall jusqu'à la table qu'Onyx venait d'allonger avec sa magie. Avant d'aller plus loin, le dieu-loup accorda aux nouveaux venus le pouvoir d'interprétation afin de ne pas être obligé de tout leur traduire.

Rami s'assit près de Cornéliane, dont il avait rêvé tous les soirs depuis son départ d'An-Anshar, et lui raconta son périple. Elle l'écouta en se demandant ce qu'elle ressentait vraiment pour lui. Pendant que ses amis se servaient dans les plats, Cherrval alla plutôt se chercher de l'herbe tendre dans l'auge des centaures.

— Quand Tayaress est venu chercher Marek, nous avons cru que nous allions tous être exécutés les uns après les autres, alors nous avons réussi à nous enfuir grâce aux Hokous, expliqua Cherrval à Onyx.

— Mais qui sont tous ces gens ? lança Chéalyne.

— Tayaress est un Immortel qui semble avoir changé de camp.

— Je ne lui ai jamais fait confiance... grommela Onyx, mécontent.

— Marek est un jeune garçon que Kimaati a enlevé et qu'il retenait prisonnier avec la Princesse Ayarcoutec, Azcatchi et moi-même.

Les yeux baissés, le dieu crave mangeait en goûtant prudemment à sa nourriture sans se préoccuper de ce qui se passait autour de lui. Cornéliane l'observait, heureuse de le voir parfaitement remis. C'est alors qu'elle aperçut le regard intéressé de Rami. Il était encore trop tôt pour lui avouer ses sentiments, alors elle s'efforça de prêter attention à la discussion.

– Qui sont les Hokous ? s'enquit Chéalyne.

– Mes serviteurs, répondit Onyx.

– Et Azcatchi ?

– C'est lui, fit Cherrval en le pointant.

– Et l'autre ?

– C'est Rami.

– Mon histoire est un peu différente, s'empressa d'ajouter le Madidjin. J'étais dans les vignes quand j'ai vu la petite princesse me faire des signes désespérés à partir d'un balcon, alors j'ai compris que je devais me mettre à la recherche de l'empereur. Je suis ensuite tombé sur le Pardusse et ses amis dans la jungle.

– Ça commence déjà à être plus clair, avoua le chef des centaures. Combien d'autres personnes sont à la recherche d'Onyx ?

– Il y avait aussi Hadrian et sa femme, l'informa Rami, mais ils ont dû rentrer d'urgence à Émeraude.

Onyx ne laissa paraître aucune surprise en apprenant cette nouvelle.

– Si je comprends bien, fit Chéalyne, maintenant que je t'ai prêté allégeance, tu devrais te hâter de rallier les deux autres peuples qui restent afin d'aller régler tes problèmes domestiques.

– C'est à peu près ça, oui, admit Onyx. Nous devrions nous mettre en route pour le pays des Pardusses tout de suite après le repas.

– J'imagine que nous allons encore avoir les singes sur le dos, soupira Fabian.

– Ne t'en fais pas, le rassura son père. Je nous protégerai des noix de coco et des fruits couverts de piquants. Ce que je veux savoir, c'est ce que vous avez l'intention de faire maintenant que vous m'avez livré votre message.

– Étant donné que je peux vous mener directement au chef des Pardusses et ainsi vous épargner beaucoup de temps, je serai votre guide, décida Cherrval.

– Si vos pas doivent vous mener jusqu'aux terres des Madidjins, alors j'insiste pour être du voyage, implora Rami. Je veux retourner chez moi et apprendre ce qui est arrivé à ma famille.

Il ne restait plus qu'Azcatchi. En constatant que plus personne ne parlait, il releva la tête, intrigué.

– Où iras-tu ? lui demanda Onyx.

– Je veux servir le dieu-loup.

– Alors, nous formerons une seule compagnie. Mangez pendant que vous le pouvez. La route sera longue et nous ne nous arrêterons qu'au coucher du soleil.

Ils vidèrent leur assiette.

— Qui est votre nouveau compagnon ? s'enquit alors Cherrval.

— Il s'appelle Briag, répondit Cornéliane. C'est un moine de Shola.

— Nous formons un groupe vraiment bizarre ! s'exclama Rami.

— Ça tu peux le dire, l'appuya Fabian.

— À quoi devons-nous nous attendre chez les Pardusses ? demanda Briag.

— Contrairement aux Simiusses, ils nous traqueront en silence, expliqua Cherrval. Il nous faudra constamment être sur nos gardes, surtout la nuit.

— Sinon, ils nous tueront ?

— Oh non. Nous sommes une marchandise beaucoup trop précieuse pour eux, fit Fabian.

— Marchandise ? s'étonna le Sholien.

— Ils vendent les peaux pâles à des araignées géantes en échange de piécettes d'or qu'ils utilisent ensuite pour acheter des denrées aux caravanes madidjines.

— Des araignées... géantes ?

— Arrête de le terroriser, Cherrval, l'avertit Onyx. Je leur ai fourni d'autres petites bêtes de compagnie, il n'y a pas longtemps. Ça devrait les occuper pendant un moment.

— Qu'est-ce que tu as encore fait ? s'étonna Fabian.

— Il a transporté des centaines de Scorpenas sur leur île dans les nuages, les informa Wellan.

— C'est pour cette raison qu'ils ne nous ont pas embêtés dans la jungle, comprit Cherrval.

Dès qu'ils eurent fini de manger, Onyx les envoya remplir leurs gourdes à la fontaine. Ils trouveraient certes de petites sources un peu partout sur leur route, mais il préférait que ceux qui auraient soif puissent boire chaque fois qu'ils en éprouveraient le besoin. Pendant qu'ils s'affairaient, Onyx s'entretint seul avec le chef des Kentauros, à qui il promit de revenir dès qu'il aurait repris sa forteresse. Tozc et quelques patrouilleurs accompagnèrent les voyageurs pour les orienter dans la bonne direction. Toutefois, ils s'arrêtèrent vers l'heure du midi.

— Nous ne pouvons pas aller plus loin sans mettre notre vie en danger, leur dit le centaure gris pommelé. Continuez vers le nord-est pendant quatre jours, jusqu'au grand lac, puis remontez le fleuve qui l'alimente. Faites attention, car vous serez sur le territoire le plus peuplé des Simiusses.

— Combien de temps avant d'arriver chez les Pardusses ? voulut savoir Onyx.

— Neuf ou dix jours, à mon avis, répondit Cherrval.

Le dieu-loup regretta de ne pas pouvoir utiliser son vortex pour gagner du temps. Mais il lui était impossible de s'en servir pour se rendre dans des endroits où il n'avait jamais mis les pieds. « J'aurais dû obliger le dauphin volant à rester avec nous », soupira-t-il. Il remercia Tozc et ses amis et demanda à Cherrval de prendre les devants. Ils marchèrent en silence jusqu'à ce que le soleil commence à se coucher. Plus ils avançaient vers le nord, plus les arbres s'espaçaient. Ils traversèrent même plusieurs clairières. C'est d'ailleurs dans l'une d'elles qu'Onyx décida d'établir un premier campement.

D'un geste de la main, il encercla la troupe d'un grand cercle de feu magique qui ne brûlait heureusement pas l'herbe sèche. Hautes d'au moins deux mètres, les flammes, même si elles présentaient le désavantage d'attirer les prédateurs, les empêcheraient toutefois de s'en prendre à ses compagnons. Tous s'assirent sur le sol pour se reposer et Onyx fit apparaître le repas, emprunté aux cuisines de Fal, cette fois.

— Mangez et dormez, ordonna l'empereur. Nous repartirons avant le lever du soleil.

Tout en consommant avec ses doigts la semoule agrémentée de viande et de légumes, Onyx se tortura l'esprit pour trouver une façon d'accélérer sa quête. Même s'il avait fait apparaître des chevaux, ils n'auraient pas pu avancer plus rapidement que des humains à pied dans ce pays semé d'embûches. Hardjan était malheureusement le seul cheval ailé du monde et il ne pourrait certes pas supporter le poids de huit cavaliers. Onyx s'assoupit sans avoir trouvé de solution.

Au bout de quelques heures, il ouvrit les yeux et vit que ses amis dormaient encore. Il écouta les bruits de la nuit en observant le ciel qui pâlissait déjà. C'est alors qu'un épisode de la quête du jeune Wellan dans le Désert d'Enkidiev lui revint en mémoire. Il le secoua violemment pour le réveiller.

— Que se passe-t-il ? s'alarma l'ancien Chevalier.

— Te rappelles-tu le sort du tapis volant ?

— Je n'oublie jamais rien.

– Ce serait le moment idéal de l'utiliser à nouveau afin d'arriver plus vite chez les Pardusses. De quoi as-tu besoin ?

– D'une plateforme où nous pourrions tous tenir.

– De quel poids ?

– Ça n'a pas d'importance. Elle doit surtout être solide.

Onyx laissa errer son esprit et trouva un large radeau au Royaume de Rubis, sur le bord de la rivière Sérida. Il le transporta immédiatement dans la clairière en faisant bien attention de ne pas écraser les dormeurs.

– Oui, ça ira, affirma Wellan avec un grand sourire.

Onyx réveilla Cherrval, Rami, Azcatchi, Fabian, Cornéliane et Briag et leur expliqua ce que Wellan tenterait de faire.

– Devrions-nous nous attacher aux planches, juste au cas où ? demanda Fabian, inquiet.

– Je m'assurerai de ne pas voler trop haut, mais je vous conseille de vous cramponner pendant le trajet, car voilà bien longtemps que je n'ai pas utilisé ce sortilège.

Pour assurer la sécurité des passagers, Onyx fit apparaître des courroies de cuir qu'ils glissèrent entre les planches pour en faire des poignées. Une fois que le vaisseau fut appareillé à son goût, Onyx y fit asseoir la compagnie.

– C'est excitant ! se réjouit Briag.

Wellan prit place en plein centre de l'embarcation et se concentra. La plateforme s'éleva doucement dans les airs, jusqu'à dépasser la cime des arbres.

– Tu peux la manœuvrer dans tous les sens, n'est-ce pas ? voulut s'assurer Onyx.

– Dites-moi où vous voulez aller.

Les griffes plantées sur la proue du vaisseau de fortune, Cherrval aperçut le lac au loin.

– Droit devant ! s'exclama-t-il.

– Et aussi vite que tu peux, ajouta Onyx.

Le radeau fila dans le vent en effrayant les oiseaux perchés dans les hautes branches.

19

L'APPÂT

Marek fut emporté dans un tourbillon glacé qui ressemblait beaucoup au vortex que ses parents employaient pour se déplacer, mais puisque son ravisseur lui avait fait perdre connaissance, il ne sentit pas le froid mordre sa peau. Sappheiros le déposa sur une fourrure dans la caverne au sommet du volcan où il vivait depuis un petit moment. Grâce à sa magie, il pouvait facilement sentir l'appartenance de l'adolescent au panthéon d'Achéron. En attendant qu'il se réveille, le cougar ailé reprit sa forme humaine et alluma un feu pour se réchauffer. Il avait accumulé suffisamment de provisions pour ne pas avoir à laisser sa proie toute seule sur la montagne.

Assis devant les flammes, il mangea quelques fruits. Comme chaque fois qu'il laissait errer ses pensées, il revit les corps de sa femme et de ses enfants gisant dans le nid familial. Jamais il n'arriverait à effacer cette image de sa mémoire. Kimaati allait bientôt payer pour tout le mal qu'il avait fait au peuple de Gaellans...

— Où suis-je ? demanda Marek en se redressant lentement.

— Je t'ai emmené dans ma cachette et si tu veux demeurer conscient, je te conseille de n'appeler personne par télépathie.

– Mais mes parents vont mourir d'inquiétude...

– Je leur ferai savoir ce que nous avons fait si j'en réchappe.

– Nous ? Qu'attendez-vous de moi, exactement ?

– Avant de te le dire, laisse-moi te révéler pourquoi nous agirons de la sorte.

Marek s'approcha du feu en se frictionnant les bras.

– Ma race divine a été créée il y a fort longtemps dans un monde parallèle au tien.

– Par Abussos ?

– Non... par la même force qui l'a créé lui, Achéron et bien d'autres.

– Il y a des dieux supérieurs aux divinités fondatrices ? s'étonna Marek.

– Les humains sont toujours les derniers à apprendre ce qu'ils devraient savoir. C'est bien malheureux.

– Donc les félins ailés sont au même niveau qu'Abussos ?

– C'est exact, mais ils ont abouti dans le même monde qu'Achéron, qui a voulu en faire ses esclaves. Alors, ils se sont enfuis.

Marek était si curieux de connaître la suite de l'histoire qu'il avait cessé d'avoir peur.

– Et ? s'impatienta-t-il.

– Apparemment, une prophétie annonce que les hommes ailés mettront fin au règne d'Achéron. Il a donc envoyé son fils pour nous anéantir.

– Kimaati...

– Il a transmis à ses sorciers une partie de sa force divine. C'est ainsi qu'ils ont réussi à tuer tous les habitants de notre île, y compris ma femme et mes enfants.

– Comment avez-vous survécu à ce massacre ?

– J'étais parti sur le continent avec une bande de chasseurs.

– Je suis vraiment désolé...

Sappheiros tendit des fruits à l'adolescent.

– J'attends depuis très longtemps le moment de venger ma famille ainsi que celles de tous mes amis.

– Mais la puissance de Kimaati est inouïe ! Mes parents n'ont pas été capables de pénétrer la protection dont il a entouré sa forteresse.

– C'est justement pour cette raison que nous allons l'en faire sortir.

– Nous ?

– Tu vas me servir d'appât, Marek.

– Mais il va me tuer ! Surtout qu'il a manqué son coup la première fois !

– J'ignore ce qu'il fera. Le dieu-lion est imprévisible en plus d'être dangereux. Il pourrait fort bien t'ignorer et ne s'en prendre qu'à moi.

– Ou nous dévorer tous les deux... Je veux bien vous aider à le punir, mais j'aimerais rester en vie.

— Si tu devais mourir lors de cette entreprise héroïque, sache que ton sacrifice sera honoré par les survivants de Gaellans.

— Et si vous l'attiriez plutôt dans votre monde à vous ?

— Il sait que sa tête y a été mise à prix. Il ne m'y suivrait pas.

Sappheiros continua de manger tranquillement.

— Que ferez-vous si votre plan échoue ?

— S'il me tue, alors il faudra attendre qu'un autre dieu ailé prenne la relève. Si je ne suis que blessé, alors je devrai formuler un nouveau plan.

— Mes parents pourraient certainement vous aider.

— Ce n'est pas leur combat, mais le mien. Je te conseille de te reposer. Nous frapperons demain.

Marek attendit donc que son ravisseur se soit endormi pour tenter de s'échapper. Sur la pointe des pieds, il sortit de la caverne et s'arrêta net en arrivant sur une étroite corniche. Il se trouvait au sommet d'un ancien volcan, à une hauteur vertigineuse. «Même sous ma forme de léopard des neiges, je n'arriverai jamais à descendre jusqu'à la rivière», se découragea-t-il. Il retourna à l'intérieur et s'allongea sur la fourrure en se disant qu'il lui suffirait de saisir la première opportunité de s'enfuir quand Sappheiros l'emmènerait à An-Anshar.

Lorsqu'il se réveilla, il trouva la divinité assise en tailleur, les yeux fermés, devant les cendres du feu. Sans doute était-il en train de se préparer mentalement à ce qu'il allait faire. Marek vint se placer devant lui et attendit qu'il revienne de sa transe.

– C'est le moment de partir, lui dit le cougar en ouvrant les yeux.

– La violence n'engendre que la violence.

– Si j'arrive à le détruire, il n'y en aura plus.

Il poussa son appât en direction de la corniche.

– Fais ce que je te dis et tout ira très bien.

Sappheiros passa les bras sous les aisselles de Marek, fit apparaître ses ailes dans son dos et plongea dans le vide. « Waouh ! » s'écria intérieurement l'adolescent. « J'aurais dû naître oiseau ! C'est totalement grisant ! » Ils atterrirent quelques minutes plus tard au bord d'un vaste plateau. Une fontaine les séparait de la forteresse d'An-Anshar. Sur leur droite se trouvaient des vignes et sur leur gauche des jardins et des arbres fruitiers. Il restait cependant suffisamment d'espace au centre pour le combat que Sappheiros envisageait.

– Où commence sa bulle de protection ? s'enquit Marek, nerveux.

– Deux pas en avant de la fontaine. Ne t'en approche pas.

– Comment dois-je l'attirer jusqu'ici ?

Sappheiros fit apparaître un javelot dans la main de l'adolescent.

– Avec des menaces, j'imagine. Fais ce que tu dois pour qu'il sorte de sa tanière.

L'homme ailé disparut, sans doute pour se poster un peu plus loin et attendre sa proie. Marek fut tenté pendant un instant de communiquer avec ses parents, mais il ne voulait pour rien au monde être responsable de leur mort. «Je me suis mis les pieds tout seul dans cette affaire, alors je vais m'en sortir tout seul.»

— Hé! cria-t-il de tous ses poumons. Espèce de gros chat manqué!

Il attendit quelques minutes.

— As-tu peur de moi?

Toujours rien.

— C'est facile d'être brave quand on reste caché dans son château!

Les grandes portes grincèrent et Marek sentit son sang se figer dans ses veines. La silhouette de Kimaati se dessina dans l'ouverture, sous sa forme humaine. Il traversa tout le plateau sans se presser.

— Est-ce que je ne t'avais pas déjà renvoyé? fit le dieu-lion, amusé de voir le garçon le menacer avec un javelot.

— On ne se débarrasse pas aussi facilement de moi!

— Es-tu en train de me provoquer en duel?

— Je veux vous donner la leçon de votre vie!

En réalité, Marek était mort de peur. Il s'efforçait de garder une expression de bravoure, mais il avait vraiment hâte que Sappheiros se manifeste. Mais il n'apparaîtrait pas tant que Kimaati se tiendrait à l'intérieur de la zone de protection.

— Qu'attendez-vous? poursuivit l'adolescent. Que votre armée vienne vous prêter main-forte?

– Tu l'auras voulu.

Le dieu-lion dépassa enfin la fontaine et s'avança vers lui. Marek savait qu'il ne pouvait pas reculer, car derrière lui s'ouvrait un profond précipice. Kimaati n'était plus qu'à quelques pas de son jeune adversaire lorsque Sappheiros apparut entre eux, les ailes déployées.

– Qui es-tu ? tonna le dieu-lion en perdant son sourire.

– J'ai survécu au massacre sur Gaellans et je suis venu te faire payer ton crime !

– Les hommes-oiseaux ne supplanteront jamais Achéron, pauvre fou.

– Ça n'a jamais été leur but.

Sappheiros fit apparaître autour d'eux les cadavres de ceux que les sorciers avaient lâchement assassinés dans leur nid. Marek n'osait plus bouger. Il avait vraiment hâte de rentrer chez lui.

– Tu crois pouvoir m'attendrir ? se moqua Kimaati.

– Ce sera la dernière chose dont tu te souviendras avant de perdre la vie.

L'homme ailé se transforma en un énorme cougar et bondit à la gorge du meurtrier. En basculant vers l'arrière, Kimaati se changea en lion. Les deux fauves roulèrent sur le plateau en rugissant et en échangeant de terribles coups de patte. Le sol tremblait tellement que Marek avait du mal à conserver son équilibre. Il lui était impossible d'aider Sappheiros, mais il ne pouvait aller nulle part non plus. Espérant que le duel se termine bientôt à l'avantage de l'homme ailé, il s'accrochait à son javelot, inquiet.

Puis, sans qu'il ait suivi ce qui s'était passé, Marek vit le cougar passer au-dessus de sa tête. Kimaati avait réussi à l'empoigner par une aile et à le lancer au loin. L'adolescent se retourna et vit Sappheiros tomber dans le vide.

— C'est à ton tour, maintenant ! tonna le dieu-lion.

Marek lâcha sa lance, se transforma en léopard des neiges et se précipita à la suite du cougar. Tandis qu'il s'accrochait de toutes ses forces aux saillies rocheuses en essayant d'échapper au lion, il entendit Kimaati rire à gorge déployée.

Sans plus de se préoccuper de l'enfant, le lion franchit la barrière de protection de sa forteresse en sens inverse et disparut dans le palais. Ses vêtements étaient déchirés et il saignait de partout. Habituellement, c'était Moérie qui soignait ses blessures, mais elle n'était plus là. Il fit donc appeler Fan à sa chambre pendant qu'il se débarrassait des lambeaux de sa tunique.

— Tu as affronté un rosier ? se moqua-t-elle.

— Il n'y en a pas dans mon jardin, répondit-il avec un large sourire.

— On dirait que ça t'amuse de te battre.

— Ce n'est jamais par choix, mais je ne recule pas si on me provoque. Soigne-moi.

— Tu avais de plus belles manières autrefois.

— Je t'en prie, soigne-moi, se reprit-il.

Elle examina ses plaies en fronçant les sourcils.

– Ce sont des blessures magiques et j'ai perdu mes pouvoirs de déesse, rappelle-toi. Qui te les a infligées ?

– Qu'est-ce que ça change ?

– Le traitement pourrait être différent.

– C'est un vieux fantôme de mon passé.

– Est-il dans le même état que toi ?

– Il est mort, mais ne me dis pas que tu l'aurais guéri lui aussi !

– Peut-être, s'il avait appartenu à mon panthéon.

– Il provenait de mon monde.

Fan nettoya les entailles, mais elle ne possédait pas la faculté de les refermer.

– Je vais demander à Anyaguara de m'assister, annonça-t-elle.

Elle ne savait pas si la déesse-panthère accepterait de traiter son geôlier, mais c'était la seule chose à faire pour arrêter le sang. Anyaguara écouta sa requête sans broncher.

– Qu'arrivera-t-il si nous ne faisons rien ? demanda-t-elle.

– Il mourra au bout de son sang.

– Nous serions alors libres de quitter cet endroit.

– Rien ne prouve que la protection qu'il a dressée entre le château et le monde extérieur disparaîtrait en même temps que lui.

La panthère se tourna vers son compagnon, le questionnant du regard.

— Mon réflexe d'ancien Immortel me pousse à me préoccuper du bien-être des dieux, s'excusa Danalieth. Toutefois, je n'ai plus aucun pouvoir.

— J'ai peur qu'il s'adresse à Myrialuna ou aux filles si tu refuses, avoua Fan.

— Dans ce cas, je le ferai pour toi et non pour lui.

Pendant que les deux femmes s'employaient à soigner le dieu-lion, Marek continuait sa descente sur le flanc à pic du volcan tronqué. Il savait de quel côté se trouvait l'ouest, alors il n'aurait qu'à contourner les autres montagnes pour atteindre la rivière Sérida et appeler enfin ses parents à son secours. C'est alors qu'il aperçut le cougar ! Une corniche avait miraculeusement arrêté sa course, mais il était en bien piteux état. Incapable de l'abandonner à son sort, s'il était encore vivant, Marek sauta d'un pan de rocher à l'autre pour le rejoindre. Sappheiros battit des paupières.

— Laisse-moi... murmura-t-il faiblement.

— Mes parents m'ont transmis de bonnes valeurs et l'une d'elles, c'est que je ne dois jamais laisser quelqu'un dans la souffrance.

— Tu ne peux plus rien faire pour moi, petit...

— J'ai entendu dire que seul un dieu peut en soigner un autre. Or j'en suis un. Je vais m'occuper maintenant de vos blessures les plus graves, puis nous irons finir ça dans votre grotte.

— Mes ailes ne nous porteront pas jusque-là...

— Faites-moi confiance.

Marek avait souvent vu Kira refermer les petites éraflures des jumeaux, alors il décida de l'imiter. Il plaça la paume au-dessus d'une plaie sanglante et se concentra en imaginant qu'elle guérissait. Une belle lumière blanche fusa entre ses doigts. Étonné, il n'osa pas bouger jusqu'à ce qu'elle disparaisse. Prudemment, il enleva sa main et constata qu'il avait réussi !

« Et maintenant, voyons si je peux faire la même chose que mes parents », se dit-il en prenant une profonde inspiration. Si ceux-ci se déplaçaient par vortex, alors il n'y avait aucune raison qu'il n'y arrive pas, lui aussi. Il avait entendu ses parents mentionner qu'il fallait bien visualiser l'endroit où l'on voulait se rendre et, surtout, y être déjà allé. Marek fit donc apparaître dans son esprit la caverne où Sappheiros l'avait emmené la veille, puis prit la main de l'homme ailé.

Le froid intense qui l'assaillit et le tourbillon de couleurs qui se forma autour de lui le poussèrent à supposer que quelque chose de magique était en train de se produire. Lorsque le phénomène prit fin, il était de retour dans la grotte !

« Quand j'aurai refermé toutes ses plaies, je pourrai rentrer chez moi ! » se réjouit-il.

20

LES PARDUSSES

Pour maintenir dans les airs une plateforme où s'étaient entassées huit personnes, Wellan dépensait une énorme quantité d'énergie. Onyx avait bien cherché une façon de le seconder, mais il ne pouvait pas s'immiscer dans le sortilège qu'utilisait l'ancien chef des Chevaliers. Alors, au bout d'une journée complète de vol, lorsque Wellan ressentit le besoin de se reposer, celui-ci fit redescendre le vaisseau sur la berge du grand lac dont leur avaient parlé les centaures. Il se laissa retomber sur le dos tandis que ses passagers en profitaient pour se délier les jambes. Briag souriait de toutes ses dents.

— Nous sommes encore en territoire simiusse, leur rappela Cherrval.

Onyx éleva tout de suite un autre cercle de feu autour d'eux, les séparant de l'eau.

— J'en aurais bien profité pour me baigner, regretta Fabian.

— Vous le ferez demain matin, avant de repartir, trancha l'empereur, et seulement si je détermine que c'est sécuritaire.

Il fit apparaître des plats en provenance du Royaume de Rubis, pour faire plaisir à Wellan, ainsi qu'un grand bol de ver-dure qu'il subtilisa aux Elfes pour le Pardusse. L'odeur du sanglier ranima aussitôt le pilote du radeau, qui vint s'asseoir avec ses compagnons.

— Est-ce que je me trompe en disant que nous avons parcouru le trajet de quatre jours en un seul ? fit Briag.

— C'est très juste, confirma Onyx.

— Donc, si nous conservons la même vitesse, nous devrions atteindre notre destination demain, calcula Cornéliane.

— Tout dépendra de l'endurance de Wellan.

— Après une bonne nuit de sommeil, je devrais être capable de répéter cet exploit, affirma l'ancien commandant. En passant, cette nourriture est excellente.

— Je suis du même avis, renchérit Briag.

— Je croyais que les Sholiens étaient végétariens, s'étonna Fabian.

— Ils le sont, confirma le moine.

— Tu es en train de manger du sanglier. C'est de la viande.

— Je suis prêt à tout pour devenir humain.

Il continua de dévorer son repas avec ravissement.

— Que dois-je savoir sur les Pardusses ? demanda Onyx.

— Ils vivent en clans familiaux dirigés par des chefs, expliqua Cherrval. Ils choisissent parmi eux un chef suprême tous les dix ans. Je suis parti depuis si longtemps que je ne sais pas qui occupe ce poste, en ce moment.

— Dans quelle sorte de maisons vivent-ils ? voulut savoir Cornéliane.

— Sur des plateformes juchées dans les hautes branches des arbres, afin que leurs petits soient en sécurité, car ils sont sans défense pendant plusieurs années après leur naissance.

— Que risquent-ils ? s'enquit Briag.

— Contrairement à moi, les Pardusses sont carnivores. Certains mâles célibataires n'hésiteront pas à dévorer des bébés, car en les faisant disparaître, ils peuvent s'accoupler avec leur mère.

— C'est barbare, commenta Cornéliane.

— Nous n'allons pas les rencontrer pour les réformer, les avertit Onyx.

— Pourraient-ils nous capturer et nous vendre aux araignées ? demanda Fabian pour effrayer sa sœur.

— Pas tant que vous serez avec moi, les rassura le père.

— Qui parmi vous sait se battre ? les questionna Rami.

Cornéliane leva sa main et celle de Fabian.

— Je suis sûre que Cherrval peut se défendre et Wellan l'a appris dans son autre vie. Et toi, Azcatchi ?

— Je le pouvais avec ma magie, mais je n'ai jamais eu à le faire avant que les singes nous tombent dessus.

Ils se tournèrent vers Briag.

— Cela fait partie de ce qu'il me reste encore à apprendre.

— Si tout se passe selon mes plans, vous n'aurez pas à affronter qui que ce soit, trancha Onyx.

– Ce ne serait pas une mauvaise idée de leur enseigner à manier au moins l'épée, suggéra Rami.

– Et risquer des blessures ? répliqua Wellan, qui n'était pas d'accord avec lui.

Des épées de bois apparurent alors à leurs pieds.

– Merci, papa ! s'exclama Cornéliane.

– Faites tout de même attention de ne pas vous assommer avec ça, les mit en garde Onyx.

Après le repas, Wellan s'enroula dans sa couverture tandis que Rami et Cornéliane commençaient à enseigner les rudiments de l'escrime à Briag et Azcatchi sous l'œil vigilant de Cherrval. Fabian décida de ne pas s'en mêler et dégusta plus loin un délicieux vin rouge en compagnie de son père.

À la grande surprise de tout le groupe, le crave démontra une incroyable agilité et une grande facilité d'apprentissage. Briag, quant à lui, eut plus de difficulté à développer des réflexes agressifs, puisqu'il était issu d'un peuple pacifique.

– Tu arrives au moins à parer nos coups, le félicita Cornéliane. Mais j'ai vraiment envie d'un peu plus d'action. Qu'en dis-tu, Fabian ?

Pour lui donner une leçon, son frère déposa sa coupe et se leva. Onyx les observa avec amusement et décida de rendre les choses plus intéressantes. Il fit donc apparaître des épées doubles dans leurs mains.

– Ne devions-nous pas éviter les blessures inutiles ? s'inquiéta la princesse.

Avec un sourire espiègle, Onyx changea le métal en bois.

– Rien ne t'est impossible, n'est-ce pas ? nota Fabian.

– Non, rien.

Le frère et la sœur s'affrontèrent en combat amical pendant de longues minutes, sous le regard intéressé de Briag, et Fabian dut en venir à l'évidence que Cornéliane était beaucoup plus coriace qu'il l'avait cru.

– C'est parce que j'ai appris à me battre chez les Madidjins, grand frère. Papa, c'est à ton tour !

– Désolé, ma puce, mais je ne sais pas me battre pour m'amuser.

Alors, tout comme Wellan, ils s'installèrent pour la nuit. Cornéliane croisa alors le regard ardent de Rami et se demanda s'il ressentait la même chose qu'elle. Mais elle n'allait certainement pas le lui demander en présence de son père.

Onyx garda l'œil ouvert jusqu'à ce qu'il soit certain que rien ne les menaçait, puis se laissa gagner par le sommeil. Au matin, il balaya encore une fois la région, y compris le lac. Il contenait plusieurs énormes poissons, mais ils n'avaient pas de dents et ils se prélassaient près de la rive opposée. Il fit disparaître les flammes qui encerclaient le groupe et enleva ses vêtements avant de sauter à l'eau. Fabian, Rami et Wellan l'imitèrent sans hésitation. Briag les suivit, mais commença par tremper le bout de son gros orteil, sans arriver à se décider. Passant près de lui, Cornéliane le poussa tête première dans l'eau. Par pudeur, la jeune fille avait conservé sa tunique, mais cela ne l'empêcha pas de faire quelques brasses avec les garçons. Surveillant les ébats, Azcatchi était resté assis sur la berge, indécis.

– Tu n'y vas pas ? s'étonna Cherrval.

— Je ne sais pas nager.

— Tu n'as pas besoin de te rendre là où c'est très profond. L'eau est purificatrice.

— Absout-elle toutes les fautes ?

— Parfois.

Le crave suivit donc le Pardusse dans le lac, mais fit bien attention de toucher le fond en tout temps. Après la baignade, les compagnons remirent leurs vêtements et avalèrent le repas qu'Onyx venait de dérober aux cuisines du Château d'Opale. Puis, celui-ci leur demanda de remonter sur le radeau.

— En forme ? demanda Onyx à Wellan.

— Si nous n'y sommes pas aujourd'hui, alors ce sera demain matin au plus tard.

— Allons-y.

Le vaisseau rectangulaire s'éleva dans les airs et fonça vers le nord en suivant la grande rivière.

— Nous venons de traverser la frontière, annonça Cherrval au bout de quelques heures.

— Comment le sais-tu ? s'étonna Fabian. Le paysage n'a pas du tout changé !

— Je sais interpréter les odeurs, jeune homme. Nous ne sommes plus très loin, maintenant.

— Écoutez-moi, exigea Onyx. Je sais que certains d'entre vous ressentiront le besoin de s'attarder afin de recueillir le plus d'informations possible sur ce peuple. Mais j'aimerais ne pas rester trop longtemps, car il me reste encore les Madidjins à rencontrer avant d'aller chasser Kimaati de ma forteresse.

— J'ai appris à dessiner plus rapidement depuis que je voyage avec toi, plaisanta Wellan.

— Nous ne te ferons pas perdre de temps, promit Fabian.

— Cherrval, as-tu autre chose à nous dire au sujet des Pardusses ? demanda alors l'ancien commandant.

— Ils vivent au pied des volcans et défendent si bien leur territoire contre les Simiusses que ces derniers n'osent plus s'y aventurer. Leur domaine va jusqu'à la mer du nord, mais les Madidjins les ont empêchés de l'étendre vers l'est. Dans chaque clan, ce sont les jeunes adultes qui chassent et qui rapportent de la nourriture à la famille. Les aînés gardent les enfants et leur apprennent tout ce qu'ils doivent savoir pour devenir des membres actifs de la société.

— Ils sont élevés par leurs grands-parents, comprit Cornéliane.

— Cela n'aurait pas été possible chez nous, puisque les parents de papa sont morts depuis des centaines d'années, remarqua Fabian.

Ils commencèrent à apercevoir des amas de lianes près de la cime des arbres.

— Les Pardusses recouvrent leurs plateformes de plantes qu'ils tressent pour se protéger de la pluie, expliqua Cherrval.

— Nous sommes donc rendus à destination ? demanda Briag.

– Un peu plus loin, c'est le village du chef suprême.

Wellan fournit un dernier effort et posa le vaisseau près de la rivière, là où le lui indiquait le Pardusse. Effrayés de voir arriver le radeau par la voie des airs, tous les hommes-fauves s'étaient dissimulés dans la végétation. Malgré tout, Onyx ressentit un danger qui semblait provenir tout droit de son passé !

– Restez là, ordonna-t-il à ses compagnons.

Wellan scruta aussitôt les environs. «C'est impossible...» se dit-il, incrédule. Mais lorsque des bouleaux se mirent à s'écrouler dans la forêt, il dut en venir à l'évidence. Un dragon approchait ! Solidement planté sur ses pieds, Onyx fit apparaître son épée double, munie de véritables lames, celle-là. Avec la patience d'un prédateur, il attendit sa proie.

– Que se passe-t-il ? chuchota Briag, pour ne pas le déconcentrer.

– Surtout ne paniquez pas, recommanda Wellan. Onyx est parfaitement capable de gérer cette situation.

– Quelle situation ? s'impatienta Fabian.

Un dragon femelle, de la taille d'une maison de deux étages et dont la tête triangulaire s'élevait encore plus haut, surgit dans la clairière en grondant de colère.

– Comment se fait-il qu'une telle bête se trouve ici ? laissa tomber Wellan, stupéfait.

– Je n'avais jamais vu de dragon auparavant, avoua Rami, qui se demandait s'ils n'étaient pas mieux de remonter sur le radeau.

– Nous en avons affronté des centaines durant l'invasion des Tanieths sur la côte d'Enkidiev.

– Ils ont aussi détruit Shola, murmura Briag, effrayé.

Onyx se mit à faire tourner son épée comme la roue d'un moulin pour capter l'attention de son gibier.

– Père n'a même pas peur... s'étonna Fabian.

– Le loup est très brave, commenta Azcatchi.

Les reflets du soleil sur le métal attirèrent le regard de la bête qui replia son cou, s'apprêtant à frapper l'humain à la manière d'un serpent. Lorsqu'elle le détendit d'un seul coup, Onyx se mit en position de lui trancher la tête.

– Mélande, non ! s'écria une femme.

Le dragon arrêta son geste avant d'être à la portée de l'empereur. Une jeune femme au corps recouvert de fourrure roussâtre et au visage humain se faufila entre les pattes de l'animal.

– Dites-moi qui vous êtes ou mon dragon vous mettra en pièces ! fit-elle sur un ton menaçant.

– Laissez-le charger et nous verrons qui y laissera la vie, répliqua Onyx, l'air sévère.

– Vous ne le craignez pas ?

– J'en ai anéanti des centaines comme lui.

Cette révélation ébranla la chasseresse.

– Mais nous ne sommes pas venus chez les Pardusses pour tuer qui que ce soit et encore moins votre animal de compagnie, intervint Wellan en allant se planter près de l'empereur. Nous aimerions discuter avec votre chef suprême.

– Khélé ? Pourquoi ?

La jeune femme aperçut alors Cherrval sur le radeau.

– Vous désirez échanger un prisonnier ? avança-t-elle.

– Je suis leur guide et ami, déclara l'homme-lion en s'avançant vers elle. Je m'appelle Cherrval, du clan des Leuncels, qui s'est établi près de la mer du nord.

– Labaya, du clan des Susuaranas, se présenta-t-elle.

– Voici mes amis, l'Empereur Onyx d'An-Anshar, Wellan, Fabian et Cornéliane d'Émeraude, Briag de Shola, Rami des Madidjins et Azcatchi. Pourrais-tu nous conduire jusqu'à Khélé ?

Labaya hésita.

– Nos intentions ne sont pas hostiles, je vous le jure, intervint Wellan.

– Restez ici. Je vais plutôt aller le chercher.

Elle sortit une gerbe d'herbe odorante de la pochette en cuir qui pendait sur sa hanche et la tendit au dragon, qui la happa d'un seul coup.

– Bonne fille, la félicita-t-elle. À la maison.

La bête pivota sur ses longues pattes et retourna sur le chemin qu'elle s'était frayé dans la forêt, suivie de la chasseresse qui voulait s'assurer qu'elle lui obéirait.

– Elle a plus de poigne sur ce dragon que les Tanieths en avaient sur les leurs, ironisa Wellan.

– À mon avis, ce n'est pas juste leur chef qui reviendra, mais tous ses guerriers aussi, estima Rami.

– Je m'y m'attends, en effet, répondit Onyx. Reposez-vous jusqu'à ce qu'ils arrivent.

Il fit disparaître son arme et alla s'asseoir sur le radeau, près de Briag.

– Vous êtes un homme exceptionnel, le complimenta le moine.

– Je sais, répliqua Onyx en s'efforçant de ne pas sourire.

– N'avez-vous donc jamais connu la peur ?

– Bien sûr que oui, il y a très longtemps, puis j'ai décidé qu'elle n'aurait plus jamais d'emprise sur moi.

– Vous serez désormais mon inspiration.

Onyx cessa de prêter l'oreille aux commentaires qu'échangeaient ses amis sur la présence chez les Pardusses d'une bête d'Irianeth et surveilla plutôt la forêt. Quelques minutes plus tard, il ressentit l'approche d'une trentaine d'hommes-fauves.

– Les voilà, annonça-t-il. Ne faites aucun geste agressif. S'il doit y avoir un affrontement, je m'en charge.

Des félins aux robes variées et aux visages humains sortirent d'entre les arbres, des lances entre leurs doigts griffus. L'un d'eux, dont le poil doré était tacheté de noir, s'avança vers les visiteurs.

– Nous venons en paix, lui dit Onyx.

– Je suis Khélé, le chef suprême des Pardusses. Qui êtes-vous, peaux pâles, et que faites-vous sur mes terres ?

– Je suis Onyx, le chef suprême de toutes les nations de ce continent, répliqua Onyx en bombant le torse. Je suis venu vous offrir de faire partie de mon empire.

L'homme-léopard pencha la tête de côté, comme s'il ne comprenait pas ce que lui disait cet humain prétentieux.

– Nous sommes des créatures libres et nous désirons le demeurer, répliqua-t-il.

– Comme tous mes loyaux sujets.

– Je ne comprends pas.

Cherrval s'avança et se courba devant Khélé.

– Me permettez-vous d'intervenir, sire ? demanda-t-il à Onyx.

D'un geste de la main, l'empereur lui fit signe de procéder.

– Noble Khélé, sachez que Pardue n'est qu'un petit pays dans un grand continent.

Wellan retira de sa ceinture la carte qu'Onyx lui avait confiée et la déroula lentement devant les Pardusses. Ils s'étirèrent tous le cou pour la regarder.

– Vous possédez toutes ces terres ?

– Non, je les gouverne. Chaque pays a conservé sa famille royale et sa hiérarchie sociale. Leur seule obligation envers moi, c'est de reconnaître que je suis le chef suprême du continent.

– Dans quel but ?

– Protéger tous les peuples et m'assurer que la paix règne à jamais entre eux.

– Les protéger contre qui ?

– Des ennemis comme ceux qui se sont attaqués jadis aux humains qui vivent de l'autre côté des volcans.

Onyx fit apparaître à côté de lui un énorme homme-scarabée armé d'une lance. Effrayés, les Pardusses reculèrent en crachant jusqu'à l'orée du bois, le poil hérissé.

– Vous n'avez rien à craindre : il n'est pas réel, les rassura Wellan.

– Comment est-ce possible ?

– C'est de la magie. Venez le constater par vous-mêmes.

Khélé fut le seul à s'approcher. Il tendit prudemment la main et passa les griffes au travers de l'hologramme.

– Nous en avons affronté des milliers comme lui pendant de longues années avant de les vaincre, lui dit Onyx. De nombreuses vies humaines ont été perdues. Je ne veux plus jamais que ça se produise.

– Comment avez-vous réussi à les écraser ?

– En nous battant tous ensemble sous une seule autorité. Tout ce que je désire, Khélé, c'est que les chefs de toutes les nations d'Enlilkisar reconnaissent ma suprématie et ma sagesse pour que nous puissions éviter d'autres massacres inutiles.

– Mais si vous vivez au loin, comment communiquerez-vous avec tous ces gens ?

– J'ai l'intention de visiter mes régents régulièrement afin d'entendre ce qu'ils ont à me dire. Je pourrai alors régler les conflits, apporter mon aide ou calmer les angoisses.

— Laissez-moi d'abord en parler à mes conseillers.

— Vous avez jusqu'à ce soir pour me répondre.

Le court délai étonna Wellan. Partout où ils s'étaient arrêtés, Onyx avait pourtant accordé plusieurs jours aux dirigeants pour prendre cette importante décision.

— J'aimerais vous offrir un festin, mais j'imagine que vous ne mangez pas de nourriture crue. Les peaux pâles qui sont passées par ici n'en raffolaient pas.

— Ce ne sera pas un problème.

Onyx fit disparaître le Tanieth et suivit les Pardusses dans la forêt. Ses compagnons lui emboîtèrent le pas. Ils aboutirent dans une grande clairière, sans doute leur lieu de rassemblement. Les femelles et les enfants s'approchèrent du bord des plateformes pour voir ce qui se passait. En quelques minutes, les membres du clan descendirent des arbres et entourèrent les humains. Khélé leur précisa qu'il ne s'agissait pas de prisonniers, mais d'invités auxquels ils ne pouvaient pas s'attaquer. Tous prirent place en rond sur le sol tandis que les chasseurs distribuaient des morceaux de viande.

L'empereur en profita pour faire apparaître dans les mains de ses compagnons des écuelles en étain remplies d'un odorant ragoût de mouton en provenance du Royaume de Cristal. Cette magie fit sursauter ceux qui se trouvaient près des étrangers.

— Vous faites des choses incroyables, s'émerveilla Khélé.

— Un empereur doit être puissant, rétorqua Onyx.

Ils avaient à peine commencé à manger que Cherrval crut distinguer un visage familier dans l'assemblée. Le cœur battant, il déposa son écuelle et se faufila entre les fauves jusqu'à une femme-ocelot.

— Cherrval ? s'étonna-t-elle.

— Je me doutais bien que c'était toi, Occlo. Comment as-tu survécu à l'inondation des terres mixilzines ?

— J'ai été emportée par le courant comme les autres, mais j'ai réussi à m'accrocher à une des grosses branches d'un arbre submergé. J'y suis restée suffisamment longtemps pour reprendre mes forces, ce qui m'a permis de nager jusqu'à la berge. Je n'ai trouvé aucun survivant, alors j'ai suivi la rive vers le nord et j'ai finalement trouvé d'autres Pardusses. Le clan des Susuaranas m'a recueillie.

— Je suis heureux de te revoir. Je n'ai jamais arrêté de penser à toi.

— Comment se fait-il que tu sois ici ? N'as-tu pas été exilé par ton peuple ?

— Ne me rappelle pas ma honte... Dis-moi plutôt si tu as un compagnon.

— Non, puisque je ne fais pas vraiment partie du clan.

Tout en se sustentant, Onyx suivait discrètement la conversation entre les deux fauves. Plus loin, Khélé parlait avec d'autres Pardusses, sans doute ses conseillers. C'est alors que deux minuscules enfants-panthères s'approchèrent de l'empereur pour flairer ses bottes. Onyx déposa son écuelle et fit apparaître dans ses mains des jouets de bois en forme de chevaux qui avaient appartenu à ses fils lorsqu'ils étaient enfants. Les petits fauves à la robe noire ouvrirent tous grands les yeux lorsque l'humain les leur tendit. Ils s'en emparèrent et s'enfuirent rejoindre leur mère.

— Nous aimerions être protégés par votre magie, déclara Khélé en se rassoyant près d'Onyx, mais je n'arrive pas à faire comprendre aux miens en quoi elle consiste.

Puisque les Pardusses possédaient un dragon femelle, Onyx crut qu'ils seraient sans doute intéressés de voir à quoi ressemblait un mâle. Il se leva pour attirer l'attention du clan et tendit le bras vers le haut. Un lotakieth aux écailles sombres apparut dans le ciel et battit des ailes en créant un tourbillon de vent au-dessus de la clairière. Dans la forêt, Mélande releva aussitôt son long cou et poussa un cri perçant pour l'attirer, mais puisqu'il s'agissait d'une apparition, le mâle l'ignora. Pour calmer ses lamentations, Onyx fit éclater un magnifique feu d'artifice au-dessus de lui. Ce spectacle fascina les petits et les grands.

— Vous êtes véritablement le plus grand de tous les chefs, reconnut Khélé d'une voix forte. Nous ferons partie de votre empire.

— Je suis honoré de vous accueillir, mais j'ai toutefois deux conditions.

— Nommez-les.

— Plus aucun humain ne devra être vendu aux araignées.

— Je ferai en sorte que tous les clans respectent votre volonté.

— Aussi, je veux que Cherrval devienne l'un des vôtres.

— Moi ? s'étonna l'homme-lion.

– Et que la jeune Occlo devienne sa compagne.

– J'accepte volontiers de les intégrer dans ma famille.

Fabian, Cornéliane, Briag et Rami allèrent féliciter leur ami tandis que Wellan dessinait fébrilement tout ce qu'il voyait dans son journal.

– Puis-je vous offrir un abri pour la nuit ? fit alors Khélé.

– Ce ne sera pas nécessaire, mais je vous remercie.

Onyx rappela ses enfants et ses amis près de lui. Devinant ce qu'il allait faire, ils se prirent tous par la main.

– Je serai bientôt de retour, annonça l'empereur. Paix et sérénité.

Leur disparition sema la panique parmi les Pardusses. Seul Cherrval ne réagit pas. Il avait glissé sa main dans celle d'Occlo.

21

LES MERCENAIRES

À la tête de ses deux mille soldats, qui avaient repris leur forme humaine, Auroch sortit de la rivière Sérida du côté est et se mit à grimper sur le sentier qu'il avait découvert lors de sa première visite à An-Anshar. Kimaati ressentit son arrivée. Il sortit de la forteresse et étendit sa protection sur tout le plateau. Il se posta ensuite à l'endroit où ses mercenaires semblaient se diriger et les y attendit, les mains sur les hanches, heureux de constater qu'ils avaient réussi à échapper à l'ire d'Achéron.

Le premier à se hisser sur la plateforme volcanique fut Auroch. Les deux colosses s'étreignirent avec amitié tandis que les autres renégats arrivaient derrière leur général.

– Je commençais à m'inquiéter ! s'exclama le dieu-lion.

– C'était facile pour un seul homme de s'échapper du monde de ton père, mais il m'a fallu un bon plan pour faire franchir le portail à autant de soldats.

– Tu vas me raconter ça dans mon hall, où nous allons boire à notre victoire !

Heureusement, la salle royale était suffisamment vaste pour contenir tous ces gens. Ayant prévu le coup, Kimaati avait utilisé sa magie pour voler tous les tonneaux de bière qui se trouvaient dans les caves des châteaux d'Enkidiev et les avait entreposés dans les siennes. Les Hokous n'étant pas assez nombreux pour servir les taureaux assez rapidement, Auroch envoya plusieurs de ses hommes pour leur donner un coup de main. Pendant que les mercenaires vidaient un bock après l'autre, les serviteurs s'efforçaient de préparer suffisamment de nourriture pour nourrir cette armée. Bientôt le tumulte festif gagna tout le palais. Myrialuna rassembla sa famille autour d'elle dans sa chambre et chercha une façon de barricader la porte.

— Ils seront bientôt tous trop ivres pour mettre un pied devant l'autre, lui dit Anyaguara.

— Et que se passerait-il si l'un d'eux décidait de s'aventurer aux étages supérieurs ?

— Nous pourrions nous transformer en eyras et les faire courir partout, suggéra Lavra. Jamais ils ne nous attraperaient.

— Il y a peut-être des passages secrets dans cette forteresse ? fit Léia.

— Si tel est le cas, nous devrions essayer de les trouver, les encouragea la panthère.

Leur odorat étant plus fin sous leur forme féline, les filles se métamorphosèrent et se mirent à flairer les murs pendant que leur mère surveillait les bébés.

— Où Kimaati les logera-t-il tous ? se découragea-t-elle.

— Il a fait apparaître des centaines de tentes sur le plateau du nord, l'informa Solis.

— Au moins, ils ne traîneront pas à l'intérieur pendant la nuit, se réjouit Danalieth.

— Sont-ils magiques ? s'enquit Myrialuna.

— S'ils ont les mêmes pouvoirs qu'Auroch, ils peuvent se changer en taureaux, répondit Solis.

— Cette angoisse ne sert à rien, les avertit Fan. Gardons plutôt la tête froide.

— Elle a raison, l'appuya le jaguar. C'est peut-être la diversion que nous attendions pour nous échapper.

— S'il vous a capturés une première fois, il récidivera, laissa tomber Corindon, assis sur le rebord de la fenêtre.

— Tu n'es qu'un rabat-joie.

— Je suis surtout réaliste. Tant que Kimaati sera en vie, il ne vous laissera jamais tranquilles. Au lieu de rêver d'évasion, vous devriez plutôt chercher la façon de vous débarrasser de lui.

— Il a raison, l'appuya Danalieth. Nous n'envisageons pas le problème sous le bon angle.

— Vous voulez le tuer ? s'étonna Myrialuna.

— Sans lui enlever la vie, nous pourrions l'engourdir au point où il ne pourrait pas nous prendre en chasse avant que nous ayons rejoint les Chevaliers d'Émeraude, suggéra Danalieth.

— Nous aurions dû essayer avant qu'il ne soit entouré de centaines de mercenaires, leur fit remarquer Corindon.

— Et qu'a-t-il l'intention d'en faire ? grommela Anyaguara. Les lancer à l'assaut d'Enkidiev ou d'Enlilkisar ?

— Nous pourrions les neutraliser, eux aussi, proposa Solis.

— Comment ?

— En les empoisonnant. Il doit bien y avoir dans les jardins des herbes toxiques.

— J'en connaissais plusieurs qui poussaient dans les sous-bois de Jade, se rappela Anyaguara, mais ici, je ne les connais pas.

— Et ce n'est pas vraiment le moment de quitter le château pour faire ce type de recherche, les prévint Danalieth.

Un Hokou visiblement épuisé frappa à la porte.

— Ne me dites pas qu'il exige notre présence, s'alarma Myrialuna.

— Non, milady. Ce ne serait pas sûr pour vous et pour les filles. Je voulais juste vous dire que nous ne vous avons pas oubliés et que ce soir, nous vous apporterons votre repas dans vos appartements.

— Quelques plats suffiront, intervint Fan.

— Merci, milady.

Le serviteur se courba et les quitta en prenant soin de refermer la porte derrière lui.

— Maman, je sens de l'air qui provient de l'intérieur du mur, annonça Ludmila.

Solis se métamorphosa et alla vérifier les dires de la jeune fille.

– Elle a raison. Il doit y avoir une façon de faire basculer le lambris.

Le jaguar et les eyras reprirent leur forme humaine et se mirent à tâter chaque centimètre carré du mur. Finalement, ce fut Léonilla qui enclencha le mécanisme, lorsqu'elle appuya sur une petite fleur en relief dans la boiserie. Le panneau s'ouvrit comme une porte.

– Est-ce un compartiment caché ou un passage secret? demanda Danalieth.

– Il n'y a qu'une façon de le savoir, affirma Lavra. Maman, est-ce qu'on peut aller voir?

– Pas sans un adulte, les avertit Myrialuna.

– J'y vais avec elles, décida Solis.

– Et si ce couloir mène au hall, revenez tout de suite. Les amis de Kimaati ne doivent surtout pas soupçonner votre présence. Rappelez-vous qu'ils ont des cornes et qu'ils sont sans doute tous ivres, à cette heure.

– Oui, maman! firent en chœur les cinq filles.

Reprenant leur forme animale, elles suivirent Solis dans le passage obscur.

Pendant que les félins exploraient le labyrinthe que la Reine Saïda avait jadis fait construire par ses architectes lorsque la forteresse s'élevait à Agénor, dans le hall, les mercenaires continuaient de s'enivrer. Heureusement que les bocks étaient faits de métal, sinon ils auraient été pour la plupart brisés en mille morceaux sur le plancher.

— Maintenant, raconte-moi comment ton ami serpent t'a permis de franchir le portail ! lança Kimaati en donnant à son général une bonne claque dans le dos.

— J'ai plutôt réussi avec l'aide d'une victime d'Achéron, lui révéla Auroch.

— J'espère que tu n'as pas l'intention de me faire deviner son nom, car il a lésé des milliers de personnes ! répliqua le dieu-lion en riant.

— Celui-là est un sorcier rebelle.

— Le nombre vient donc de se réduire à une centaine ! Arrête de me faire languir !

— Il s'appelle Salocin.

— Je n'ai jamais entendu parler de lui.

— Il se terre au Royaume d'Antarès, au nord du grand lac. Je l'ai rencontré dans le monde des Immortels, la première fois que je suis venu te visiter. Il s'y rend souvent pour y cueillir je ne sais quels ingrédients, car c'est un monde désolé où rien ne pousse.

— A-t-il exigé que tu le paies ?

— La première fois, il m'a demandé ma dague. Pour faire traverser tous nos hommes dans ce monde, il m'a demandé de te parler de lui, au cas où il aurait envie de venir te servir.

— Un sorcier à mon service ? Il serait peut-être plus efficace que Tayaress, qui passe son temps à se volatiliser.

— Je t'ai transmis son message. La décision t'appartient.

– Merci, mon ami.

– Il n'y a pas que Tayaress qui s'amuse à disparaître, on dirait. Où est ta belle Moérie ?

– Morte.

Kimaati avala le reste de sa bière avant de s'apercevoir qu'Auroch le fixait avec étonnement.

– Tu l'as tuée ?

– Non... mais si mon petit-fils Corindon ne l'avait pas fait, elle aurait fini par trouver la façon de m'expédier dans le hall des disparus. Cette sorcière avait déjà réussi à éliminer des dieux félins et des dieux rapaces, alors je suppose qu'elle aurait tenté de me faire subir le même sort.

– Bon débarras, donc ?

– Tu l'as dit !

Les deux hommes remplirent leur bock à partir d'un des barils que les Hokous avaient roulés dans le hall.

– Qui partage ton lit, maintenant ? s'enquit Auroch.

– Mon ancienne flamme et je dois dire qu'elle est encore plus douée que Moérie. Je n'ai pas à m'en plaindre.

– Tu l'as enlevée ?

– Bien sûr ! Ainsi que plusieurs membres de ma famille.

– Tu es un homme comblé, Kimaati.

– Mais je n'ai pas encore tout ce que je désire. Nous allons asservir les humains de cet univers, puis lorsque nous serons plus forts, nous retournerons attaquer Achéron dans son palais avec l'aide de ton sorcier rebelle. Et c'est toi qui régneras sur la cité divine, Auroch !

— Rappelle-toi cette promesse lorsque tu seras dégrisé.

Kimaati grimpa sur la table et raconta de quelle façon son père l'avait injustement privé du trône. Il ne manqua pas de signaler le sacrifice de leurs compagnons morts ce jour-là.

— Mais nous n'avons pas dit notre dernier mot ! s'écria-t-il.

L'armée de mercenaires à la peau blanche, noire, jaune et dorée se mit à frapper sur les tables avec leurs bocks en faisant un tapage effroyable que l'on pouvait entendre jusque dans les tours de la forteresse.

Les trois fils de Myrialuna finirent par se réveiller, en pleurs. La mère cueillit Stanislav dans ses bras pour le calmer. Fan et Anyaguara vinrent chercher les deux autres triplets.

— J'ai bien peur qu'ils y passent la nuit, grommela Danalieth, qui ne parvenait plus à méditer.

— J'espère que les filles n'auront pas d'ennuis, soupira Myrialuna.

Elle se tourna vers Corindon, toujours assis sur l'allège de la fenêtre, impassible.

— Que pouvez-vous me dire au sujet de Sappheiros ? lui demanda-t-elle à brûle-pourpoint.

— C'est une ancienne légende, murmura-t-il sans même la regarder.

— J'aimerais bien l'entendre.

– C'était un dieu ailé dans un autre monde. On dit qu'il était né d'une femme-oiseau et d'un père sorcier qui possédait la faculté de se changer en cougar. Kimaati a raconté à Solis, quand il était petit, que ces créatures immortelles ont été exterminées par ce qu'elles risquaient de supplanter les dieux dirigeants. Apparemment, Sappheiros ne se trouvait pas chez lui quand le massacre a eu lieu et il a trouvé les cadavres de sa femme et de ses enfants à son retour.

– Quelle horreur...

– Ce n'est donc pas uniquement dans notre univers que les dieux s'entretuent, laissa tomber Anyaguara.

– Il est grand temps que nous rétablissions la paix dans tous les mondes, décida Myrialuna.

– Si nous arrivons à sortir d'ici, maugréa la panthère.

Les bébés avaient commencé à se calmer lorsque leurs sœurs sortirent du mur en compagnie de Solis.

– Qu'avez-vous trouvé ? demanda leur mère en apercevant leurs mines réjouies.

– Il y a des passages secrets partout ! explosa Lydia. Certains montent vers les étages supérieurs, d'autres descendent vers le rez-de-chaussée.

– Mènent-ils jusque dehors ?

– Oui, affirma Solis en reprenant sa forme humaine, mais à l'intérieur de la bulle de protection établie par Kimaati.

– Toutefois, nous avons eu une idée ! lança Lavra. En creusant vers le flanc du volcan, nous pourrions peut-être arriver à la contourner.

— Il ne faudrait pas que Kimaati vous surprenne, s'inquiéta Myrialuna.

— À mon avis, il sera beaucoup trop occupé durant les prochaines semaines pour même se souvenir que nous existons, lâcha Solis.

— Que ce soit sous sa forme humaine ou sous sa forme de lion, il n'arrivera jamais à se faufiler dans ces couloirs étroits, ajouta Léonilla.

— Nous n'y passerions pas toute la journée non plus, assura Ludmila. Seulement quelques heures de temps en temps.

— Est-ce prudent ? demanda Myrialuna à Fan, qui berçait Sergei en silence.

— Probablement pas, mais je pense que ce pourrait être une porte de secours si jamais les choses devaient mal tourner.

— Nous en reparlerons au matin, mes chéries, décida Myrialuna. Ce soir, essayez de dormir un peu et surtout, refermez ce panneau.

Les eyras se transformèrent en jeunes filles et s'empressèrent de lui obéir.

22

LA BELLE-SŒUR

La leçon la plus importante qu'apprit Aquilée auprès de la sorcière Cléophée d'Émeraude ne fut pas la préparation du philtre d'amour qu'elle avait l'intention de faire boire au prince Fabian. Ce fut plutôt la persévérance, car jamais de toute sa vie l'ancienne déesse aigle n'avait eu de patience pour quoi que ce soit. À l'aide d'un canif, Aquilée avait dû sculpter une coupe dans un bois magique, puisque c'était l'ingrédient de base du sortilège. Les mains abîmées, elle était parvenue à terminer ce travail dans un temps relativement raisonnable.

Ce n'est qu'à ce moment-là que Cléophée lui fit cueillir les plantes nécessaires à la composition du philtre et lui montra comment les préparer. Beaucoup moins pressée qu'à son arrivée dans le monde des humains, Aquilée s'y appliqua avec le plus grand sérieux. « Il n'est pas question que je recommence du début... » se répétait-elle sans cesse pour s'encourager.

Puis arriva le grand jour. La coupe ayant passé la nuit sous les rayons de la lune, elle était enfin sur le point de livrer son précieux liquide. La sorcière le lui fit verser dans deux petites bouteilles transparentes. Elle n'en aurait besoin que d'une seule pour ensorceler Fabian, mais Aquilée préférait avoir un plan de secours.

— Prête à vous mettre en route ?

— Oui, à condition que ce ne soit pas sur le dos d'un animal.

— Je vais faire un bout de chemin avec vous afin que vous ne vous égariez pas une seconde fois.

— En effet, je ne voudrais pas retourner là d'où je viens.

Aquilée ramassa ses affaires et accepta le bâton de marche que lui tendait la sorcière. Elles traversèrent la dense forêt en faisant attention de ne pas trébucher sur les racines et de ne pas importuner les abeilles.

— Êtes-vous bien sûre de savoir où vous allez ? s'enquit Aquilée au bout de quelques heures. J'ai l'impression de tourner en rond.

— Faites-moi confiance.

— Combien de temps encore avant d'atteindre le château ?

— Étant donné que vous insistez pour marcher, vous y serez dans un peu plus de deux semaines, si la température demeure clémente.

— Deux semaines ? Comment puis-je réduire ce temps de moitié ?

— En voyageant à cheval ou en bateau.

— Vous ne savez pas à quel point mes ailes me manquent, en ce moment, soupira la déesse.

Les deux femmes sortirent finalement des bois et s'immobilisèrent dans des champs cultivés. Tout au fond se trouvaient une rivière, un grand moulin et un village.

– Je n'irai pas plus loin, annonça Cléophée. Vous voyez cette haute montagne, là-bas ?

– Ce serait difficile de la manquer et je sais que c'est la montagne de Cristal. Il y a fort longtemps, c'est dans cette région que j'ai rencontré mon mari.

– J'imagine que vous avez volé jusqu'à lui ?

– Ma vie était en effet beaucoup plus simple, à l'époque.

– Il y a deux façons de se rendre au Château d'Émeraude. Droit devant vous, un pont de pierre enjambe la rivière. Vous pouvez vous rendre chez les paysans et retenir les services d'un guide qui vous conduira à cheval soit au palais, soit jusqu'à la rivière suivante pour y monter dans une embarcation.

– Et l'autre façon ?

– Il vous est également loisible de prendre un bateau ici même, qui empruntera les deux cours d'eau.

– Je meurs d'envie de revoir Fabian, alors quelle est la solution la plus rapide ?

– La deuxième.

– Je suivrai donc votre conseil, même si je déteste ce moyen de transport. Merci pour votre aide, Cléophée.

– Tout le plaisir était pour moi, Princesse Aquilée. Bonne chance.

Essayant de se persuader que l'exercice lui ferait le plus grand bien, puisqu'elle était longtemps restée assise pour façonner sa coupe, l'ancienne déesse-aigle se mit en route. Toutefois, le pont se situait beaucoup plus loin qu'il ne paraissait. Lorsqu'elle l'atteignit enfin, elle était exténuée. Elle se rendit à l'auberge du village, commanda à manger et demanda au tenancier où elle pourrait trouver un batelier disposé à l'emmener au château. Pendant qu'elle engouffrait le pain, le fromage et les petits poissons frits, il alla chercher son neveu, qui possédait une solide embarcation et qui avait l'habitude de faire du commerce avec les marchands du nord.

— Je m'appelle Éopé, fit le jeune homme en s'assoyant devant Aquilée. On me dit que vous voulez vous rendre au Château d'Émeraude.

— C'est exact et j'ai besoin d'y arriver assez rapidement.

— Heureusement pour vous, j'ai installé une voile sur mon esquif. Il est donc plus rapide que les barges qui circulent sur nos rivières.

— Alors, vous êtes celui qu'il me faut. Quand partons-nous ?

— Dès que vous aurez terminé votre repas, si vous voulez gagner du temps. Nous ferons plusieurs escales dans des endroits sûrs, car il n'est pas question qu'une grande dame comme vous dorme au fond d'un bateau.

— Nous sommes faits pour nous entendre, Éopé.

Aquilée entreprit donc un autre long périple qui dura plusieurs jours. Comme le lui avait promis le marinier, elle dormit dans un lit confortable toutes les nuits et put même manger des repas décents. Lorsqu'ils atteignirent enfin le grand quai des marchands sur la rivière Wawki, l'ancienne déesse offrit à Éopé plusieurs des pièces d'or que lui avait remises le Roi de Fal.

— Vous êtes trop généreuse, milady, murmura le garçon en rougissant.

— Je traite bien ceux qui savent prendre soin de moi.

Puisque le château se situait au-delà de nombreuses fermes, Éopé héla un marchand et fit monter Aquilée sur sa charrette pour qu'elle n'ait pas à marcher.

— Bonne route, milady.

Assise sur le siège en bois de la voiture, Aquilée observa le paysage en écoutant d'une oreille distraite l'homme qui lui racontait sa vie. Quand ils arrivèrent en vue de l'imposante forteresse, elle sut qu'elle avait atteint son but. « Je me plairai, ici », se dit-elle, encouragée. La charrette pénétra dans la grande cour et le marchand l'aida à en descendre avant de poursuivre sa route vers les étals.

— Où puis-je trouver la famille royale ? demanda Aquilée à un serviteur qui passait près d'elle.

— Dans le palais, tout au fond. Vous n'avez qu'à franchir les portes vertes et vous annoncer.

— Merci, mon brave.

Elle suivit ses indications en examinant la forge à sa droite, l'enclos et les écuries à sa gauche. Des odeurs variées lui chatouillaient les narines et le vent plus froid à Émeraude que dans le sud lui apportait un grand soulagement sous sa robe de velours. Elle remonta ses jupes pour gravir l'escalier et poussa l'une des portes.

— Il y a quelqu'un ? appela-t-elle en mettant le pied dans le vestibule.

Un domestique vint à sa rencontre.

– Que puis-je faire pour vous, madame ?

– Je veux voir le Prince Fabian.

– J'ai le regret de vous informer qu'il est actuellement absent. Aimeriez-vous rencontrer Sa Majesté le Roi Nemeroff ou la Reine Kaliska ?

– Emmenez-moi à celui des deux qui peut me recevoir immédiatement.

– Si vous voulez bien me suivre.

Le serviteur la fit asseoir dans un petit salon et lui promit de revenir avec la réponse d'un des souverains. Puisque Nemeroff assistait une fois de plus à une réunion des Chevaliers, ce fut son épouse qui accepta de rencontrer la visiteuse. Laissant ses enfants aux bons soins de leur gouvernante, Kaliska suivit l'homme jusqu'à la pièce où il l'avait installée.

– Soyez la bienvenue au Château d'Émeraude, fit la jeune reine en s'approchant de l'étrangère à l'imposante chevelure bouclée de couleur fauve. Je suis la Reine Kaliska. On me dit que vous cherchez mon beau-frère, le Prince Fabian.

– C'est exact. Je suis Aquilée, sa femme.

Cette révélation ébranla Kaliska, mais elle se ressaisit aussitôt. Pour conserver une aimable contenance, elle s'assit devant la déesse-aigle.

– J'ignorais qu'il était marié, avoua-t-elle.

– Le scélérat ne vous l'a jamais dit ? fit mine de s'offenser Aquilée.

Kaliska se contenta de hocher la tête, déçue que Fabian lui ait déclaré son amour alors qu'il partageait déjà la vie d'une autre femme.

— Il est en expédition avec son père, en ce moment, mais si vous désirez l'attendre, je vous ferai installer dans ses appartements.

— Puisqu'il m'est impossible de rentrer chez moi pour une foule de raisons qui ne vous intéresseront pas, j'accepte votre hospitalité.

La reine l'emmena donc à l'étage royal.

— Comment dois-je vous appeler ? voulut savoir la nouvelle princesse.

— Kaliska, étant donné que nous sommes belles-sœurs. Je suis l'épouse du frère de Fabian.

— Dans ce cas, pour vous, je serai Aquilée.

La jeune femme avait déjà entendu ce nom quelque part, mais elle ne se rappelait pas où. Elle conduisit son invitée jusqu'à l'immense chambre de Fabian.

— Surtout, faites comme chez vous. Je vous enverrai des servantes qui pourront vous aider à vous mettre à l'aise et je vous ferai convier pour le repas du soir, que nous prendrons avec mon mari, pour que vous fassiez sa connaissance.

— Vous êtes très gentille, Kaliska.

Dès qu'elle fut seule dans la pièce, Aquilée l'examina plus attentivement. Étant donné la riche décoration du reste du château qu'elle avait admirée tandis qu'elle marchait vers les

quartiers de son mari, elle jugea que ceux-ci avaient grandement besoin d'être embellis. Lorsque ses servantes arrivèrent,
elle leur demanda où elle pourrait trouver des meubles plus
luxueux. Celles-ci l'emmenèrent dans le grenier, où les anciens
habitants du château avaient entreposé les meubles dont leurs
successeurs ne voulaient plus. La déesse y trouva son bonheur.

Elle fit transporter chez elle un énorme lit à baldaquin ainsi
qu'une coiffeuse surmontée d'un magnifique miroir en bois
ouvré et une vaste armoire pour y ranger ses futurs vêtements,
ce qui faisait cruellement défaut dans la chambre. Elle dénicha
ensuite de superbes rideaux rouge sang et une malle remplie de
belles robes qui avaient appartenu à l'épouse d'Émeraude Ier.
Afin de les rafraîchir, les servantes les emportèrent au lavoir.
«J'aime déjà cette vie», se dit Aquilée en retournant chez
elle. Elle s'orientait déjà très bien dans ce palais, où les pièces
étaient beaucoup plus vastes que dans celui de Fal.

Elle accrocha dans son armoire les robes qu'elle avait
apportées de Fal, y cacha ses philtres d'amour et supervisa le
travail des domestiques, qui vinrent déposer un matelas tout
neuf sur le sommier. Les servantes y ajustèrent les draps et
accrochèrent les rideaux qu'elles avaient dépoussiérés. «Ça
me ressemble davantage», se réjouit Aquilée. C'est alors
qu'une des femmes ouvrit de grandes persiennes qui donnaient
sur une pièce en marbre où trônait une belle baignoire à pattes.

— Si vous désirez faire votre toilette, je peux vous apporter
de l'eau chaude, offrit la servante.

— Vous lisez dans mes pensées, Arcadiane.

Aquilée se prélassa donc dans l'eau odorante jusqu'à ce
qu'elle devienne froide, s'essuya avec une douce serviette

et enfila la belle robe que les couturières de Fal lui avaient confectionnée pour les grandes occasions. Elle s'assit devant sa coiffeuse et s'admira. Comme c'était impossible de brosser ses boucles serrées, elle les laissa sécher de façon naturelle.

Des domestiques entrèrent pour allumer les grosses bougies sur les torchères fixées aux murs et lui annoncer que le couple royal l'attendait dans son salon privé pour le repas. Gonflée de fierté, Aquilée les suivit. Tout ce qu'elle avait appris à la cour du Roi Patsko allait enfin lui servir.

Lorsqu'elle entra dans la pièce éclairée par un imposant candélabre, Aquilée reconnut la jolie reine et se tourna vers son mari. Quelle ne fut pas sa surprise de découvrir qu'il ressemblait beaucoup à l'un de ses ennemis jurés, le dieu-loup Nashoba !

— Milady Aquilée, c'est un plaisir de recevoir dans mon château la femme de mon frère, fit-il en se levant. Je suis Nemeroff. Je vous en prie, prenez place avec nous.

L'ancienne déesse s'assit en tentant de conserver une allure de noblesse.

— Depuis combien de temps êtes-vous mariée avec Fabian ? demanda Nemeroff pendant que les serviteurs déposaient les plats sur la table.

— Plusieurs années déjà.

— De quel royaume êtes-vous ?

— De celui des dieux rapaces, qui n'existe malheureusement plus, répondit-elle en jugeant qu'il était inutile de mentir.

Sa réponse sidéra ses hôtes.

— Cela vous surprend ?

— Je me rends compte que mon beau-frère nous a caché bien des choses, répliqua Kaliska. Je vous en prie, éclairez-nous.

Aquilée leur raconta donc comment Fabian était tombé amoureux d'elle lorsqu'ils s'étaient rencontrés dans une forêt près de la forteresse.

— J'ai tout de suite senti son appartenance au peuple aviaire, mais il n'avait jamais appris à se métamorphoser. Il m'a suppliée de le lui montrer et j'ai fini par céder.

— Mais ni ma mère ni mon père n'appartiennent à votre panthéon, s'étonna Nemeroff.

— Êtes-vous aussi le fils de Lycaon ?

— Non... mon père est Onyx d'Émeraude.

Kaliska, qui avait déjà entendu ses parents raconter cette histoire, posa discrètement la main sur celle de son mari pour lui faire comprendre qu'elle lui expliquerait cette infidélité plus tard.

— Je vous en prie, continuez, fit donc Nemeroff.

— Fabian a été adopté par tout le clan et nous sommes devenus mari et femme dans mon monde. Puis un jour, il est parti avec son ami Shvara et il n'est plus jamais revenu. Je me suis morfondue en l'attendant et, lorsque je me suis enfin décidée à partir à sa recherche, nous avons été odieusement trahis par les dieux félins.

Aquilée fit mine d'essuyer une larme au coin de son œil.

— D'une certaine façon, sa petite escapade lui a sans doute sauvé la vie, car tous les membres de ma famille ont été tués, ce jour-là. Je me suis ensuite retrouvée sur la terre des hommes, quand Abussos a dissous tous les panthéons, et il a fallu que j'apprenne à vivre comme vous. Dès que je me suis sentie à l'aise dans mon nouveau corps physique, je me suis mise à la recherche de mon mari.

— Vous n'arrivez plus à vous transformer ?

— Non, et ce n'est pas faute d'avoir tout essayé. Ça fait partie de notre malédiction.

— Vous vous'aimez encore ? demanda Kaliska, de plus en plus fâchée contre son amant.

— Follement, affirma Aquilée. Même si la vie nous a momentanément séparés, il me tarde de me réfugier dans ses bras.

— Je suis certain qu'il éprouve la même chose, fit Nemeroff, qui ignorait les sentiments que sa femme avait entretenus pour Fabian. Kaliska me dit que vous resterez avec nous jusqu'au retour de Fabian.

— Où pourrais-je aller, sinon ?

— Sachez que nous vous accueillons avec plaisir et que nous nous assurerons que vous ne manquez de rien.

Lorsque le repas fut terminé, Aquilée prit congé de ses hôtes et retourna sans escorte jusqu'à ses quartiers. Épuisée, elle se laissa tomber sur son lit et dormit jusqu'au matin. Ne connaissant pas encore ses préférences, les servantes ne vinrent pas ouvrir ses rideaux. Elles attendirent plutôt de l'entendre bouger dans sa chambre avant de frapper quelques coups sur la porte.

— Entrez ! lança la nouvelle princesse.

Les femmes accrochèrent la multitude de nouvelles robes toutes propres dans l'armoire et aidèrent leur maîtresse à en choisir une. Elles l'habillèrent et voulurent savoir si elle souhaitait manger avec le roi. Puisqu'elle désirait conserver son indépendance, Aquilée demanda à ce que le premier repas de la journée lui soit toujours servi chez elle. Une table fut aussitôt installée devant son lit.

Aquilée se régala de pain chaud, de fromage et de jambon sans se presser. Elle but un verre d'eau et annonça à ses servantes qu'elle allait prendre l'air. Elle descendit le grand escalier en se donnant des airs royaux. Dehors, il y avait déjà des clients devant les étals. Par curiosité, elle se mit à circuler de l'un à l'autre pour voir ce que vendaient les marchands. Elle avait parcouru la moitié de la cour lorsqu'elle arriva nez à nez avec Shvara. Il était habillé comme tous les autres Émériens, mais elle le reconnut tout de suite.

— Tiens, tiens, si ce n'est pas le déserteur, grommela-t-elle.

— Grâce à son intelligence supérieure, le déserteur, comme vous dites, ne s'est pas retrouvé mêlé à cette guerre insensée contre les félins, répliqua-t-il. Comment allez-vous, chère tante ?

— C'est Votre Altesse Royale, désormais.

— Ah oui ?

— J'ai épousé le Prince Fabian, rappelle-toi. Cela fait de moi la Princesse Aquilée d'Émeraude.

— Quel opportunisme !

– Je n'ai pas l'intention de laisser qui que ce soit me priver de mon avenir, Shvara. Tâche de t'en souvenir.

– Je ferai tout en mon pouvoir pour vous éviter, Votre Altesse Royale. Sur ce, je vous souhaite une belle journée, mais sachez que je vous garderai à l'œil. Albalys est mon meilleur ami. J'ai ses intérêts à cœur.

Il se courba respectueusement devant elle et pivota sur ses talons pour retourner à la tour d'Armène. Aquilée le suivit des yeux en regrettant de ne plus avoir son bec pointu et ses serres aiguisées.

23

IDRISS

En quittant le chef suprême des Pardusses, Onyx avait ramené ses amis au radeau qu'ils avaient laissé sur le bord de la rivière. Il avait demandé à Wellan de lui laisser consulter la carte d'Enlilkisar et avait vite constaté que le domaine des Madidjins était immense.

— Nous devrions nous arrêter d'abord à Aabit, suggéra Rami.

— Pourquoi ? voulut savoir Onyx.

— Parce que cette ville est dirigée par le seul prince encore vivant que Cornéliane et moi connaissons.

— Où se situe cette cité ?

— Juste ici, lui montra le jeune homme en appuyant le doigt sur la partie la plus à l'est du pays.

— C'est très loin, même pour un radeau volant, leur fit remarquer Wellan.

— Je me suis déjà rendu à quelques lieues de là, complètement au nord d'Agénor, se souvint Onyx. Commençons par nous rendre là. Nous dormirons sur la plage.

Il fit monter tout le monde sur leur vaisseau et les transporta instantanément sur la plage où Solis l'avait forcé à arrêter ses recherches lorsqu'il était sur la trace de sa fille. Il leur fit manger de la nourriture subtilisée sur les tables du Royaume de Diamant, puis les laissa s'installer pour la nuit.

— En combien de temps pouvons-nous atteindre Aabit ? demanda-t-il en s'assoyant à côté de Wellan.

— En deux jours, estima l'ancien commandant. C'est moins loin à partir d'ici que du campement de Khélé, mais c'est quand même trop loin pour être fait en un seul trajet. À mon avis, nous devrions nous arrêter au nord de la frontière entre le pays des Ressakans et celui des Madidjins afin de ne pas tomber sur les guerriers bleus.

— Tu as raison. Évitons les ennuis si nous le pouvons.

— Veux-tu prendre le premier tour de garde ?

— Je veillerai toute la nuit pour que tu sois en forme au matin, décida Onyx.

— Il serait peut-être temps que tu me fasses confiance et que tu me laisses faire le guet, intervint Fabian, qui ne dormait pas encore.

— Si tu insistes, répondit le père, amusé. À toi l'honneur.

Onyx dormit quelques heures et relaya son fils avant le lever du soleil pour qu'il puisse dormir un peu. Pieds nus, il marcha dans l'eau, aussitôt revigoré par l'énergie de l'océan. Il désirait terminer sa mission sur une bonne note, mais il commençait à ressentir un besoin impérieux de rentrer à An-Anshar.

— *Napashni, est-ce que tu dors ?*

Puisque le dieu-loup possédait la faculté de communiquer avec un seul interlocuteur à la fois, il savait que sa conversation ne dérangerait pas ses compagnons.

– *Pas pour l'instant*, répondit-elle. *Kaolin a fait un cauchemar et je suis en train de le rassurer.*

– *Tout va bien pour vous ?*

– *C'est une vie sans le moindre souci, mais Obsidia n'arrête pas de grandir. Tu ne la reconnaîtras pas à ton retour.*

– *Je ne devrais pas tarder à revenir, puisqu'il ne me reste que les Madidjins à convaincre. Cependant, ce pays occupe au moins un tiers du continent et aux dires de mon jeune informateur, il est morcelé entre plusieurs princes.*

– *Tu ne penses pas à les unifier, n'est-ce pas, Onyx ?*

– *Si on m'en donne l'occasion, pourquoi pas ? Je n'ai pas envie de faire affaire avec une centaine de régents.*

– *J'ai senti des vibrations inquiétantes du côté des volcans. Je t'en prie, ne t'attarde pas plus qu'il le faut.*

– *Je te le promets. Nous allons déloger l'usurpateur en rentrant chez nous. Essaie de dormir un peu.*

Il aurait aimé la serrer dans ses bras et l'embrasser... «Chaque chose en son temps», se dit-il. Il retourna sur la plage et s'assit en tailleur pour scruter la région. Au matin, après un repas de petits pâtés de poisson subtilisés dans les cuisines de Zénor, Onyx fit remonter Wellan, Fabian, Cornéliane, Briag, Rami et Azcatchi sur le radeau.

– Ça devrait être plus facile pour toi, dit-il au Chevalier. Nous ne sommes plus que sept !

– Ce n'est pas une question de poids, je t'assure.

Une fois la plateforme dans les airs, Wellan coupa au-dessus des terres ressakanes au lieu de voler au-dessus de l'océan, afin de gagner du temps. Lorsqu'il la posa dans une clairière à une lieue à peine de la frontière, le soleil déclinait rapidement et il était exténué. Il fit deux pas et tomba sur les genoux en cherchant son souffle. Onyx lui vint aussitôt en aide. Il appliqua ses mains au milieu du corps du Chevalier et lui transmit une partie de son énergie vitale.

– Merci... murmura Wellan.

Onyx l'allongea sur le sol, plaça sa couverture sous sa tête et le laissa dormir sur place. Il alluma un cercle de feu autour du groupe et alla chercher de la nourriture chez les Anasazis, cette fois. Briag se régalait de tout et son enthousiasme était communicatif.

– Où devrons-nous atterrir lorsque nous serons à Aabit ? demanda alors Onyx à Rami.

– J'étais justement en train d'y penser. Les Madidjins sont très superstitieux, alors je pense qu'ils ne devraient pas nous voir descendre du ciel. Le mieux, ce serait de nous poser dans le désert en pleine nuit, près de la rivière qui traverse le rialté du Prince Fouad.

– Tu pourras indiquer cet endroit à Wellan quand il sera revenu à lui ?

– Oui, bien sûr.

– Et nous ferons le reste à pied ?

– Un trajet d'une heure à peine, le renseigna Cornéliane, qui avait souvent emprunté cette route durant sa captivité.

– En compagnie de deux guides qui connaissent bien ce terrain, que risquons-nous ? commenta Fabian.

Ce fut le soleil qui les réveilla au matin. Onyx remarqua alors que la végétation ressemblait beaucoup à celle du Royaume de Fal, ce qui était très étonnant, puisqu'ils se trouvaient tout au nord d'Enlilkisar.

Il fit apparaître du maïs et des galettes pour le repas. « J'en connais une qui serait contente », se dit-il en pensant à Ayarcoutec. Wellan mangea avec appétit, ce qui était bon signe.

La troupe remonta sur le radeau et s'accrocha, car son pilote avait décidé de le faire voler beaucoup plus haut qu'à l'accoutumée, pour ne pas attirer l'attention des nomades qui chassaient dans les forêts madidjines. Ils passèrent au-dessus d'un grand lac, puis le paysage changea du tout au tout. Les grands boisés furent remplacés par d'impressionnantes étendues de sable blond.

– Ça commence à devenir familier, annonça Cornéliane en regardant sous elle.

Ils firent un détour vers l'ouest pour éviter de s'approcher du port et finirent par atterrir dans le désert à la tombée de la nuit.

– À quels dangers pouvons-nous nous attendre, ici ? demanda Briag.

– Aucun, estima Rami, car nous sommes sur des terres qui ne devraient pas être convoitées en ce moment. Toutefois, lorsque nous traverserons la rivière, nous serons sans doute reçus par les soldats du prince.

— Que nous connaissons, s'empressa d'ajouter Cornéliane en voyant les traits de Briag se crisper. Tu n'auras pas besoin de te battre.

Onyx n'alluma aucun feu et se contenta de faire le guet, car il savait que les déserts avaient leur lot de prédateurs nocturnes. Au matin, après un repas de riz et de boulettes de poulet trouvé chez les Jadois, le groupe se mit en route.

— Ça fait tellement du bien de marcher, avoua Wellan, même si ses bottes s'enfonçaient dans le sable.

Ils arrivèrent à la rivière une heure plus tard.

— Elle n'est pas profonde, les informa Rami. On peut facilement la passer à pied.

Ils enlevèrent leurs chaussures et entrèrent dans l'eau fraîche.

— Elle est étonnamment froide compte tenu de la chaleur qu'il fait ici, remarqua Briag.

— J'étais en train de me dire la même chose, renchérit Wellan.

— Elle alimente plusieurs rialtés, leur apprit Rami.

— Qu'est-ce qu'un rialté ? s'informa Briag.

— C'est le royaume d'un prince.

Ils traversèrent la rivière sans jamais avoir de l'eau plus haut que la taille et remirent leurs bottes de l'autre côté. Un nuage de poussière s'éleva à l'horizon.

— Ils arrivent, fit Rami. Restez calmes.

Une division de l'armée du prince, sous le commandement d'Idriss, s'approchait au grand galop.

— Comment ont-ils su que nous étions ici ? demanda Briag. Possèdent-ils de la magie ?

— Non, des faucons, répondit Rami. Ils sonnent l'alerte lorsqu'il y a des étrangers sur les terres de Fouad.

Onyx immobilisa ses compagnons et se planta devant eux. Idriss arrêta également ses hommes à une distance sécuritaire des étrangers. Ils étaient tous vêtus de cuirasses courtes en cuir clouté noir et chaussés de sandales. Ils montaient de fiers chevaux sans selle.

— Rami ? s'étonna le commandant après avoir bien examiné les intrus. Bahia ?

Il glissa sur le sol et s'approcha prudemment d'eux.

— S'agit-il d'un échange de prisonniers ? demanda Idriss à Onyx.

— Pas du tout. Cornéliane, que vous appelez Bahia, est ma fille.

— Je ne me rappelais pas mon nom lorsque je suis arrivée ici, alors on m'a donné celui de Bahia, expliqua la princesse. Je suis heureuse de te revoir, Idriss. Papa, cet homme a pris soin de moi pendant que je vivais à Aabit.

— Et je l'en remercie.

— Quel est donc le but de votre présence sur le rialté du Prince Fouad ?

— J'aimerais m'entretenir avec lui, répondit Onyx.

— Venez. Nous allons vous escorter jusqu'au palais.

Par respect pour les visiteurs qui étaient à pied, Idriss marcha près d'eux en tenant son cheval par la bride.

— J'ignorais que le père de Bahia parlait le Madidjin.

— Grâce à un puissant sortilège, je comprends et je parle toutes les langues, expliqua Onyx.

— Vous êtes un sorcier ?

— Oui, affirma Cornéliane, et il est très puissant.

— Devrais-je m'en inquiéter ?

— Non. Nous sommes ici en mission de paix.

Idriss laissa les visiteurs se rafraîchir à la fontaine dans la cour.

C'était la première fois qu'Onyx voyait des bâtiments de couleurs aussi criardes. La plupart étaient roses, bleus et verts éclatants. L'intérieur du palais lui rappela celui de Fal avec ses précieux kilims, ses immenses vases de fleurs et ses murs couverts de céramique aux motifs géométriques. La salle du trône n'était pas plus grande que la chambre à coucher de l'empereur à An-Anshar. Le prince ne devait pas recevoir beaucoup de gens à la fois. Idriss leur indiqua les coussins où ils devaient s'asseoir pendant qu'on allait chercher le maître des lieux. Pour respecter les coutumes du pays, Cornéliane prit place derrière les hommes avec Idriss.

En vêtements amples de soie dorée, les cheveux cachés sous un turban rouge clair, le personnage royal arriva à la course du couloir sur leur gauche.

– Soyez les bienvenus dans mon rialté, leur dit-il en se laissant tomber sur son trône matelassé en velours turquoise. Je suis le Prince Fouad.

– Et moi, l'Empereur Onyx d'An-Anshar, sise sur les volcans, et voici ma fille Cornéliane.

– Bahia?

– Oui, sire. J'ai enfin retrouvé ma famille et ma mémoire.

– Mon fils Fabian, continua Onyx, ainsi que nos compagnons Wellan, Briag, Azcatchi et Rami.

– Mais je connais déjà ce garçon...

– Il était sous mon commandement, sire, expliqua Idriss, lorsque je l'ai envoyé à la recherche de Bahia. Je croyais qu'il était perdu.

– Êtes-vous venu d'aussi loin juste pour me voir?

– Mon intention est d'unifier tout le continent d'Enlilkisar, alors je dois rencontrer tous ses dirigeants. Y a-t-il une autorité centrale dans votre pays?

– Autrefois, le Roi Lugal nous dirigeait tous, mais il a perdu la vie dans un odieux raid mené par l'un des princes sous sa protection.

En tant qu'ancien esclave, Rami se sentit obligé de tenir sa langue, même s'il était convaincu que son père était encore en vie.

– Nous sommes désormais un pays morcelé en une centaine de rialtés qui se font continuellement la guerre.

— Alors, mon rôle sera d'abord de les unifier.

— Sans vouloir vous offenser, je ne vois pas très bien comment vous y arriverez.

— Je peux être très convaincant.

Onyx lui expliqua qu'il était désormais l'autorité centrale de tous les royaumes à l'est des volcans et qu'il ne lui restait plus que les Madidjins à rallier. Fouad l'assura que si son plan était de rétablir la paix et les échanges commerciaux dans tout Enlilkisar, il avait son appui inconditionnel. Il tapa dans ses mains et fit apporter de grands plateaux chargés de fruits, de noix, d'amandes et de petites pâtisseries pour ses invités.

Pendant qu'ils goûtaient à tout, Rami s'approcha d'Onyx.

— Si vous ne voulez pas passer des mois à rencontrer tous les princes, trouvons mon père, chuchota-t-il. Tout comme vous, c'est un homme qui sait se fait obéir.

— Alors, s'il n'est pas mort, ça veut dire qu'il se cache ?

— Il est sans doute en train de se constituer une nouvelle armée. Mais avec votre aide, il pourrait reprendre sa véritable place à la tête des Madidjins.

Onyx consulta Idriss du regard.

— Je suis le fils unique de Lugal, avoua Rami à son ancien maître d'armes. J'ai gardé dans ma mémoire l'endroit où nous vivions. C'était sur l'île qui se trouve dans un delta où trois rivières se rejoignent.

— Ce sont des terres maudites où personne ne s'aventure, expliqua Idriss.

– Le refuge parfait pour un homme qui a besoin de se cacher pour rester en vie, laissa tomber Briag.

– Tu n'as pas tort... murmura Onyx, songeur.

Wellan déroula sa carte et trouva tout de suite l'embouchure d'un grand fleuve qui se divisait en trois bras avant de se jeter dans la baie des Araignées.

– C'est à quatre jours de cheval d'ici, leur apprit Idriss, mais pour s'y rendre, il faut traverser des rialtés qui ne sont pas des alliés du prince.

– Pourriez-vous me guider jusque là ?

– Je suis l'esclave du prince.

Onyx se tourna vers Fouad, qui les observait avec un large sourire satisfait.

– J'aimerais vous acheter cet esclave, déclara-t-il sans préambule.

Il fit apparaître devant le prince un petit coffre rempli de pierres précieuses.

– Mais d'où viennent-elles ? Vous ne les aviez certaine-ment pas sur vous...

– Je suis un puissant sorcier et rien ne m'est impossible. Cette somme vous suffit-elle ?

– Idriss ? le questionna Fouad. Veux-tu vraiment partir avec ces gens ?

– Oui sire, si cela me permet d'apporter enfin la paix à votre peuple.

— Alors, soit.

— J'aimerais aussi vous acheter des chevaux, pour que nous puissions nous mettre en route dès l'aube.

— Idriss vous les fournira. Accepterez-vous mon hospitalité, cette nuit ?

— Oui, mais à la condition que nous puissions dormir à la belle étoile.

Onyx n'avait tout simplement aucune confiance en ces gens qui se trahissaient les uns les autres depuis toujours. En attendant de remettre de l'ordre dans ce pays, il préférait rester dehors, où il pourrait protéger plus facilement ses compagnons. En quittant le palais, Idriss marcha près de l'empereur.

— Vous êtes donc mon nouveau maître, murmura-t-il.

— Pas du tout. C'est votre liberté que je viens d'acheter, mon ami, pour vous remercier d'avoir pris soin de ma fille. Lorsque vous m'aurez emmené jusqu'aux terres maudites, vous pourrez aller où vous voudrez.

Ils s'installèrent en plein centre des jardins et jetèrent leurs couvertures sur le sol.

— Si l'aventure me plaît, pourrais-je rester avec vous ? demanda Idriss.

— Mais ta femme ? s'étonna Cornéliane.

— Son cœur a arrêté de battre, il y a une lune environ. Je suis désormais seul au monde.

— Je suis si désolée, Idriss...

– Ne le sois pas, Bahia. Les dieux savent ce qu'ils font.

Onyx et Wellan montèrent la garde durant la nuit, puis au matin, ils accompagnèrent l'esclave fraîchement affranchi jusqu'à l'écurie. Un autre petit coffre de pierres précieuses suffit pour leur procurer huit solides montures habituées aux rigueurs du désert et des djellabas de couleur pâle pour les protéger du soleil. Briag enfila la sienne et grimpa sur son cheval blanc avec beaucoup d'enthousiasme.

– Il va trouver ça moins drôle ce soir, quand il ne sera plus capable de marcher, fit moqueusement Fabian.

– Il s'endurcira, l'encouragea Rami.

Les compagnons se mirent en route et rejoignirent d'abord la rivière.

– C'est l'un des cours d'eau qui mènent au delta, dit Idriss à Onyx, et cela nous permettra de nous désaltérer quand bon nous semblera. Il n'y a cependant pas beaucoup d'arbres fruitiers sur sa rive sud. Ils se trouvent surtout au nord, mais ils sont surveillés par des soldats.

– Nous n'en aurons pas besoin, affirma l'empereur avec un sourire espiègle.

Ils campèrent sur le bord de l'eau dès que le soleil se coucha. Au grand étonnement d'Idriss, Onyx fit apparaître leur repas à partir de rien. Il reçut son écuelle de tomates confites, de caviar d'aubergines, de salade de pois chiches et de petits pains plats en provenance d'Ellada et y trempa d'abord le doigt pour s'assurer que la nourriture était bien réelle.

– C'est incroyable... murmura-t-il, ému.

– Et excellent, ajouta Briag, malgré ses courbatures.

– Comment avez-vous su que c'est ce qu'on mange dans mon pays natal ?

Onyx se contenta de lui adresser un clin d'œil. Idriss mangea en examinant discrètement tous les membres de sa nouvelle troupe. Ses yeux s'arrêtèrent sur Azcatchi, qui n'avait pas dit un seul mot depuis qu'il l'avait rencontré.

– Pourquoi vos parents vous ont-ils donné le nom du dieu crave ? lui demanda-t-il.

L'éclat de rire de Fabian déconcerta Idriss.

– C'est parce que c'est lui, le dieu crave, répondit Cornéliane.

Tandis que la nuit et la fraîcheur s'installaient sur le pays, elle lui raconta ce qui était arrivé à leur silencieux ami.

24

LUGAL

La compagnie se remit en route au matin et Idriss apprit à Onyx qu'ils s'arrêteraient dans une oasis pour la nuit. Les caravaniers prétendaient qu'elle était hantée, mais l'ancien esclave n'était pas aussi superstitieux que les Madidjins, car il était né à Ellada. Il avait été capturé lorsqu'il était jeune pour être ensuite vendu au Prince Fouad.

— Les Elladans que j'ai rencontrés depuis le début de ma mission n'étaient pourtant pas des hommes de combat, commenta Onyx.

— Mon père était soldat, tout comme mes oncles d'ailleurs. J'avais déjà commencé à m'entraîner quand j'ai été enlevé. C'est sans doute pour cette raison qu'on m'a confié au chef des esclaves qui formait des guerriers. J'avais déjà des muscles et surtout une attitude de survivant.

— J'ai été soldat, moi aussi, au début de ma carrière, lui révéla Onyx.

— Et vous êtes devenu empereur...

— J'ai été bien des choses avant d'en arriver là.

Pendant la journée, Idriss raconta sa vie à l'empereur et lui confia sa peine d'avoir perdu son épouse de façon aussi soudaine. Il lui parla aussi des progrès rapides de Bahia, qui avait été la seule fille de toute l'histoire des Madidjins à être formée pour le combat.

Au coucher du soleil, Idriss pointa à Onyx l'oasis dont il lui avait parlé et ils s'éloignèrent de la rivière pour s'y rendre. C'est alors que des hommes sortirent d'entre les palmiers et vinrent à leur rencontre en agitant les bras.

— Des brigands ? s'inquiéta Fabian.

— Non... murmura Onyx. Leur énergie m'est familière...

— Le ciel soit loué ! s'écria l'un d'eux. Vous nous avez trouvés !

L'empereur reconnut les vignerons qui avaient travaillé pour lui à An-Anshar.

— Mais que faites-vous ici ? demanda-t-il, stupéfait.

— Nous avons demandé à l'usurpateur qui s'est emparé de votre forteresse de respecter la promesse que vous nous avez faite de nous retourner à Émeraude lorsque les Hokous seraient en mesure de faire notre travail. Et c'est ici que nous nous sommes retrouvés ! Nous avons erré jusqu'à ce que nous trouvions cet endroit.

— Il paiera pour ce qu'il vous a fait, promit Onyx. Prenez-vous par la main. Je vais vous envoyer là où vous auriez dû aller.

Ils le remercièrent profusément pendant qu'ils se réunissaient en un groupe compact, puis ils disparurent sous les yeux d'Idriss.

— Où sont-ils allés ? s'étonna-t-il.

– Je les ai renvoyés chez eux, à Émeraude, de l'autre côté des volcans.

– Mais si vous possédez cet incroyable pouvoir, pourquoi nous rendons-nous à cheval jusqu'à l'île maudite ?

– Parce que je ne peux pas me transporter dans un endroit où je ne suis jamais allé.

– Je vois. Nous y serons bientôt.

Deux jours plus tard, ils arrivèrent en vue du delta dont Rami leur avait parlé. De l'autre côté de la rivière s'élevait une cité de grandes tentes. Plusieurs sentinelles à cheval les observaient, mais elles ne semblaient pas vouloir les attaquer.

– Ce sont les hommes du Prince Chawdeb, les informa Idriss. Ils sont habituellement belliqueux, mais ils ne nous attaqueront pas car nous nous trouvons en des lieux qui sont censés être malfaisants.

Onyx s'arrêta devant la rivière qui formait le deuxième bras du delta. L'île était coincée entre celui-ci et le troisième cours d'eau.

– Il y a une clairière sur la partie sud de l'île et j'y sens la présence d'une dizaine de personnes, déclara-t-il.

– Une dizaine seulement ? se chagrina Rami. Pouvez-vous nous dire si ce sont des guerriers ?

– Je ne les connais pas. Suivez-moi.

Il talonna sa monture et la fit entrer dans l'eau. L'animal se mit à nager. Heureusement, le courant n'était pas trop rapide, alors Onyx atteignit facilement la rive opposée. Il se retourna pour s'assurer que ses compagnons n'éprouvaient aucune difficulté à l'imiter, surtout Briag qui n'était pas habitué de monter à cheval.

Dès que tous l'eurent rejoint, Onyx emprunta un sentier étroit dans la dense végétation. Il garda le silence et scruta la jungle pour s'assurer de ne pas marcher tout droit dans un guet-apens. Il sentit de la peur et de l'agressivité, mais elles provenaient de la clairière. Lorsqu'il y aboutit enfin, sept hommes vêtus de loques les attendaient de pied ferme, avec des haches et des sabres à la main. Trois femmes se cachaient derrière eux.

— Nous venons en paix, leur dit Onyx en se laissant glisser sur le sol.

— Partez ! Vous n'êtes pas les bienvenus, ici !

— Je cherche le Roi Lugal.

Rami arriva à la droite d'Onyx, tandis qu'Idriss se postait à sa gauche.

— Père ? appela le jeune Madidjin.

— Rami ? s'étrangla le plus vieux des hommes en abaissant ses armes.

— Je savais que tu n'avais pas péri, cette nuit-là !

Rami se jeta dans les bras de Lugal en pleurant de joie.

— Je te croyais mort, sanglota le roi.

— J'ai été enlevé et vendu au Prince Fouad.

— Et tu t'es finalement mis à ma recherche...

– Si tu veux bien, nous allons tout te raconter.

La poignée de survivants s'approcha des étrangers qui accompagnaient le prince. Laissant brouter les chevaux, Onyx alluma un feu magique à ses pieds.

– Êtes-vous un sorcier ? se méfia Lugal.

– Oui, mais un bon sorcier. Avant de vous expliquer le but de ma présence chez les Madidjins, j'aimerais comprendre ce qui vous est arrivé et trouver la façon de vous redonner ce qui vous a été enlevé. Mais permettez-moi d'abord de vous offrir à manger.

Une longue table et une vingtaine de chaises se matérialisèrent à la droite de l'empereur, qui y prit place pour leur montrer que ce n'était pas une illusion.

Pour inciter les survivants à en faire autant, les compagnons de l'empereur s'y installèrent aussi. Une fois que ses invités ébranlés eurent enfin accepté de s'asseoir à leur tour, Onyx fit apparaître le repas que les prêtres d'Agénor s'apprêtaient à partager dans l'un de leurs temples.

– Cette nourriture est bien réelle, père, affirma Rami en constatant l'hésitation de ses anciens compatriotes. Onyx va la chercher avec son esprit et la fait venir à lui.

– Et ce n'est qu'une petite fraction de ce qu'il est capable de faire, intervint Fabian.

Le vieux roi, usé par la misère dans laquelle il vivait depuis trop longtemps, mordit dans une cuisse de poulet rôti et ferma les yeux pour la savourer. Onyx le laissa contenter son estomac avant de lui demander ce qui lui était arrivé. Lugal lui raconta ensuite l'horrible nuit qui avait coûté la vie aux milliers de personnes qui vivaient dans la cité royale.

— Nous sommes tout ce qu'il reste de mon royaume...

— Soyez sans crainte, nous allons le reconstruire et vous rendre votre couronne, lui promit Onyx.

— Et vous avez le sens de l'humour, en plus ?

— Ce dont vous avez besoin, c'est d'un lieu fortifié à partir duquel vous pourrez dominer les environs, une forteresse où personne ne pourra vous surprendre. Elle devra être suffisamment haute pour que tous vos sujets puissent la voir à des lieues à la ronde.

— Je serai mort avant qu'une telle construction soit terminée.

— Pas si mon père s'en mêle, rectifia moqueusement Cornéliane.

— Il faudra aussi retrouver les meurtriers et les punir, ajouta Rami.

— Commençons par redonner à ton père sa prestance, conseilla Onyx. Je crois que cet endroit, que tous redoutent, est parfait pour construire un château. Et puisqu'il reste encore plusieurs heures avant la fin du jour, je vais m'y mettre tout de suite.

Onyx se rendit sur la pointe nord de l'île en compagnie de Lugal et examina le sol avec ses sens invisibles afin de s'assurer qu'il pourrait supporter le poids d'une imposante fortification. Quand il constata que c'était un solide fond de roc qui avait obligé la rivière à se diviser de chaque côté de l'île, il comprit que son plan était réalisable.

– Qu'en pensez-vous, Lugal ?

Les arbres se déracinèrent les uns après les autres autour d'eux et s'élevèrent dans les airs pour voler vers le sud. Toute cette magie jeta le vieux roi dans la stupeur.

– Ne vous inquiétez pas. Je les replante ailleurs.

– Êtes-vous un dieu ?

– En réalité, je suis le fils d'Abussos.

– Je ne connais que les divinités rapaces.

– Abussos est leur grand-père, donc je leur suis supérieur.

– Je n'ai aucune difficulté à le croire...

Lorsqu'il eut défriché toute la pointe nord, Onyx ramena Lugal dans la clairière.

– Regardez ! s'exclama une des survivantes en pointant vers le ciel.

D'immenses rochers passaient au-dessus de leur tête.

– Les fondations de votre forteresse, indiqua Onyx en s'assoyant en tailleur devant le feu.

Pendant que tous se couchaient autour de lui, le dieu-loup poursuivit inlassablement son travail.

Au lever du soleil, ses compagnons sursautèrent en apercevant le haut pic qui s'élevait derrière les arbres.

– Tu n'as pas dormi, n'est-ce pas ? reprocha Wellan à Onyx.

– J'aime terminer ce que je commence. Grimpons là-haut, si tu le veux bien. Je pourrai m'y reposer.

Le groupe quitta la clairière et arriva devant une route bordée de murets qui serpentait dans la montagne en pente douce. Voyant qu'Onyx faiblissait, Wellan le souleva sur ses épaules et le transporta jusqu'en haut. Une fois sur le sommet balayé par un vent frais, Lugal s'approcha du bord du plateau. Le spectacle qui s'offrit à lui était à couper le souffle.

– Je peux voir aussi loin que la mer de l'est et même celle du nord !

– C'était mon plan, avoua Onyx, que Wellan venait d'allonger sur le sol.

Tout le corps du dieu-loup fut enveloppé dans un cocon de lumière blanche.

– Que lui arrive-t-il ? s'alarma Lugal.

– Il refait ses forces, l'apaisa le Chevalier.

Ils s'installèrent autour de lui.

– Si l'empereur réussit à me redonner mon royaume, je reconnaîtrai son autorité sans la moindre hésitation, déclara Lugal.

La nuit tomba sans qu'Onyx se réveille. Au matin, ce fut l'odeur d'un repas chaud en provenance d'Émeraude qui réveilla le groupe. La table se trouvait maintenant au milieu du plateau et les attendait. Onyx y buvait déjà du thé.

– Il vous faudra choisir un modèle pour votre forteresse, déclara-t-il, lorsque tous furent assis.

Il fit d'abord apparaître le Château d'Émeraude en holo-gramme miniature sous les yeux émerveillés du vieux roi. Suivirent ceux de Béryl, Perle, Opale et Zénor.

— La dernière fait rêver, avoua Lugal.

— Alors, soit.

Onyx mangea sans que disparaisse la reproduction en trois dimensions de la forteresse de Zénor. Lorsqu'il fut repu, il la fit grossir jusqu'à ce qu'elle occupe tout le plateau et que la herse se retrouve devant la route qui descendait vers la clairière.

— Ça vous plaît toujours ? voulut-il s'assurer.

Lugal était tellement impressionné qu'il n'arrivait pas à prononcer un seul mot. Onyx se mit donc au travail. Façonnant de gros blocs dans les volcans les plus au nord, il commença à assembler le rez-de-chaussée comme s'il s'agissait d'un jeu d'enfant. Avant la fin du jour, la construction du palais était complétée. Onyx utilisa le peu de forces qu'il lui restait pour transporter la table et les chaises dans le hall, puis se coucha devant l'âtre où il venait d'allumer un feu magique.

— Demain, je m'attaquerai au puits, aux écuries et aux murailles, murmura-t-il avant que la lumière étincelante ne l'enrobe une fois de plus.

Pendant que les adultes continuaient de discuter à la table, Cornéliane quitta le hall pour explorer la forteresse. Elle grimpa l'escalier jusqu'à l'étage des chambres et entra dans l'une d'elles. Elle sortit même sur un balcon pour observer la mer, au loin. Rami arriva alors derrière elle.

— Ton père est un homme exceptionnel, la complimenta-t-il.

— Ce n'est pas de sa faute, c'est un dieu, plaisanta la jeune fille.

Elle se tourna vers celui qui lui avait si souvent servi de mannequin quand elle apprenait à se battre avec Idriss.

— Ce pays me manquait plus que je le pensais, avoua-t-elle.

— Tu n'es pas obligée de partir, tu sais...

— Je suis en train d'y réfléchir.

Rami attira Cornéliane dans ses bras et l'embrassa, au risque de se faire donner une raclée. À son grand étonnement, elle demeura blottie contre lui. Ils observèrent la naissance des étoiles dans le ciel d'encre, puis décidèrent de redescendre dans le hall avant que leurs compagnons ne s'inquiètent de leur absence.

À leur réveil, un repas dérobé dans les cuisines du Prince Fouad les attendait sur la table, mais Onyx n'était plus là. Idriss fut le premier à se mettre à sa recherche. Il le trouva au milieu de la grande cour. L'écurie était terminée et il était en train de creuser le puits. Celui-ci, approvisionné par la rivière, leur fournirait de l'eau potable toute l'année. L'ancien esclave le regarda bâtir la margelle, puis s'approcha quand il eut terminé.

— Faites-vous ceci partout où vous passez ? demanda Idriss.

— Non, répondit Onyx, amusé, mais je ne peux m'empêcher de redresser les torts.

Les blocs de la muraille commençaient à arriver de l'ouest. Ils se placèrent les uns à la suite des autres sur le pourtour du plateau. Lorsqu'il fut rendu à l'avant-dernier rang, Onyx installa des pierres plus larges afin qu'elles servent de passerelle, puis termina le tout par un savant assemblage de créneaux. Il se tourna finalement vers l'arche de l'entrée.

— Je ne sais pas encore où je vais trouver une herse, par contre.

— Qu'est-ce que c'est ?

Onyx en fit apparaître une représentation lumineuse dans l'ouverture.

— Les Madidjins savent travailler le fer, affirma Idriss. Je pense que nous pourrons nous charger de cette toute petite partie du travail.

— Vous avez donc l'intention de rester ici ?

— Lugal a besoin de moi.

— Je suis d'accord et vous pourrez en profiter pour contrôler les désirs de vengeance de son fils. Ce qui importe maintenant, c'est que le roi reprenne la place qui lui revient.

— Allez-vous encore devenir lumineux ?

— Il me reste un peu d'énergie.

Idriss le ramena à l'intérieur et le fit asseoir à la table, où leurs compagnons avaient fini de manger. Il en profita pour leur décrire ce que l'empereur venait d'accomplir.

— En passant, je n'aurai pas besoin des chevaux, alors je vous en fais cadeau, déclara Onyx. Vous pourrez ainsi rendre visite à vos sujets si vous en avez envie.

— C'est beaucoup trop de largesses... s'étrangla Lugal, les larmes aux yeux.

— Après avoir meublé ce château, je m'attaquerai à la partie la plus importante de mon travail : vous rendre votre trône et vous vêtir plus convenablement.

Transportant son esprit dans les greniers encombrés du Château d'Émeraude, Onyx se mit à faire apparaître des lits, des commodes et des bergères dans toutes les chambres de l'étage supérieur, puis des fauteuils dans le hall. « Il y avait longtemps que ce ménage aurait dû être fait », se dit-il en souriant pour lui-même. Quant aux vêtements, il alla les chercher parmi les plus belles tenues du Prince Patsko de Fal et de sa reine, ainsi que chez le Prince Fouad. « Maintenant, comment vais-je procéder à l'unification ? » se demanda-t-il.

25

LE CAMPEMENT

Après avoir quitté Onyx et leurs compagnons, Lassa et Hawke rentrèrent directement au Château d'Émeraude. Il y circulait tellement de monde depuis l'arrivée des Chevaliers que Lassa choisit de réapparaître dans ses anciens appartements, où il risquait moins de blesser quelqu'un.

— Es-tu bien certain de ne pas vouloir rentrer au sanctuaire ? demanda-t-il à Hawke en marchant vers la porte.

— Je ne sais pas encore comment annoncer à Isarn la rébellion de Briag... De toute façon, j'ai participé à la dernière guerre aux côtés des Chevaliers d'Émeraude et je ferai partie de celle-ci également.

— Ils sont tous dans le hall. Allons les rejoindre.

Les deux hommes se firent le plus discrets possible, mais leur arrivée ne passa pas inaperçue. Kira venait d'annoncer que les anciens lieutenants de Wellan allaient reprendre la tête de leur division et que les Chevaliers de la sixième génération devaient rejoindre la troupe dont leur ancien maître faisait partie.

— C'est moi qui prendrai la tête de celle de Wellan. Quant à Hadrian, il dirigera toute l'armée et aucun groupe en particulier.

Est-ce bien clair ? Que ceux qui ne savent pas où aller viennent me voir.

— Je pense que je suis avec toi, murmura Lassa à son oreille.

— Tu crois vraiment que je t'aurais laissé aller ailleurs ?

Ils s'embrassèrent sans la moindre gêne.

— Moi, par contre, je ne sais pas, avoua Hawke, étant donné que mon maître était Élund.

— Tu feras donc partie de mon unité, toi aussi.

Hadrian attendit que tous se taisent avant de prendre la parole :

— Nous partirons demain matin pour établir un campement sur les berges de la rivière Sérida. Je veillerai à transporter chaque division au bon endroit. Nous ne prendrons pas les chevaux. En attendant, je vous conseille de méditer et de vous préparer au combat.

— Il faut qu'on se parle, chuchota Lassa à sa femme.

Les oreilles pointues de Kira se rabattirent sur sa tête, car elle craignait d'apprendre encore une mauvaise nouvelle. Sans dire un mot, elle le suivit jusque dans la cour et l'emmena s'asseoir devant le mur où étaient inscrites les valeurs de l'Ordre.

— C'est Marek ? fit-elle en se tordant les doigts.

— Pas cette fois. Il s'agit plutôt de Wellan.

— Wellan ?

— Onyx lui a redonné son ancien corps, laissa tomber son mari.

– Quoi ?

– Il n'est plus notre chétif petit garçon aux longs cheveux noirs, mais le grand gaillard blond qu'il était lorsqu'il dirigeait les Chevaliers.

– Onyx l'a-t-il transformé contre son gré ? se fâcha Kira.

– Apparemment oui, mais Wellan était quand même très content de retrouver sa musculature d'antan.

– Je vais le tuer !

– À mon avis, c'est pour cette raison qu'il ne veut pas rentrer à Émeraude. Il sait que ça te fera beaucoup de peine.

– De la peine, tu dis ? C'est comme si mon enfant était mort !

– C'est seulement son apparence physique qui a changé, ma chérie. À l'intérieur, c'est exactement la même personne.

– Tu es d'accord avec ça ?

– Je ne vois pas ce que je pourrais y changer maintenant. Et puis, s'il est assez vieux pour aller explorer le nouveau monde sans nous, je pense qu'il peut bien altérer ses traits s'il en a envie.

Elle se pressa contre Lassa sans savoir si elle voulait hurler ou pleurer.

– Au risque de te mettre en colère, j'avoue que ça m'a fait du bien de revoir notre commandant... et puis, ce n'est pas comme si c'était notre seul enfant. Les autres ne changeront pas.

– Arrête, Lassa, tu t'enlises, grommela-t-elle en songeant que Kaliska pouvait se métamorphoser en licorne noire.

Elle demeura d'humeur boudeuse toute la soirée, mais au matin, rien n'y paraissait plus. Elle revêtit son armure verte de Chevalier et sortit dans la cour pour aller se placer devant sa division.

– Ça va mieux, on dirait, fit Lassa en passant près d'elle.

– Cette nuit, j'ai décidé que c'est Onyx que je tuerais, répondit-elle avec un sourire.

Puisqu'il n'avait plus l'habitude de déplacer un grand nombre de personnes dans son vortex, Hadrian jugea plus sécuritaire de n'emmener qu'une division à la fois. Il appela d'abord celle de Kira. Les Chevaliers foncèrent dans le tourbillon glacé et se retrouvèrent dans une clairière au sud du massif rocheux de Béryl, sur la falaise qui séparait ce royaume de la Forêt interdite. Les conifères leur fournissaient une excellente couverture, mais ne les empêchaient pas de voir les volcans. Ils se trouvaient si près de la rivière Sérida, devenue tumultueuse, qu'ils pouvaient l'entendre couler.

– Ne restez pas au centre, ordonna Hadrian à la trentaine de Chevaliers, parce que c'est là que je déposerai chaque troupe. Rangez-vous sur les côtés, près des arbres.

Kira n'eut pas besoin de répéter les ordres : ses soldats avaient déjà obéi. C'est donc ainsi que suivirent les groupes de Bergeau, de Dempsey et Chloé, de Falcon, de Jasson et de Santo. Tous furent surpris de voir Nemeroff sortir du maelstrom avec la dernière garnison, surtout qu'il avait encore besoin de sa canne pour marcher.

– Quand est-ce qu'on attaque le lion ? lâcha Bergeau.

– Dès que nous aurons décidé de la meilleure façon de le faire, répondit Hadrian d'une voix forte. Un peu de patience, Chevaliers.

L'ancien roi demanda à ses lieutenants de s'approcher.

– Nous avons déjà essayé de traverser la rivière, sans succès, leur dit-il. Quelqu'un a-t-il une suggestion ?

– Je serais sans doute capable de construire un pont avec ma magie, proposa Kira, mais l'ennemi pourrait aussi s'en servir pour nous envahir si nous échouons.

– Pas si tu l'envoies temporairement au fond de l'eau une fois que nous serons sur les volcans, fit remarquer Bergeau.

– C'est astucieux, acquiesça Hadrian.

– Il y a un autre problème, signala Dempsey. Nous ne sommes pas des chèvres de montagne, alors je vois mal comment nous arriverons à grimper jusqu'à cette forteresse en quelques heures.

– Tu peux aussi niveler les volcans ? demanda Jasson à Kira.

– Sans doute, mais il ne me restera plus d'énergie pour combattre.

– Vous m'oubliez, intervint Nemeroff. Je peux faire toutes ces choses sans m'épuiser. Mieux encore, je peux aller voir ce qui se passe à la forteresse sous ma forme de dragon.

– J'allais justement mentionner que nous n'avons aucune idée de ce qui nous attend là-haut, avoua Chloé.

— Alors, commençons par une patrouille de reconnaissance. Elle devra être rapide et, surtout, tu devras faire bien attention de ne pas être vu.

— Je peux voler très haut et ma vue est perçante.

— Et nous, on attend ? demanda Bergeau.

— Pour l'instant.

— Nous allons cuire au soleil !

— Ça m'étonnerait, répliqua Nemeroff en regardant derrière le Chevalier.

Bergeau se retourna et vit que, divisées en six groupes, des dizaines de petites tentes vertes venaient d'apparaître au milieu de la clairière, se fondant entièrement dans le paysage.

— Je savais qu'il fallait qu'on l'emmène, déclara Bergeau, encouragé.

— Retournez auprès de vos hommes, fit Hadrian. Nous nous reparlerons dès que Nemeroff sera de retour.

Kira rejoignit Lassa et Hawke, qui examinaient l'une des tentes.

— Abritez-vous du soleil, ordonna la Sholienne.

Tous les lieutenants en firent autant. En se faufilant sous les toiles, ils découvrirent des sièges rembourrés.

— Sa Majesté pense vraiment à tout, se réjouit Jasson.

Pendant que les Chevaliers se dissimulaient sous les tentes, le Roi d'Émeraude se changea en un énorme dragon bleu. Ceux qui assistèrent à sa métamorphose en restèrent bouche bée. Il se mit à battre des ailes et s'envola en direction opposée à la rivière.

— Hé ! Les volcans sont de l'autre côté ! cria Nogait.

Dempsey lui saisit le bras et le ramena sous la tente. Il n'était pas question que Nemeroff prenne de l'altitude à proximité de la forteresse de son ennemi. Il le fit plutôt sur l'autre versant de la montagne de Béryl et ne se dirigea vers l'est que lorsqu'il ne fut plus qu'un tout petit point dans le ciel. Hadrian, qui était le seul Chevalier encore planté au milieu de la clairière, suivit son vol en espérant que Kimaati n'en profiterait pas pour l'achever.

« Si seulement j'avais des ailes », songea Kira en se laissant tomber sur un siège. Pour passer le temps, elle sonda les environs avec ses sens invisibles. Il y avait suffisamment de roc dans la chaîne des volcans pour qu'elle fabrique un pont. Le plus simple serait d'excaver ces matériaux de façon à créer une rampe menant à An-Anshar. « Mais ne deviendrons-nous pas des cibles faciles sur le versant de la montagne ? » Elle chercha une façon de protéger les Chevaliers et se rappela qu'elle avait réussi jadis à créer une voûte d'énergie. Elle se souvint aussi que des éclairs s'en étaient échappés et avaient bien failli électrocuter plusieurs de ses compagnons...

Elle n'eut pas le temps de songer à une autre solution : déjà le dragon touchait le sol en le faisant trembler. Les soldats sortirent tous de leur abri en même temps et le virent reprendre sa forme humaine.

— Kimaati n'est plus seul, laissa tomber le jeune roi.

— Dis-nous ce que tu as vu, le pressa Hadrian.

— Je vais faire mieux encore.

Nemeroff fit apparaître un large modèle holographique de la forteresse entourée de ses nombreux plateaux, autour duquel se rassemblèrent les Chevaliers. Ce qui retint tout de suite l'attention d'Hadrian fut le rassemblement de pavillons circulaires au nord du château.

— Où a-t-il trouvé une armée ? souffla-t-il, étonné.

— Sans doute dans son propre monde, avança Nemeroff.

Il retira de l'hologramme un des petits personnages qui gesticulait entre les tentes militaires, le déposa sur la paume de l'ancien Roi d'Argent et en augmenta les dimensions.

— Mais qu'est-ce que c'est que ça ? laissa échapper Jasson.

L'humanoïde à tête de taureau ne semblait pas très assuré sur ses jambes, qui se terminaient par des sabots.

— Je préférais décidément les hommes-insectes, plaisanta Nogait.

— Quelle est leur taille réelle ? demanda Santo.

Nemeroff fit grandir davantage le personnage transparent, ce qui obligea Hadrian à le déposer sur le sol. Lorsque sa croissance s'arrêta, sa tête armée de longues cornes dépassait celle du commandant.

— Et comment se battent-ils ? s'enquit Bergeau.

— En embrochant tout ce qui se trouve sur leur route ? supposa Kevin, inquiet.

— Sont-ils magiques ? voulut savoir Ariane.

— Si oui, quels sont leurs pouvoirs ? renchérit Maïwen.

— Il faudrait les voir en action, indiqua Dempsey.

— Mais pour ça, nous serions obligés de les attaquer et il serait déjà trop tard pour nous rendre compte que ce sont des sorciers, soupira Falcon.

— Autrefois, nous ne nous posions pas autant de questions quand nous défendions nos terres, leur dit Bridgess.

— Peux-tu le faire bouger ? demanda Jenifael à Nemeroff.

Le dieu-dragon lui imprima les mouvements qu'il avait captés du haut des airs.

— Avez-vous vu les muscles de ses bras et de ses jambes ? se découragea Nogait.

— Ouais... ça fait longtemps que nous avons perdu la forme, ajouta Bergeau.

— Tous les ennemis ont des faiblesses ! lança Kira pour qu'ils se ressaisissent.

— Pourquoi titube-t-il ? remarqua alors Santo.

— Ils semblent tous être ivres, répondit Nemeroff.

— La voilà, leur faiblesse ! se réjouit Milos. Lançons-leur des tonneaux de vin !

— Puis attaquons-les ! ajouta Wanda, à la grande surprise de son époux.

— Je comprends votre désir d'en finir rapidement et de retourner à vos activités quotidiennes, intervint Hadrian, mais nous ne pouvons pas nous lancer dans cette guerre sans prendre le temps de réfléchir, même si ce n'est qu'une seule journée.

– Que proposes-tu ? s'enquit Dempsey, qui n'avait pas cessé d'examiner chaque recoin de la forteresse.

– Nous devons d'abord connaître le nombre de ces guerriers.

– Environ deux mille, évalua Nemeroff.

– Contre deux cents ? fit Wimme en avalant de travers.

– Ce ne sera pas la première fois que nos adversaires nous surpassent en nombre, leur rappela Bergeau.

– Les autres n'étaient pas de gros taureaux musclés, lui fit remarquer Nogait.

– Tout ce que vous voyez ici repose sous un dôme de protection, ajouta Nemeroff en le faisant apparaître.

– Plus ça va, plus c'est désespérant, soupira Sage.

– Je pense que la meilleure solution serait de gruger les fondations de la forteresse et de la balancer dans la rivière, proposa Jasson.

– Sauf que ma famille se trouve à l'intérieur, lui rappela Kira.

– À moins de les faire d'abord sortir de là en douce, suggéra Mahito.

– J'ai déjà essayé de pénétrer cette bulle d'énergie, sans y parvenir, l'informa Nemeroff.

– Si je comprends bien, avant toute chose, il faudrait la neutraliser, raisonna Chloé.

— Pour ça, il faudrait tuer Kimaati et je vous assure qu'il ne se laissera pas faire.

— Au lieu de nous enflammer, prenons le temps de réfléchir chacun de notre côté, recommanda Hadrian. Il n'y a pas de problème, il n'y a que des solutions.

— Des fois, elles ne sont vraiment pas évidentes, grommela Bergeau.

Les Chevaliers regagnèrent leurs tentes en se creusant l'esprit.

— N'allumez pas de feux, les avertit l'ancien Roi d'Argent.

— Parce que tu penses que le lion ne sait pas déjà que nous sommes là ? répliqua Jasson.

Kira reprit place sur son siège et s'appuya contre l'épaule de Lassa.

— Tu es un dieu, fit-elle. Qu'est-ce que tu suggères ?

— Si le dragon qu'est Nemeroff a failli se faire tuer par le lion du monde parallèle, je vois mal ce que pourrait faire un dauphin ailé, soupira-t-il. Le mieux, c'est peut-être d'attendre le retour d'Onyx.

— Nous n'allons pas le laisser faire tout le travail, quand même.

Kira demeura songeuse pendant un long moment.

— Il est certain qu'un affrontement serait du suicide, murmura-t-elle. Ce qu'il nous faut, ce sont des raids furtifs à plusieurs endroits en même temps pour diviser les taureaux.

— Trois cents de ces énormes bêtes par groupe de trente Chevaliers ?

— Et il faudrait les attaquer tout de suite après une autre beuverie.

— Ça commence à faire beaucoup de conditions... et beaucoup de ponts et de plateformes à construire à différents endroits de la rivière.

— Nous pourrions laisser cette entreprise à notre jeune roi.

Au même moment, sous une autre tente, Jenifael discutait à voix basse avec son nouvel époux, le dieu-tigre Mahito, qu'elle tentait de décourager de se rendre seul dans les volcans.

— Sous ma forme féline, je peux escalader n'importe quel escarpement, faisait-il valoir. Je pourrais tenter de trouver une faille dans le dôme et aider les otages à s'échapper.

— Ou te retrouver embroché par un taureau un peu plus intelligent que les autres. Écoute-moi, Hito. Ce qui fait la force des Chevaliers, c'est leur capacité à fonctionner en groupe. T'ai-je déjà raconté ce qui est arrivé à l'un des nôtres qui avait la fâcheuse habitude de travailler seul ?

— Oui, tu m'as déjà parlé de la fin tragique du Chevalier Cassildey...

— Alors, tu sais pourquoi tu ne peux pas partir en éclaireur sans en aviser ton lieutenant.

Au centre de la clairière, Hadrian était toujours debout devant la représentation en trois dimensions d'An-Anshar. Appuyé sur sa canne, Nemeroff l'observait.

– Si vous avez besoin de plus d'informations, je peux survoler à nouveau les volcans, offrit le jeune roi.

– Je doute que tu apprennes quelque chose d'autre, car ce que tu nous as rapporté est très complet, jugea l'ancien monarque d'Argent. Prends le temps de te reposer, toi aussi.

– N'hésitez pas à faire appel à moi. Je peux vous être fort utile.

– Pourquoi es-tu si confiant ?

– Parce que les étoiles semblent s'aligner en notre faveur.

Nemeroff clopina jusqu'à la tente qu'il s'était réservée et qui contenait un lit. Hadrian soupira profondément en continuant d'étudier la situation.

26

L'UNIFICATION

Une fois la construction de la forteresse de Lugal terminée, Onyx monta avec celui-ci au sommet de la plus haute tour, d'où la vue était absolument magnifique. Il laissa le vieil homme marcher d'un créneau à l'autre pour contempler les centaines de cités des alentours, certaines composées de tentes multicolores et d'autres de bâtiments de briques recouvertes de chaux, pour la plupart peints en rose.

— J'avais oublié à quel point ce pays est aussi splendide qu'un joyau, soupira Lugal, ému.

— Il est grand temps qu'il soit dirigé par un seul homme qui a son avenir à cœur. Je n'ai pas besoin de vous dire que plus personne ne vous surprendra au milieu de la nuit, en ces lieux. Cette nouvelle paix d'esprit vous aidera à reprendre votre assurance, car votre fils m'a vanté toutes vos belles qualités.

— Rami était bien trop petit pour se souvenir de tout ça.

— Ne sous-estimez pas sa mémoire, Lugal.

— C'est un bon garçon.

— Êtes-vous prêt à reprendre votre véritable place à la tête des Madidjins ?

– Oui, mais je suis un vieil homme maintenant et il ne me reste probablement plus beaucoup d'années à vivre. Ce que vous m'aidez à accomplir, en ce moment, c'est surtout pour Rami.

– C'est à un autre père que vous parlez, mon ami. Nous ne voulons que ce qu'il y a de mieux pour nos enfants, même lorsqu'ils sont incapables de s'en rendre compte.

– Dites-moi comment j'arriverai à imposer ma volonté à une contrée aussi vaste que la mienne.

– En lançant un ultimatum à tous ces princes querelleurs qui la morcellent.

– Je n'ai certes pas suffisamment de messagers.

– Dites-moi, à voix haute, ce que vous leur diriez. Exigez dans vos propres mots qu'ils reconnaissent votre autorité sur tout le territoire, sous peine d'être jugés pour trahison. Que ceux qui se soumettent allument un grand feu dans leur rialté dont vous pourrez apercevoir la dense fumée.

– Jusqu'ici ?

– Faites-moi confiance. N'oubliez pas d'ajouter que ceux qui rejetteront votre offre goûteront à votre colère.

– Je n'ai même plus d'armée.

– Mais vous m'avez, moi.

– Je ne pourrai jamais vous remercier assez pour tout ce que vous faites, Onyx.

– Si vous arrivez à instaurer une paix durable chez les Madidjins, alors je serai récompensé.

Lugal récita donc ses exigences et Onyx les enregistra dans son esprit. Il localisa tous les princes grâce à sa magie et fit apparaître sous leurs yeux le visage de Lugal. Il amplifia la voix du roi pour la rendre plus terrifiante et surtout pour que la majorité des habitants de chaque rialté l'entende. Du haut de sa tour, Lugal commença à voir apparaître de la fumée dans les villages les plus rapprochés.

— Comment saurai-je que les raïs de la péninsule de l'est ont réagi ? demanda-t-il à Onyx.

— Avec ceci.

Il fit apparaître une grosse lunette en métal, montée sur un trépied, qu'il venait de trouver dans un observatoire agénien. Avec un soupçon de magie, il dota l'instrument de la faculté de voir jusqu'aux confins du royaume. Il montra à Lugal comment l'utiliser et le laissa s'amuser.

— L'est répond bien, constata le roi.

Il braqua la lunette sur l'ouest.

— Rien de ce côté, mais ces princes ont toujours été les plus rebelles.

— Ils ont juste besoin d'un peu plus de persuasion.

Onyx localisa tous les dissidents et rassembla de gros nuages noirs au-dessus de leur rialté. Des éclairs en jaillirent et frappèrent le sol autour du logis des insoumis jusqu'à ce qu'ils se précipitent dehors pour allumer un feu eux aussi.

— Et maintenant ? s'enquit Onyx.

— Oui, c'est beaucoup mieux.

Lorsque tous les princes se furent conformés aux désirs du roi, Onyx fit cesser les orages.

— Si nous allions fêter ça ?

Le roi le suivit dans le hall, où Wellan était en train d'écrire dans son journal pendant que Rami, Fabian et Cornéliane donnaient une leçon d'escrime à Briag et à Azcatchi, sous l'œil attentif d'Idriss.

— Une princesse guerrière ? s'étonna Lugal.

— Elle se défend mieux que certains de ses frères.

Onyx fit apparaître une coupe de vin dans sa main et alla s'asseoir à la table.

— Que mangeons-nous, ce soir ? demanda Fabian en esquivant une charge de Briag.

— Je commence à manquer d'inspiration, soupira Onyx.

— Quelque chose de chez vous ? suggéra Lugal.

Le dieu-loup explora donc les cuisines de son ancien château. Il y trouva un gros rôti de bœuf qui sortait du four, un chaudron de légumes bouillis, du pain chaud et un pot de beurre. Il les transporta jusqu'à la forteresse de Lugal et retourna chercher un service de vaisselle d'une vingtaine de couverts. En les voyant apparaître, Briag mit fin à son entraînement et s'empressa de mettre la table. Dès que tous furent assis, il les servit avec grand plaisir.

Pendant qu'ils mangeaient, Onyx inspecta les rialtés avec ses pensées afin de s'assurer que les princes avaient bien saisi la teneur du message de leur roi. Il découvrit que certains croyaient avoir été harcelés par le fantôme de Lugal. «Il va donc falloir insister un peu...» décida-t-il. Le lendemain matin, il descendit dans la clairière avec Lugal et l'emmena à la rivière.

— Aujourd'hui, vous allez affirmer votre autorité, lui dit-il.

— Vraiment? se découragea le pauvre homme en baissant les yeux sur ses loques.

— Nous allons arranger ça.

D'un geste de la main, Onyx le vêtit de beaux vêtements rouge éclatant qu'il venait de retirer de la garde-robe du Prince Fouad.

— Votre magie ne connaît donc aucune limite?

— Sans doute en a-t-elle, mais je ne l'ai pas encore trouvée, plaisanta Onyx.

L'empereur emprunta également aux Ipocans un grand tridacne dans lequel il fit asseoir le souverain. Il ne prit pas les hippocampes qui avaient l'habitude de le traîner, car ils n'auraient pas survécu en eau douce. Il utiliserait plutôt sa magie pour le mouvoir.

— Quelle est cette étrange embarcation?

— C'est le carrosse flottant d'un grand roi qui gouverne un peuple d'hommes-poissons dans la mer du sud.

— Des hommes-poissons?

— Couverts d'écailles et respirant sous l'eau. Je vous en ferai voir après cette importante rencontre.

Onyx fit avancer le gros coquillage jusqu'au milieu de la rivière.

— Qui attendons-nous ?

— Regardez.

Les premiers princes apparurent sur la rive opposée, se demandant comment ils s'étaient tout à coup retrouvés là, sans leur armée ou leurs gardes du corps. Tandis qu'il continuait d'en arriver d'autres, ils aperçurent le personnage royal qui les observait, assis dans une curieuse coquille, ainsi que l'imposante forteresse qui dominait l'île derrière lui. Entièrement vêtu de noir, Onyx était resté debout près de Lugal, les bras croisés.

— Qui êtes-vous ? cria l'un des raïs.

Onyx fit approcher doucement le tridacne de la rive opposée pour que les Madidjins puissent bien voir son visage.

— Je suis le Roi Lugal.

— On nous a dit que vous aviez péri dans un raid !

— On vous a menti. Me voici de retour et bien décidé à réunifier mon peuple.

— Vous n'avez plus les moyens de nous imposer votre domination, vieillard.

— Détrompez-vous, princes arrogants.

Onyx décida de leur faire comprendre qu'ils n'avaient pas d'autre choix que de reconnaître la primauté de Lugal. De menaçants nuages noirs arrivèrent de tous les points cardinaux et se massèrent au-dessus des princes. Rapidement, les grondements du tonnerre commencèrent à leur faire perdre leur assurance.

— Et pour nous soumettre, vous avez sollicité les services d'un sorcier ? cria l'un des raïs.

— Reconnaissez ma suprématie ou vous serez anéantis.

Lorsque les premiers éclairs s'enfoncèrent dans le sable au milieu d'eux, ils comprirent qu'ils n'étaient pas de taille à affronter l'homme aux longs cheveux noirs qui accompagnait Lugal. Mais l'un d'eux tenta toutefois de lui régler son compte en lui lançant son couteau. Onyx l'intercepta en plein vol et le retourna à son propriétaire, l'arrêtant brusquement à quelques centimètres de son cœur, pour finalement le laisser retomber par terre.

— Obéissez ou mourez ! réitéra le roi.

Un à un, ils se prosternèrent devant Lugal.

— Vous aurez besoin de peupler votre nouvelle forteresse, murmura Onyx. Demandez-leur de vous retourner ici même tous vos sujets dont ils ont fait des esclaves, avant la prochaine lune.

Lugal se fit un plaisir d'adresser cette requête aux princes.

— Maintenant, partez et répandez la bonne nouvelle : les Madidjins sont désormais unis et vivront en paix !

D'un geste de la main, le dieu-loup expédia tous les princes dans leur rialté. Il ramena Lugal sur l'île et retourna le tridacne chez les Ipocans. Ils remontèrent jusqu'au château sans se presser, puis le roi s'arrêta en entrant dans la grande cour.

— À quoi ressemblent les hommes-poissons ? s'enquit-il.

Onyx fit apparaître une reproduction de Riga, le chef des guerriers ipocans.

— Ils sont vraiment de cette couleur ?

— Ils sont de toutes les couleurs, affirma l'empereur.

— Et ce sont également vos sujets ?

— C'est exact.

Fabian sortit alors de l'écurie avec Rami et Briag, au moment où Riga se dématérialisait.

— Papa, où pourrions-nous trouver du foin pour les stalles ?

Onyx fit apparaître entre eux une énorme meule de foin dans laquelle étaient plantées trois fourches.

— Les barils de grains sont déjà dans l'appentis. Amusez-vous.

Pendant que les garçons préparaient l'écurie à recevoir ses nouveaux pensionnaires, Idriss travaillait dans la forge avec les sept hommes, à la préparation d'une herse. Wellan était resté dans le hall. Assis à la table, il dessinait dans son journal sous le regard intéressé d'Azcatchi.

— Où est Cornéliane ? demanda le père.

— Quelque part là-haut, répondit distraitement Wellan. Elle a dit qu'elle voulait être seule.

Une des servantes apporta de l'eau fraîche aux deux souverains pour qu'ils se désaltèrent. Discrètement, Onyx changea le contenu de son gobelet en vin rouge. « Il manque quelque chose d'important, ici », remarqua-t-il alors. Il laissa son esprit errer dans tous les royaumes d'Enkidiev jusqu'à ce qu'il découvre que l'ancien trône d'Hadrian avait été remisé dans le grenier de son château, car le jeune Roi Rhee s'en était fait façonner une version plus moderne. « C'est absolument parfait. »

Il déplaça les bergères qui se trouvaient contre le mur devant l'âtre et y fit apparaître le trône en argent sculpté de coquillages et d'hippocampes. Le velours bleu sombre du siège et du dossier était toujours en parfait état.

— Je sais bien que les Madidjins aiment conduire leurs négociations sur de gros coussins, fit Onyx en se tournant vers Lugal, mais je pense que vos visiteurs seront beaucoup plus impressionnés si vous les recevez là-dessus.

Le vieil homme s'en approcha sans cacher son émerveillement. Il caressa le métal et le tissu.

— Ce doit être très beau, chez vous, laissa-t-il tomber.

« Si Kimaati n'a pas déjà tout saccagé », soupira intérieurement l'empereur. Toutes les nuits, avant de s'endormir, il tentait de s'infiltrer avec son esprit à An-Anshar sans jamais y parvenir. Lugal prit place sur le luxueux siège.

— Il y a une autre chose dont j'aimerais discuter avec vous, Onyx.

Le dieu-loup s'approcha de lui.

— Je vous écoute.

— J'aimerais unir votre fille et mon fils afin qu'ils héritent un jour de cette forteresse et de tous mes pouvoirs.

— L'idée est fort intéressante, mais l'expérience m'a appris qu'il est très difficile d'arranger un mariage pour des enfants qui préfèrent suivre leur cœur au lieu de faire confiance à leurs parents. Laissez-moi d'abord lui en parler.

— Je sais que vous allez bientôt partir, alors j'aimerais beaucoup recevoir votre réponse avant votre départ.

— Je suis un homme expéditif, Lugal. Vous l'aurez avant le repas de ce soir.

Onyx partit à la recherche de Cornéliane. Il la trouva debout sur un balcon à contempler l'embouchure du delta, où le soleil faisait briller les petites vagues comme des diamants. Elle avait troqué ses vêtements de voyage pour une des tenues féminines que son père avait subtilisées à Fal : un bustier rose orné de pierres précieuses et un pantalon de soie de la même couleur. Le vent jouait dans ses longs cheveux blonds. « Elle ressemble bien plus à une princesse ainsi », se surprit à penser Onyx.

— Lugal vient de me faire une proposition à ton sujet, lui dit-il en allant droit au but. Il aimerait que tu épouses Rami.

— Tu es d'accord ? fit-elle en se retournant.

— Je ne t'obligerai pas à épouser ce garçon, si c'est ce que tu veux savoir.

— Est-ce que tu serais fâché si je te disais que j'ai appris à aimer ce pays pendant ma captivité ?

« Je ne me suis jamais attaché à Irianeth pendant que j'y ai été emprisonné par Nomar, ni à Espérita non plus », songea-t-il.

— Es-tu en train de me dire que tu aimes Rami ?

348

Cornéliane se réfugia dans les bras d'Onyx et appuya sa joue contre sa poitrine.

– Tu m'as beaucoup manqué, toutes ces années, et je sais que ta plus grande ambition, ce n'est pas de dominer le monde, mais de rassembler ta famille autour de toi.

– Si tu savais à quel point c'est devenu impossible... soupira Onyx.

– Parce que mes frères ont décidé de vivre leur propre vie. Mais cela ne t'empêchera jamais de leur rendre visite, n'est-ce pas ?

– Et tu veux faire la même chose ?

– Je n'ai plus ma place à Émeraude, qui appartient désormais à Nemeroff, ni à An-Anshar, que tu légueras sans doute à Ayarcoutec. Ici, je pourrai un jour devenir reine.

– C'est un pays dangereux.

– N'est-ce pas pour cela que tu as construit cette forteresse ? Les Madidjins méritent d'être bien dirigés et ce serait ma mission à moi, tout comme tu t'en es donné une, toi aussi.

– Je t'en prie, ne me cite pas en exemple.

– J'accepte donc de devenir la princesse de ce pays, mais je ne me marierai pas avant que tu aies chassé l'usurpateur qui s'est emparé de ton nouveau château. Je veux que tu emmènes toute la famille ici pour cette importante cérémonie, et j'ai bien dit *toute*.

Onyx l'étreignit avec affection. Ils attendirent toutefois le repas du soir avant d'annoncer officiellement la nouvelle aux habitants de la forteresse.

Pour l'occasion, l'empereur alla encore une fois chercher le repas dans les cuisines d'Émeraude. Une dinde rôtie, accompagnée d'un énorme bol de salade de tomates et de concombres, les premiers de la saison, apparurent sur la table.

— Pendant que nous installions les chevaux dans l'écurie, commença Rami, Fabian, Briag et moi avons trouvé le nom que devrait porter cette forteresse.

— Faites-nous donc part du résultat de vos discussions, le pressa Lugal.

— Le Château Amicitia, pour qu'il apporte la paix et la prospérité à notre royaume.

— C'est excellent.

— Nous avons aussi une bonne nouvelle, intervint Onyx. Sa Majesté le Roi Lugal a officiellement demandé la main de la Princesse Cornéliane d'An-Anshar pour son fils, le Prince Rami.

Saisi, le jeune homme laissa tomber ses ustensiles sur la table, surtout parce qu'il craignait un refus de la part de son imprévisible compagne de combat.

— Et j'ai accepté, confirma la jeune fille en posant les yeux sur son futur époux. Mais aucune cérémonie n'aura lieu avant que mon père n'ait repris An-Anshar.

— Cela va de soi, balbutia Rami, ému.

— Ce qui lui permettra de ramener ici toute ma famille pour le grand jour.

— Je vous confie donc ma fille, Lugal, car elle désire vivre ici.

– Je ne laisserai rien lui arriver, jura le roi.

Maintenant que j'ai tenu la promesse que je vous avais faite, dès que j'aurai fini de manger, je vais rejoindre mon armée qui m'attend de l'autre côté des volcans. Qui vient avec moi ?

– Je reste ici pour veiller sur mon roi, décida Idriss.

– As-tu vraiment besoin de me le demander ? plaisanta Wellan.

– Je me battrai aux côtés du dieu-loup, déclara Azcatchi.

– Moi aussi, j'y vais avec toi, fit Fabian en se redressant fièrement.

– Et moi donc ! s'exclama Briag.

– Profitez-en pour faire vos adieux pendant le repas, dans ce cas.

Onyx se mit à dévorer sa part de dinde avec appétit en l'arrosant de bon vin rouge.

27

LE RETOUR DU ROI

Dès que Wellan, Fabian et Briag eurent étreint tous leurs nouveaux amis madidjins et Cornéliane, qui ne participerait pas à la guerre contre Kimaati, Onyx leur demanda de s'approcher d'Azcatchi.

– Prenez-vous par la main, nous partons.

Avant de se rendre à Émeraude, Onyx décida de s'arrêter au palais de Djanmu, où il avait laissé sa femme et ses enfants. Il forma son vortex dans le jardin zen, à quelques pas de la maison qu'occupait sa famille.

– Nous dormirons ici, cette nuit, dit-il à ses camarades. Ce n'est jamais une bonne idée d'arriver dans un campement militaire en pleine nuit.

Il fit glisser la porte en papier de riz et trouva devant lui une petite fille haute comme trois pommes, en kimono rouge, ses cheveux noirs attachés en couettes au-dessus de ses oreilles.

– Papa !

Onyx cueillit l'enfant et l'embrassa dans le cou en la faisant rire aux éclats.

– Obsidia, où es-tu ? appela sa mère, du fond du pavillon.

— Elle est avec moi, l'informa l'empereur.

Napashni arriva en courant et se jeta dans les bras de son mari en écrasant Obsidia entre eux.

— Tu as raison, elle est grande, maintenant.

— Oui, grande, répéta fièrement l'enfant.

Onyx embrassa sa femme.

— Tout se passe comme tu le désires ? demanda Onyx quand Obsidia parvint à repousser sa mère.

— J'avais couché les enfants quand je me suis aperçue que la petite coquine m'avait échappé.

— Elle désobéit souvent ?

— Non ! s'écria Obsidia.

— Elle ne m'a donné aucun souci... sauf ce soir.

— Il est possible qu'elle ait senti l'arrivée de son père, avança Wellan.

La reine se tourna vers les compagnons d'Onyx. Elle étreignit Fabian, contente de le revoir en aussi belle forme, puis salua Wellan, Briag et Azcatchi.

— Où est Cornéliane ? s'inquiéta-t-elle.

— Elle est restée chez les Madidjins et, avant que tu le demandes, elle n'y court aucun danger. Elle a son propre garde du corps et elle sait très bien se défendre.

— C'était sa décision ?

— Oui.

Elle convia ses invités à prendre le thé avant d'aller se coucher et les emmena dans leur salle à manger. Ils prirent place sur les coussins devant la table basse.

– Les enfants dorment-ils déjà ? voulut savoir Onyx.

– Ils sont rompus à la fin de la journée, car les précepteurs du palais ne les lâchent pas d'une semelle.

– Au moins, ils ne s'ennuient pas, à Djanmu.

– Ça, c'est certain. Tu iras les embrasser avant de me rejoindre au lit.

Napashni versa le thé dans des tasses si minuscules que celle de Wellan disparut dans sa large main.

– Quels sont vos plans ? demanda-t-elle.

– Reprendre An-Anshar, bien sûr.

– Cette fois, j'y vais avec toi.

– Mais les enfants ?

– Ils ne risquent rien, ici. Je le sais maintenant. Je ne les vois que le matin et le soir. Il n'y a que Kaolin qui passe la journée avec moi.

– Lui veut pas grandir, expliqua Obsidia.

– Je dirais plutôt qu'il se développe normalement, contrairement à une certaine princesse que je ne nommerai pas, la taquina la mère.

– Jenifael a fait la même chose, leur rappela Wellan. Ne vous inquiétez pas. Certains enfants magiques sont juste plus pressés que d'autres.

Après le thé, Napashni installa leurs invités dans une chambre libre pendant qu'Onyx allait mettre Obsidia au lit. Il s'agenouilla près du tatami. La petite resta accrochée à son cou en protestant lorsqu'il tenta de l'y déposer, si bien qu'elle finit par réveiller sa grande sœur.

— Papa ? s'étonna Ayarcoutec. Est-ce que je suis en train de rêver de toi ?

— Non. Je suis vraiment là.

Elle s'extirpa de sa couverture et se jeta sur son dos, passant les bras autour de son torse.

— Tu m'as tellement manqué !

Incapable de tenir plus longtemps, Obsidia tomba sur son lit en riant.

— À moi aussi, assura le père en basculant Ayarcoutec par-dessus son épaule pour qu'elle se retrouve assise à côté de la benjamine.

— Nous devons aller déloger Kimaati de notre château. C'est un homme méchant.

— Chaque chose en son temps, ma petite fleur. Ce soir, nous devons nous reposer. Demain matin, nous reparlerons de tout ça. Montrez-moi que vous avez acquis un peu de discipline à Djanmu.

Ayarcoutec lui donna un baiser sur la joue et retourna dans son lit.

— Tu me promets que tu seras encore là demain matin ? fit-elle.

– Promets ? répéta Obsidia.

– Oui, je serai là. Allez, fermez les yeux et ne sortez plus d'ici.

Sans les réveiller, Onyx embrassa Anoki et Jaspe, puis remonta leur couverture sous leur menton. Il poursuivit sa route jusqu'à sa propre chambre et trouva Napashni assise tout près du berceau de Kaolin.

– C'est vrai qu'il est bien plus chétif que sa sœur, maintenant, chuchota le père.

– Et moins téméraire aussi. On dirait qu'il veut rester petit pour que je le garde avec moi.

Napashni se tourna vers son mari et lui enleva sa tunique noire. Quelques minutes plus tard, tous leurs vêtements étaient pêle-mêle sur le sol tandis qu'ils célébraient leurs retrouvailles. Cette nuit-là, Onyx dormit le cœur en paix dans les bras de sa femme.

Au matin, au lieu d'emmener la famille manger au palais, Napashni demanda à ses servantes de servir le repas dans son pavillon, puis leur confia Kaolin avant de descendre dans son bain privé avec Onyx. Elle lui lava les cheveux, comme elle le faisait jadis, au Château d'Émeraude, et le sécha. Mais lorsqu'elle voulut lui faire enfiler un pantalon et un kimono de soie noire, il se rebiffa.

– Tu n'as pas le choix, mon amour, insista-t-elle. Les servantes sont en train de lessiver les vêtements avec lesquels tu es arrivé hier soir.

Il se vêtit en grommelant et la suivit dans la salle à manger, où les enfants les attendaient. Ce fut au tour d'Anoki et de Jaspe de manifester leur joie en retrouvant leur père. Quant à Kaolin, il se contenta de l'observer en plissant le front, comme s'il ne le reconnaissait pas. Les servantes servirent les plats et Onyx attendit que tous aient mangé avant de parler. Il commença par leur expliquer que Lassa et Hawke étaient retournés à Émeraude et que Cherrval avait décidé de rester chez les siens. Cette révélation chagrina Ayarcoutec, qui aurait aimé revoir son ami Pardusse.

– Ce matin, je vais devoir repartir, laissa alors tomber Onyx.

Les enfants se mirent tous à protester en même temps et Napashni dut élever la voix pour les calmer.

– Si vous voulez vivre au Château d'An-Anshar, nous devons le reprendre à celui qui me l'a volé.

– Je veux me battre à tes côtés ! l'implora Anoki.

– Moi aussi ! lança Ayarcoutec.

– Moi, moi, moi ! cria Obsidia

– Ce sera un combat entre deux dieux et je ne veux pas risquer que le voleur vous utilise contre moi. Vous resterez ici, où vous êtes en sécurité, et je viendrai vous chercher dès que tout sera terminé. Je sais que vous êtes déçus, mais l'une des obligations des parents, c'est de ne jamais exposer leurs enfants au danger.

– Maman y va avec toi ? demanda Ayarcoutec.

– Oui.

Le ton d'Onyx leur indiqua que peu importe ce qu'ils tenteraient pour le faire changer d'idée, il resterait sur sa position. En observant leurs minois chagrinés, Napashni ne put s'empêcher de constater qu'Azcatchi, assis à leur table, n'avait même pas reconnu Jaspe, qui, en réalité, était son propre sang. Jamais elle ne lui révélerait qu'il était son fils.

Les servantes vinrent alors chercher les enfants, car leurs activités quotidiennes allaient bientôt commencer. Tour à tour, ils étreignirent Onyx et Swan, puis Ayarcoutec alla aussi embrasser Azcatchi en lui recommandant de ne pas se faire tuer. Lorsque la gouvernante parvint à arracher Kaolin des bras de sa mère, celui-ci éclata en sanglots amers, mais elle disparut prestement avec lui. Il ne restait plus à table que les adultes. Onyx se tourna vers Wellan, Fabian, Briag et Azcatchi.

– C'est votre dernière chance de refuser de participer à cette guerre, fit-il.

– Il n'est pas question que tu ailles où que ce soit sans moi, l'avertit Fabian.

– Pareil pour moi, renchérit Briag.

– Je vais où va le loup, affirma Azcatchi.

– Et moi, je veux tout documenter, plaisanta Wellan.

– Nous partirons dès qu'on m'aura rendu mes vêtements.

Onyx quitta la table et s'assit sous le porche pour admirer le jardin pendant que Napashni enfilait son plastron en cuir dans leur chambre.

– *Hadrian ?* appela-t-il avec son esprit.

– *Il était à peu près temps que tu donnes signe de vie, Onyx,* répliqua l'ancien roi, mécontent. *Sais-tu au moins ce qui se passe à Enkidiev ?*

– *Évidemment que je le sais, mais j'avais une mission à compléter avant de revenir au bercail régler mes comptes avec celui qui m'a volé mon château.*

– *Tu es donc prêt à te joindre aux Chevaliers ?*

– *Ce n'est pas leur combat.*

– *Ça l'est devenu quand Kimaati a enlevé Myrialuna et toute sa famille. Nous nous sommes rassemblés au Royaume de Béryl, près de la rivière Sérida, et nous cherchons une façon de mener ce sauvetage sans pertes de vie.*

– *Je vois mal ce que vous pourriez faire contre un dieu de sa puissance.*

– *Je sais. Surtout qu'il a donné toute une raclée à ton fils Nemeroff.*

– *Quoi ?*

Onyx bondit sur ses pieds et se précipita dans la maison.

– Où sont mes vêtements ? hurla-t-il.

– Pas encore prêts, s'excusa l'une des servantes.

– Apportez-les-moi maintenant !

Napashni se dépêcha de sortir de leur chambre.

– Mais qu'est-ce que tu as à crier comme ça ?

– Nous devons partir sur-le-champ.

Les jeunes femmes arrivèrent en courant après avoir décroché le pantalon, la tunique et l'armure en écaille de serpent de mer qu'elles avaient suspendus au vent sur la grande galerie.

D'un geste de la main, Onyx acheva de les sécher avant de se déshabiller devant tout le monde. Les servantes s'enfuirent en se bouchant les yeux.

— Tu as toujours manqué de raffinement, mais je t'aime à la folie, le taquina Napashni.

Dès que les courroies de sa cuirasse furent attachées, Onyx ordonna à ses compagnons de s'approcher. Habitués aux déplacements par vortex, ils se prirent spontanément par la main. Onyx scruta le campement des Chevaliers sur la falaise et comprit qu'il n'y avait pas suffisamment d'espace entre les tentes pour s'y transporter en toute sécurité. Il choisit donc la berge de la rivière, où il s'était déjà arrêté, jadis.

Sans perdre de temps, dès qu'il fut libéré du maelstrom, Onyx traversa la forêt en direction de la clairière où s'étaient rassemblés les soldats magiques. Ses amis le suivirent en silence. Les Chevaliers qui le virent sortir des bois n'en crurent pas leurs yeux.

— Où est Nemeroff ? tonna l'empereur sans saluer qui que ce soit.

— Ici, père, fit le jeune roi en s'approchant, appuyé sur sa canne.

— C'est quoi cette histoire de duel contre Kimaati ?

— Je me suis montré un peu trop téméraire, je le crains.

Onyx aperçut les mines étonnées des soldats, mais ce n'était pas lui qu'ils dévisageaient. Il suivit leur regard et comprit que le retour de Wellan les avait tous jetés dans la stupeur.

— Qui est-ce ? osa finalement demander Nogait.

— Vous avez déjà oublié votre grand commandant ? rétorqua Onyx sur un ton mordant.

— Ne s'est-il pas réincarné dans le corps du fils de Kira ? fit Liam, désarçonné.

— Ne me remerciez pas tous en même temps de lui avoir rendu sa véritable apparence.

— Te remercier ? tempêta Kira en s'approchant, malgré toutes les tentatives de Lassa pour la retenir.

Elle poussa violemment Onyx en passant devant lui et poursuivit sa route jusqu'à Wellan, qui se préparait au pire.

— Pourquoi as-tu accepté qu'il modifie le corps que j'ai porté pendant tous ces mois ?

— Secrètement, je rêvais de redevenir moi-même et Onyx a capté mes pensées.

Jenifael se fraya un chemin parmi ses compagnons d'armes.

— Il n'y aurait aucun malentendu aujourd'hui si je n'avais pas fait brûler son corps après sa mort, leur rappela-t-elle. C'est ma faute s'il est revenu en ce monde avec des cheveux noirs et des oreilles pointues.

Elle se blottit contre la poitrine de son père, qui l'étreignit avec affection.

— Je suis tellement contente que tu sois de retour... murmura-t-elle.

— J'espère que tu comprends que notre lien familial n'est pas brisé pour autant, Wellan d'Émeraude, l'avertit Kira. Dans cette vie, tu es et resteras mon fils.

Les soldats s'approchèrent de leur commandant pour lui serrer les bras à la façon des Chevaliers. Seule Bridgess resta à l'écart, car elle ne savait pas comment réagir devant le retour inattendu de l'homme qu'elle avait tant aimé.

— Est-ce qu'on ne pourrait pas remettre ces effusions à plus tard ? lâcha Onyx, exaspéré. Où est Hadrian ?

— Parti avec Dempsey chercher de la nourriture dans un village tout près d'ici, l'informa Chloé.

À l'aide de sa magie, Onyx les ramena tous les deux devant lui avant qu'ils aient pu conclure un marché avec les fermiers.

— C'est toi qui viens de faire ça ? se fâcha Hadrian. Ne sais-tu pas que j'ai toute une armée à nourrir ?

Puisqu'il y avait plus de deux cents soldats à contenter, Onyx fit apparaître dans leurs mains toutes les écuelles de nourriture qu'il trouva sur les deux continents.

— Maintenant, est-ce qu'on peut se parler de guerre ?

Les deux anciens amis restèrent plantés l'un devant l'autre à se fixer dans les yeux pendant plusieurs secondes avant que Hadrian comprenne que s'il ne cédait pas, Onyx ne céderait pas non plus.

— Et de plusieurs autres choses, ajouta l'ancien Roi d'Argent.

Pendant que ses anciens compagnons d'armes bombardaient Wellan de questions, Hadrian fit signe à Onyx de le suivre jusqu'à sa tente. Les lieutenants, Napashni et Nemeroff lui emboîtèrent le pas. Ils prirent place sur des couvertures, mais aucun d'entre eux ne toucha à son repas.

– Notre ennemi est très puissant, commença Nemeroff.

– Le savais-tu quand tu l'as provoqué ? demanda le père.

– Puisqu'il était de même niveau que moi dans la hiérarchie divine, j'ai pensé que je pourrais en venir à bout.

– Sans aucune expérience de combat ?

– J'ai compris mon erreur trop tard. J'aurais dû attendre ton retour comme tout le monde me le conseillait. Pardonne-moi.

– Au moins, il ne t'a pas tué.

– *Nemeroff ! Quelqu'un nous attaque !*

Tout le monde reconnut la voix angoissée de Kaliska. Devinant qu'Onyx allait se transporter instantanément à Émeraude, Kira lui saisit le bras et fut emportée dans son vortex. Ils réapparurent côte à côte sur le balcon de l'étage royal. Malgré la protection assurée par la pierre d'Abussos incrustée dans la balustrade, un éclair arriva du ciel et tomba dans la cour, si puissant qu'il projeta Onyx et Kira contre les portes.

– *Je suis en vol*, leur apprit Nemeroff.

– *D'où vient cet assaut ?* demanda Onyx.

– *Des volcans.*

– *Surtout ne riposte pas. Contente-toi de découvrir qui en est responsable.*

Pendant qu'Onyx étudiait la situation avec son fils, Kira fonça à l'intérieur et aperçut Kaliska debout devant les berceaux de ses bébés, les mains tendues devant elle, prête à les défendre au péril de sa vie. Quelqu'un frappait à grands coups à la porte des appartements royaux, mais la jeune reine ne semblait rien entendre de tout ce tapage.

— Est-ce que ça va ? s'inquiéta Kira.

— Oh maman ! La guerre s'est-elle déclarée sur tout le continent ?

— C'est ce que nous tentons de savoir, ma chérie.

Lassa se matérialisa dans la chambre au moment où une autre décharge secouait le palais tout entier.

— Où sont tes servantes ? demandait la Sholienne.

— J'ai envoyé tout le monde se cacher dans les passages secrets sous la forteresse.

— Pourquoi es-tu encore ici avec les enfants ? s'alarma Lassa.

— Parce qu'en l'absence du roi, la reine doit rester pour mener les opérations d'évacuation.

Exaspérée par le vacarme dans l'entrée, Kira alla ouvrir.

— Il était temps ! s'exclama une femme richement vêtue à l'imposante chevelure bouclée. Où tout le monde est-il passé ?

— Aquilée ? s'étonna Kira. Allez vite à l'écurie et quelqu'un vous indiquera l'entrée du refuge.

— Pourquoi ai-je besoin de me mettre à l'abri ?

— Parce que l'ennemi nous attaque.

Le château fut encore une fois ébranlé.

– Partez ! insista Kira. Votre vie en dépend.

Elle abandonna Aquilée sur le seuil et retourna dans la chambre. Kaliska avait pris ses bébés et les serrait contre elle.

– Nous devons les mettre en sûreté, mais pas ici, fit Lassa.

– Personne ne leur fera de mal à Irianeth, décida Kira.

– Quoi ? s'exclama Kaliska.

– Lassa, va chercher Armène et des provisions, si tu le peux.

Kira appuya les jambes contre les berceaux afin qu'ils la suivent dans son maelstrom et prit la main de sa fille. Lassa disparut en même temps que sa famille, mais pour se rendre dans la tour de la gouvernante. Quant à lui, Onyx s'était transporté sur la passerelle pour mieux déterminer l'origine des éclairs. Son fils avait raison : ils émanaient bien des volcans.

– Nemeroff, es-tu capable de me transporter jusqu'à l'attaquant ?

Utilisant son vortex pour se rendre à Émeraude, l'énorme dragon bleu se posa dans la cour. Onyx se laissa tomber sur son cou et la bête s'envola juste à temps pour ne pas être frappée par une autre décharge. Même avant d'arriver à proximité des volcans, le dieu-loup aperçut celui qui multipliait les salves. Ce n'était pas Kimaati.

Pour éviter que son père soit tué par un éclair, Nemeroff le déposa un peu plus haut sur la falaise. Onyx sauta sur un pan de rocher, se changea en loup et fonça sur Tayaress. L'Immortel eut tout juste le temps de se retourner et de voir le fauve bondir

sur lui. Les adversaires roulèrent sur la corniche dangereuse-
ment étroite. Tayaress protégeait son cou avec ses bras, que les
crocs du loup lacéraient sans pitié.

– Arrêtez ! Nous sommes dans le même camp ! hurla
l'Immortel.

– Celui qui essaie de démolir le château de mon fils n'est
certainement pas dans mon camp !

– J'essayais de vous pousser à attaquer Kimaati !

Le loup libéra sa proie et recula, mais demeura toutefois
prêt à l'attaquer.

– Il a décimé mon peuple à Alnilam et je veux qu'il paie pour
son crime ! poursuivit Tayaress, qui saignait abondamment.

– Alnilam ?

– Dans un univers parallèle.

– Vous n'êtes pas au service d'Abussos ?

– J'ai prétendu l'être dans l'espoir de retrouver Kimaati
dans votre monde.

– Pourquoi ne pas l'avoir attaqué vous-même ?

– Il faudrait plusieurs dieux de sa puissance pour en venir
à bout.

– Retournez d'où vous venez. Je m'occupe de cet usurpateur. Mais je vous avertis : si je vous retrouve sur ma route
une autre fois, vous perdrez la vie.

Tayaress se dématérialisa prestement sans demander son
reste.

28

L'AFFRONTEMENT

Onyx avisa Nemeroff qu'il voulait rentrer à Émeraude pour voir comment Kira s'en tirait. Le dragon le saisit dans une patte et se dématérialisa sur-le-champ. Le père et le fils, sous sa forme humaine, réapparurent dans la chambre royale au moment où Kira et Lassa rentraient d'Irianeth, où ils venaient de laisser Kaliska et les enfants. Lassa avait même eu le temps d'aller chercher Armène et des provisions pour que les deux femmes puissent tenir jusqu'à la fin de la guerre.

– C'est une excellente initiative et je vous en remercie, fit Nemeroff, soulagé.

– Retournons au campement, décida Onyx. Il est grand temps d'en finir.

Il les ramena devant la tente d'Hadrian, où celui-ci était encore assis avec Napashni, Fabian, Bergeau, Chloé, Dempsey, Falcon, Jasson et Santo.

– Qu'est-ce que tu disais ? demanda Onyx à son ancien commandant, comme si de rien n'était.

– Explique-moi d'abord ce qui vient de se passer.

– C'est une longue histoire.

– Tu n'as donc pas changé, soupira Hadrian, agacé.

En apercevant l'empereur, Wellan, Briag et Azcatchi s'approchèrent afin de participer aux discussions.

— Parlons plutôt de la meilleure façon de nous débarrasser de ce dieu, exigea Onyx.

— Premièrement, sache qu'il n'est pas seul, l'informa Hadrian. Il a désormais une armée d'environ deux mille hommes-taureaux.

Un sourire amusé se dessina sur les lèvres d'Onyx.

— Ça nous changera des scarabées, laissa-t-il tomber.

Bergeau ne put s'empêcher d'éclater de rire.

— Nemeroff, si tu veux bien lui montrer la gravité de la situation, fit Hadrian.

— Oui, bien sûr.

Le jeune roi fit apparaître l'hologramme d'An-Anshar.

— Bravo, le félicita son père.

— Nous avions pensé diviser les forces de Kimaati en l'attaquant à six endroits différents, expliqua Kira.

— Et comment vous y rendrez-vous ?

— Nemeroff et Kira ont offert de construire des rampes dans le roc ainsi qu'un pont pour franchir la rivière.

— Ils ne sont pas les seuls à pouvoir accomplir ce genre de miracle, commenta Onyx. Nous gagnerons du temps si nous nous séparons la tâche.

Napashni, qui commençait à découvrir ses facultés magiques, espéra qu'il ne faisait pas référence à elle.

— Le plateau où campent les soldats de Kimaati se trouve au nord, derrière la forteresse, continua Kira.

— Si nous créons six accès se rendant à cet endroit pour diviser les taureaux, je pourrai affronter le lion de l'autre côté du château, réfléchit Onyx tout haut.

— Seul ? s'étonna Lassa.

— Tu es un dieu du même niveau que moi, tout comme Nemeroff et Napashni.

— Il refusera peut-être de se battre à quatre contre un, leur fit remarquer Jasson.

— Je suis plutôt d'avis contraire, répliqua Nemeroff. Quand je l'ai affronté, j'ai vu dans ses yeux qu'il aimait les défis.

Du bout de l'index, Onyx dessina six rampes qui partaient d'un même point, sans doute la sortie du pont qui serait également créé au-dessus de la rivière, et les fit monter à des endroits différents sur le plateau nord.

— Il faudrait que ces passerelles soient suffisamment larges pour qu'on puisse s'y battre sans se marcher sur les pieds ou même risquer de tomber, commenta Wellan.

Onyx les élargit aussitôt.

— Le temps que vous mettrez à construire ces accès anéantira l'effet de surprise, leur signala Dempsey.

— Je pense que c'est mieux ainsi, nota Chloé. Nous ne voulons pas les attaquer sur la plateforme, mais les forcer à venir à notre rencontre sur six accès différents.

Hadrian hocha doucement la tête en se grattant le menton. Il avisa alors Bergeau, Falcon, Jasson, Santo, Dempsey et Chloé, ainsi que Wellan qu'ils dirigeraient l'assaut sur chacune des rampes avec leur division.

— Wellan ? protesta Kira.

— Maintenant qu'il est de retour, il est tout naturel qu'il reprenne son poste, approuva Bergeau.

— Peut-être qu'il n'a plus envie de se battre, dans cette vie-ci, leur fit remarquer Jasson.

— Il n'est pas question que je vous laisse tomber même si je préférerais une véritable carrière d'érudit, cette fois-ci, affirma Wellan. Mais j'aimerais que tu sois à mes côtés, Kira.

— Tu peux être certain que je serai là pour veiller sur toi, fiston.

— Es-tu encore capable de construire un pont ? lui demanda Onyx.

— Je ne l'ai pas fait depuis des lustres, mais je crois bien que oui, estima la Sholienne.

— Nemeroff, tu te charges des trois rampes les plus directes et je m'occupe des trois qui déboucheront du côté opposé du plateau, fit Onyx.

Il se tourna alors vers les autres lieutenants.

— C'est une opération qui ne nécessitera que quelques heures tout au plus, les informa-t-il. Soyez donc prêts à foncer.

Les lieutenants se hâtèrent d'aller mettre leurs soldats au courant du plan d'attaque.

– Et nous ? demanda Briag en parlant d'Azcatchi et lui.

– Vous m'accompagnerez, répondit Onyx.

– Ils n'ont aucun pouvoir, lui rappela Napashni.

– Mais Kimaati l'ignore.

– Et ils ne sont pas encore suffisamment habiles avec une épée, ajouta Fabian.

– J'en suis tout à fait conscient et je ne leur demanderai pas de se battre.

– Nous ne serons là que pour lui faire peur, n'est-ce pas ? voulut s'assurer Briag.

– Je défendrai le loup, s'il le faut, assura Azcatchi.

– Préparez-vous pendant que je fabrique des rampes avec mon fils, leur dit Onyx.

Il aida Nemeroff à se lever. Kira les accompagna sur le sentier qui menait jusqu'au bord de la rivière. Hadrian leur emboîta le pas.

– Onyx, attends.

L'empereur ne ralentit son allure qu'une fois arrivé sur la berge.

– Rends-moi mon médaillon, exigea Hadrian.

– Ce n'est pas à toi qu'il était destiné, répliqua Onyx. Accepte-le une fois pour toutes.

– C'est tout ce qu'il me reste d'une femme qui m'était chère.

– Ce n'est pas une parure sentimentale, mais un objet de pouvoir dont tu ne pourrais même pas te servir. Concentre-toi plutôt sur ce qui est vraiment important, ici.

Lorsqu'elle vit que l'ancien Roi d'Argent allait insister, Kira se plaça entre les deux hommes.

– Il faut oublier le passé et regarder vers l'avenir, recommanda-t-elle à Hadrian. Ce qui est vraiment important, ce n'est pas le bijou qu'elle t'a offert, mais les souvenirs heureux qu'elle a laissés dans ton cœur.

Contrarié, Hadrian tourna les talons en poussant un grognement et retourna au campement.

– À quoi sert-il, en fin de compte ? demanda Kira à Onyx.

– Il m'assure la loyauté et le commandement de toute la nation ipocane.

– Oh, je vois.

– Vous rappelez-vous l'hologramme ? fit Onyx en chassant l'histoire du médaillon de ses pensées.

– Très clairement, répondit Nemeroff.

– Le pont devra partir d'ici et enjamber la rivière. Kira, fais-le suffisamment large pour que trois compagnies puissent le remonter en même temps. Je vais faire grimper mes rampes vers la gauche et leur imposer une courbe pour qu'elles arrivent du côté est du plateau. Nemeroff, construis les tiennes en ligne droite pour qu'elles atteignent le côté ouest, à trois endroits différents. Les taureaux ne doivent pas pouvoir sauter d'une rampe à l'autre.

– Bien compris.

Puisqu'elle ne captait pas la force qui avait empêché les Elfes de traverser le cours d'eau, elle jugea inutile de la mentionner à Onyx.

– En nivelant le terrain, nous allons te fournir les matériaux dont tu auras besoin, Kira. Au travail, enfants des dieux.

Onyx s'assit sur le bord de l'eau pour que son corps ne chancelle pas tandis qu'il utilisait son esprit pour sculpter le roc. Nemeroff, qui en avait assez de s'appuyer sur sa canne, en fit autant. Seule Kira resta debout, pour mieux voir l'angle qu'elle imprimerait à son pont. En quelques secondes à peine, le loup et le dragon avaient commencé à façonner le flanc de la montagne, rejetant les gros morceaux de pierre sur la rive opposée de la rivière Sérida. Kira s'en empara prestement pour créer les piles qui soutiendraient les arches. Derrière elle arrivèrent les six garnisons de Chevaliers en armure, prêts à se battre pour défendre la liberté des habitants d'Enkidiev.

Dans le campement ennemi, les hommes-taureaux se remettaient de leur beuverie de la veille, fêtant leur victoire avant même d'avoir affronté leurs adversaires. Ce fut Gyak qui remarqua le premier que la terre tremblait légèrement sous ses sabots. Puisqu'on lui avait dit que la forteresse se situait au sommet de volcans, il courut trouver son chef pour lui demander s'ils étaient encore actifs.

Étonné par sa question, Auroch l'accompagna jusqu'au bord du plateau où s'alignaient les tentes des mercenaires. Il vit alors le versant du volcan s'affaisser à trois endroits différents en même temps en partant de la base vers le sommet.

– Je ne connais pas la géologie de ce monde, avoua-t-il. Je vais en informer le maître.

Pendant qu'Auroch se dirigeait vers la forteresse, Gyak resta sur place pour observer le phénomène. Les dieux qui en étaient responsables se trouvaient bien trop loin de l'autre côté de la rivière pour qu'il puisse les apercevoir. Auroch entra dans le hall, où Kimaati continuait de boire de la bière, le regard perdu dans les flammes.

— Maître, dans ce pays, le roc change-t-il spontanément de forme ? demanda le général.

— Seulement quand j'ai trop bu !

Kimaati éclata de rire, mais son soldat ne partagea pas son hilarité.

— Ta question était sérieuse ? s'étonna la divinité.

— Je pense que la base du volcan se désagrège.

— Montre-moi ça.

Il suivit Auroch, persuadé que ses guerriers étaient en train de lui jouer un tour.

— Là, indiqua le taureau en lui pointant le flanc ouest.

Le dieu-lion perdit son sourire. Puisqu'ils ne possédaient aucun pouvoir magique, ses mercenaires n'étaient pas en mesure de capter une intervention divine.

— Ce n'est pas un caprice de la nature ! se réjouit Kimaati. Le propriétaire des lieux est enfin de retour !

— Il essaie de détruire sa forteresse ?

— Non, mon ami. Il est en train de façonner des routes pour se rendre jusqu'ici et s'il y en a autant, c'est qu'il va sûrement y lancer son armée. Il y aura six accès, apparemment. Prépare tes hommes, Auroch. Divise-les en six groupes et soyez prêts à repousser l'envahisseur. Nous allons lui servir une bonne leçon. S'il voulait conserver son château, il n'avait qu'à ne pas le quitter.

Le général s'empressa de retourner au milieu des mercenaires pour les informer de l'imminence de la bataille.

✳ ✳ ✳

Sur la berge de la rivière Sérida, Kira avait consolidé ses piles et commencé à construire le tablier du pont. Pas question de lui donner un style : il serait plat et sans muret pour gagner du temps. Derrière elle, les lieutenants n'attendaient que le moment de foncer avec leur garnison, tandis que Fabian, Briag et Azcatchi se tenaient prêts à suivre Lassa, Nemeroff et Napashni dans le vortex d'Onyx.

– Terminé ! annonça le dieu-dragon.

– Encore quelques minutes pour moi, les informa Onyx. Commencez à envoyer les troupes sur le pont en direction des rampes les plus éloignées. Le temps qu'elles arrivent en haut, j'aurai fini les miennes. Que ceux qui viennent provoquer Kimaati avec moi se tiennent prêts.

Même s'il désirait vivre en érudit pour le reste de son existence, Wellan comprit que son expérience de la guerre lui serait utile ce jour-là. Il allait diriger les mouvements des Chevaliers lorsque Hadrian le devança :

– J'accompagnerai le groupe de Falcon, qui devra emprunter la route qui mène au point de contact le plus éloigné à l'est, fit-il en amplifiant sa voix. Suivront ceux de Wellan et de Bergeau. Les trois autres troupes se déploieront sur les pentes de l'ouest dans cet ordre : Dempsey et Chloé, Santo et Jasson.

— Je savais que j'aurais dû garder la forme, soupira Nogait, ce qui fit rire tout le monde.

— Utilisez tout votre arsenal en vous fiant à votre intuition, poursuivit Hadrian. Nos ennemis seront plus nombreux que nous, mais ce n'est pas la première fois que nous faisons face à ce genre de déséquilibre. Nous l'avons toujours emporté. Habituellement, quand on coupe la tête du serpent, son armée s'en trouve désorganisée, alors espérons qu'Onyx arrivera à neutraliser Kimaati.

Le dieu-loup jeta un regard offusqué à son vieil ami.

— Surtout, ne jouez pas aux héros, ajouta l'ancien Roi d'Argent. Oui, nous devons absolument repousser cette armée venue d'un autre monde, mais idéalement sans tous nous faire tuer.

— Bien dit ! lança Bergeau.

— Le pont est complété, les informa Kira, chancelante.

— Reste ici et repose-toi, lui recommanda Hadrian.

— Il n'est pas question que je laisse mon fils se battre sans le couvrir.

— Et puis, si elle se fâche, ça nous fera gagner beaucoup de temps, ajouta Nogait.

— J'ai fini, annonça Onyx. Que ceux qui viennent avec moi s'approchent. Dépêchez-vous !

Fabian, Briag, Azcatchi, Lassa, Nemeroff et Napashni se donnèrent la main, puis cette dernière saisit le bras de son époux. Dès qu'ils se furent volatilisés, Hadrian donna l'assaut.

– Marche rapide d'abord ! ordonna-t-il.

Il prit les devants avec Falcon et ses soldats, puis les autres se mirent en branle dans l'ordre qui leur avait été attribué. Pour que les taureaux ne se massent pas à la sortie du pont pour embrocher les Chevaliers, Onyx avait installé un mur invisible à mi-chemin de chacune des pentes, qu'il ne lèverait que lorsque toutes les garnisons seraient enfin en place. Même s'il venait de se matérialiser à la limite de la bulle de protection de Kimaati, à quelques pas de la fontaine, il continua de suivre la progression des Chevaliers, puis se tourna vers Nemeroff.

– Si je dois affronter le lion avant que tous les détachements soient rendus au plateau, je veux que tu fasses disparaître le bouclier que j'ai placé à la sortie des six passerelles.

– Bien compris.

– Maintenant, à nous deux, voleur de château !

Onyx lança sur la barrière de protection une charge qui ébranla tout le volcan, afin d'attirer son adversaire à l'extérieur.

Au milieu des taureaux, qui s'étaient versé de l'eau froide sur la tête avant de rejoindre les groupes rapidement créés par Auroch, Kimaati vacilla.

– Je m'occupe du propriétaire, dit le dieu-lion à son général. Tuez tous ses soldats !

Il longea le mur ouest de la forteresse, puis marcha devant sa façade, en direction de la fontaine. Kimaati aperçut les sept

379

personnages qui se tenaient à l'extérieur de la barrière d'énergie. «Lequel est le châtelain?» se demanda-t-il. Il s'arrêta à quelques pas d'eux, sachant très bien que peu importe leur puissance, ils ne pouvaient pas l'atteindre.

— Je suis Kimaati, seigneur de ces lieux! rugit-il.

— Ça m'étonnerait beaucoup, puisque c'est ma place forte, rétorqua Onyx sur un ton railleur. Retournez chez vous ou vous mourrez.

Le colosse blond éclata d'un grand rire, car il ne prenait pas du tout la menace du dieu-loup au sérieux.

— C'est facile de se croire intouchable derrière un tel mur d'énergie. De quoi avez-vous peur, Kimaati?

— Vous connaissez mon nom? J'en suis flatté.

— Mais vous ignorez tout de moi. Et pourtant, je serai votre exécuteur si vous ne partez pas immédiatement.

— Moi, je vois sept exécuteurs.

— Ce sont mes témoins. Je ne les laisserai pas me priver du plaisir d'éliminer moi-même celui qui a osé me voler mes biens en mon absence.

Onyx avait déjà remarqué dans les yeux du fils d'Achéron qu'il aimait faire couler le sang. Pendant qu'il attendait patiemment que Kimaati réagisse, le dieu-loup ne perdait rien de ce qui se passait de l'autre côté du château. Les taureaux avaient foncé et s'étaient assommés sur son mur magique tandis que les Chevaliers remontaient les rampes. «Ils seront encore plus faciles à faucher dans cet état», se dit Onyx.

Les groupes qui attaqueraient à l'ouest étaient presque en place, mais les trois autres devaient contourner la montagne pour arriver devant l'ennemi. Nemeroff surveillait également la réaction du dieu-lion afin de pouvoir prendre le relais de son père lorsque Kimaati se déciderait à agir.

— Alors, à qui ai-je affaire ?

— Nashoba, le dieu-loup, fils d'Abussos.

— Et tes petits amis ?

Pour ne pas donner à l'usurpateur l'impression qu'il était une divinité supérieure aux autres, Onyx leur fit signe de se présenter eux-mêmes.

— Napashni, la déesse-griffon, fille d'Abussos.

— Nahélé, le dieu-dauphin, fils d'Abussos.

— Nayati, le dieu-dragon, fils d'Abussos.

— Fabian, le dieu-milan, arrière-petit-fils d'Abussos.

— Azcatchi, le dieu-crave, arrière-petit-fils d'Abussos.

— Briag, moine de Shola et serviteur d'Abussos.

— Vous êtes plus unis que les membres de mon panthéon, on dirait, railla Kimaati.

— En effet, on ne voit personne de votre famille près de vous, répliqua Onyx. Maintenant que votre curiosité a été satisfaite, disparaissez avec tous vos soldats ou subissez-en les conséquences.

Hadrian était presque en position avec le groupe de Falcon. Stoppés par le mur invisible, les hommes-taureaux étaient fous de rage de ne pas pouvoir charger les humains. C'est alors que l'expression de Kimaati passa de la moquerie à l'inquiétude. « Il vient enfin de comprendre ce qui se passe », songea Onyx.

— Lequel d'entre vous empêche mes guerriers d'avancer ? tonna-t-il.

Le sourire amusé d'Onyx suffit à lui indiquer le coupable.

— Retirez votre barrière de protection et j'en ferai autant, rétorqua l'Empereur d'An-Anshar.

— Ce sera un duel à la mort entre nous.

— Il n'est pas question que ça se passe autrement.

Pour le défier davantage, Onyx fit apparaître sa formidable épée double et se mit à la faire tourner de plus en plus rapidement. En réponse à cette provocation, Kimaati se métamorphosa en un énorme lion rugissant. Lorsqu'il se décida enfin à éliminer la bulle de protection autour de la forteresse, Onyx fit la même chose avec le mur qui séparait les Chevaliers de leurs adversaires. Il laissa tomber son arme et se transforma en loup géant avant de bondir sur Kimaati.

29

OBSIDIA

A Djanmu, Anoki, Ayarcoutec, Jaspe, Obsidia et Kaolin se comportaient comme des enfants exemplaires, mais les servantes, qui les connaissaient bien, savaient qu'ils étaient profondément inquiets. Les deux plus vieux passaient tout leur temps ensemble, alors que Jaspe et Obsidia suivaient les mêmes cours. Quant à lui, Kaolin partageait la vie des bébés du palais et ce rythme plus lent lui convenait parfaitement.

Le lendemain du départ de leurs parents, Obsidia se réveilla avant ses frères et sa sœur. Elle entendait de la musique !

Sans réveiller Jaspe, qui dormait près d'elle, elle quitta son lit et sortit de la chambre. Elle traversa toute la maison sur la pointe des pieds et fit glisser la porte d'entrée de la villa comme elle avait souvent vu les adultes le faire. C'est alors qu'elle aperçut un homme aux longs cheveux noirs, qui ne portait qu'un pagne. Assis en tailleur sur une grosse pierre, il jouait de la flûte. Croyant que c'était son père, la petite se précipita vers lui, mais s'arrêta net en découvrant ses traits.

— Qui toi ? demanda-t-elle, intriguée.

— Te voilà enfin, ma petite étoile.

— Moi, étoile ?

— Tu as parcouru tout l'univers avant d'arriver ici. Tu es trop jeune encore pour comprendre qui je suis, mais sache que tu es chère à mon cœur.

— Tu veux quoi ?

— Je suis venu te chercher pour que tu accomplisses ton destin.

— Maman dit rester ici.

— Ton père a besoin de toi, Obsidia.

— Papa ?

— Tu portes en toi le germe de la paix pour tous les hommes, mais si tu ne fais rien, cette paix ne pourra jamais se manifester.

— Papa ? répéta l'enfant, qui ne comprenait pas le reste des paroles d'Abussos.

Il descendit du rocher, prit la fillette dans ses bras et disparut avec elle.

✳ ✳ ✳

Les Chevaliers, qui possédaient tous une nature magique, sentirent le mur d'énergie s'abattre devant eux. Sans attendre la réaction des taureaux, ils foncèrent en poussant des cris de guerre. Ils allaient enfoncer leurs épées dans le poitrail des gros bovins lorsqu'une petite fille en longue robe de soie rouge apparut entre les deux armées.

— Mais qu'est-ce qu'elle fait là ? s'écria Hadrian, ignorant qu'Obsidia venait de se matérialiser sur tous les champs de bataille à la fois.

Sur sa propre rampe, Wellan chercha à s'emparer de l'enfant pour la mettre en sûreté, mais sa main passa à travers son corps.

– Pas guerre ! ordonnèrent les six copies de la petite déesse.

Renâclant, les taureaux chargèrent leurs opposants avec l'intention de piétiner la fillette.

– J'ai dit non !

La voix d'Obsidia, amplifiée cent fois, fit vibrer toute la montagne. En l'espace d'un instant, tous les bovins furent transformés en petits veaux hésitants.

– Beaucoup mieux, se félicita l'enfant en se frottant les mains.

Puis elle disparut aussi subitement qu'elle était apparue. Un autre personnage divin prit aussitôt sa place devant le groupe d'Hadrian : Achéron lui-même, sous sa forme humaine de colosse. Et il n'était pas seul : une centaine de chasseurs-hyènes l'accompagnaient. En fait, il en était arrivé encore plus, mais ils s'étaient spontanément divisés entre les rampes. Pour que les Chevaliers ne s'en prennent pas à eux, ils leur firent aussitôt savoir qu'ils étaient dans leur camp.

– Qui a fait ça ? tonna le dieu-rhinocéros tandis que les hyènes passaient des licols aux veaux.

– Une petite fille, répondit Hadrian, qui ne le croyait pas encore lui-même.

Derrière lui, les Chevaliers ne comprenaient pas tout ce qui venait de se passer. Une rampe plus loin, voyant que les hyènes avaient la situation bien en main, Wellan s'élança sur le plateau afin d'aller rejoindre Onyx, qui se trouvait de l'autre côté de la forteresse.

– Wellan, où vas-tu ? s'écria Kira en faisant disparaître son épée double.

Comme il ne l'entendait pas, elle s'élança à sa suite. Elle le suivit le long des anciennes maisons de vignerons adossées aux murs du château, puis à travers les vignes elles-mêmes avant d'aboutir devant une grande fontaine. Wellan s'était immobilisé devant le terrible combat qui se déroulait à quelques pas de lui. Un loup et un lion s'affrontaient violemment à coups de pattes et de dents en faisant lever la poussière.

– C'est Onyx et Kimaati, dit-il à sa mère en la voyant arriver près de lui.

– Devons-nous intervenir ?

– Surtout pas.

Ils firent le tour des féroces adversaires sans les perdre de vue, se rapprochant de Nemeroff et de ses compagnons qui attendaient, eux aussi, l'issue du combat. Ils étaient tous tendus, mais prêts à seconder Onyx. Ils se postèrent près de Briag et Kira regretta de ne pas pouvoir sauter dans la mêlée, car elle avait ses propres comptes à régler avec le lion. Abussos choisit ce moment précis pour apparaître entre Nemeroff et Napashni, la petite Obsidia dans les bras.

– Maman ! s'exclama-t-elle.

La prêtresse l'arracha des bras du dieu-hippocampe et la serra contre elle, effrayée.

– Mais qu'est-ce qu'elle fait ici ? reprocha-t-elle à son père divin.

– Elle a commencé sa mission de paix.

– Ce n'est qu'un bébé !

– Où papa ?

Napashni hésita à lui révéler que son père était le loup qui était en train de se battre contre le lion.

– Elle vient de transformer tous les taureaux en petits veaux inoffensifs, l'informa Wellan.

La mère se demanda si sa fille avait aussi la faculté de changer Kimaati en lionceau. Elle vit alors son mari rouler dans la poussière, mais se relever aussitôt pour charger son adversaire. « Il n'a peur de rien et il ne lâche jamais », se rappela-t-elle. Les deux dieux étaient de force si égale qu'elle se demanda combien de temps ils se battraient ainsi.

Achéron, qui avait expédié les hyènes et leurs prisonniers directement dans son monde, se matérialisa près d'Abussos.

– Qui est-ce ? chuchota Briag.

– Son énergie m'est étrangère, répondit Lassa sur le même ton.

– Je suis Achéron ! Et je suis venu chercher mon fils !

Avant que quiconque puisse lui expliquer ce qui était en train de se passer, le dieu-rhinocéros tapa très fort du pied, lançant devant lui une énergie si puissante qu'elle sépara le lion et le loup en les projetant chacun de leur côté.

– Te voilà enfin, scélérat !

Kimaati reprit sa forme humaine. Il était labouré de plaies sanguinolentes, mais parvint à se remettre debout. Secouant la tête pour reprendre ses sens, Onyx se transforma également.

387

Il vit son adversaire quelques pas plus loin, distrait par ce qui se passait devant lui, mais n'arriva pas à se lever pour aller l'achever. Tout son corps le faisait affreusement souffrir.

— Jamais vous ne me capturerez ! lança bravement Kimaati.

— Parce que tu crois pouvoir m'échapper, maintenant ? répliqua le père. Tu as suffisamment semé la destruction dans mon monde et dans celui d'Abussos. Il est temps que tu paies pour tes crimes.

Kimaati porta la main à son bracelet ensorcelé et en fit tourner la plus grosse pierre. Un vortex commença à se former à ses pieds et un sourire victorieux apparut sur son visage. Wellan s'aperçut que le tourbillon allait bientôt atteindre Onyx, toujours à plat ventre sur le sol. Sans perdre une seconde, il s'élança pour le tirer de là, Kira sur les talons.

— Papa ! se réjouit Obsidia, qui venait de le reconnaître.

Elle disparut des bras de sa mère et réapparut à ses pieds. Avant que Napashni puisse se saisir d'elle, la petite se mit à courir en direction du maelstrom !

— Obsidia ! hurla la déesse-griffon.

N'écoutant que son cœur, Nemeroff laissa tomber sa canne et se précipita à la suite de l'enfant. Il la saisit par sa robe rouge et la projeta vers sa mère, lui faisant exécuter quelques culbutes. Napashni se jeta sur Obsidia, l'agrippa solidement et s'éloigna rapidement à reculons. N'étant pas aussi solide qu'elle sur ses jambes, le dieu-dragon perdit pied et fut happé par le tourbillon sous le regard impuissant de sa mère.

— Nemeroff ! Non !

Ayant réussi à éloigner Onyx du vortex, Wellan se jeta à quatre pattes pour saisir les mains du jeune roi, qui s'agrippait tant bien que mal au sol, mais ses doigts glissèrent entre les siens et il le vit tomber dans le gouffre. Le vortex continuait de s'élargir et Wellan fut incapable d'échapper à la force du tourbillon. Tout comme Nemeroff, il y tomba tête première. Kira, qui avait commencé à traiter les blessures d'Onyx, ne comprit pas tout de suite ce qui venait de se passer.

— Soyez sans crainte, fit Kimaati à l'intention de la cohorte de dieux. Je ferai en sorte de les achever tous les deux.

Il allait sauter à son tour dans le maelstrom lorsqu'une lame enflammée lui transperça l'abdomen. Il vacilla sur ses jambes en écarquillant les yeux avec horreur. Au lieu de le pousser dans le vortex, son assassin l'entraîna vers l'arrière, laissant ainsi le temps au maelstrom de se refermer. Kimaati ne pouvait plus s'échapper. Il tomba sur ses genoux et tous virent alors l'homme ailé qui se tenait derrière lui.

— Ça, c'était pour ma famille ! hurla-t-il, furieux.

Il retira son épée du torse du lion et d'un coup rapide lui trancha la tête. Puis, tremblant de tous ses membres, il tituba vers l'arrière.

— Qui êtes-vous ? demanda Achéron en s'approchant de lui.

— Sappheiros de Gaellans !

— Je vous dois une fière chandelle.

— Surtout ne me remerciez pas, car vous êtes tout aussi coupable que lui de la mort des miens ! Sachez que les hommes-oiseaux sont des dieux au même titre que vous et qu'ils finiront par reprendre la place qui leur revient à Alnilam !

Il disparut avant que le rhinocéros puisse l'atteindre. C'est alors que l'assemblée remarqua qu'une autre personne s'était tenue dans l'ombre de Sappheiros.

— Marek ? s'étrangla la mère. Mais qu'est-ce que tu fais là ?

— Je peux tout t'expliquer, maman...

Achéron chargea le corps de Kimaati sur son épaule et ramassa sa tête par les cheveux avant de se tourner vers son auditoire en état de choc.

— Où sont allés Nemeroff et Wellan ? s'alarma Onyx.

— Qui sait où Kimaati avait l'intention de fuir ? Je vous souhaite de les retrouver sains et saufs.

Il se dématérialisa, emportant le cadavre avec lui.

— Son bracelet ! cria Briag, trop tard. Je l'ai vu le manipuler avant qu'apparaisse le vortex !

— Je me chargerai de le récupérer, promit Abussos.

Kira était toujours agenouillée près d'Onyx, mais ne le soignait plus. Son cerveau était en train de comprendre tout ce qui venait de se passer. La soudaine apparition près d'Onyx d'une femme blonde portant une robe décorée de perles multicolores et de longues franges la fit sursauter.

— Je suis Lessien Idril, fit-elle d'une voix douce. Laisse-moi m'occuper de lui.

La Sholienne se releva en vacillant. Lassa courut à sa rencontre et la maintint en équilibre.

– Où est Wellan ? s'alarma-t-elle.

– Il est tombé dans le vortex avec Nemeroff. Nous allons tout mettre en œuvre pour les récupérer. Je t'en prie, calme-toi.

– Nous ne savons même pas où il aboutit...

– Je suis certain qu'ils uniront leurs efforts pour tenter de revenir ou nous transmettre un indice.

Le sol étant redevenu solide, Fabian et Azcatchi s'approchèrent d'Onyx, qui se lamentait pendant que la déesse-louve refermait ses blessures. Napashni les suivit, transportant Obsidia dans ses bras. Si quelqu'un pouvait retrouver Wellan et Nemeroff, c'était bien Onyx. « Lui qui pensait être revenu à An-Anshar pour se reposer et régner sur le monde », soupirat-elle intérieurement. Elle déposa la petite par terre. Obsidia embrassa son père sur le front.

– Tout bien, papa, tout bien.

– L'optimisme des enfants, grommela Onyx.

– Tu as besoin de mon aide, Idril ? demanda Abussos en s'accroupissant près de sa femme.

– Nous pourrions le remettre plus rapidement sur pied en nous y mettant tous les deux, admit-elle.

Instinctivement, Obsidia recula. Une lumière éclatante jaillit des paumes des dieux fondateurs et enveloppa le corps de leur fils loup. Lorsqu'elle s'éteignit, Onyx se sentit revigoré. En s'agrippant à la main que lui tendait son père, il parvint à se lever. Les manches de sa chemise et son pantalon étaient en lambeaux, mais sa cuirasse d'écaille de serpent de mer n'avait pas une seule égratignure.

– Où sont Wellan et Nemeroff ? Et qu'est-ce qu'Obsidia fait ici ?

– Beaucoup de questions demeureront sans réponse pendant quelque temps encore, tenta de le rassurer Abussos.

– Mais nous devons demeurer confiants, ajouta Lessien Idril.

– Je vais mettre le meilleur pisteur qui soit sur leur trace.

Le dieu-hippocampe appela son fidèle serviteur Tayaress, mais celui-ci ne donna aucun signe de vie. Il le chercha donc avec son esprit, tant dans le monde des humains que dans son univers éthéré, mais ne le trouva nulle part. Il n'en informa personne, mais sa femme vit dans ses yeux qu'il était inquiet.

– Nous reviendrons bientôt, promit la louve blanche, et avec de bonnes nouvelles, je l'espère. Ne laissez pas la haine de Kimaati noircir votre cœur. Ce sont vos belles valeurs qui vous permettront de traverser cette épreuve.

Elle caressa le visage d'Onyx puis se tourna vers Napashni pour l'étreindre. Elle marcha ensuite jusqu'à Lassa et le serra à son tour dans ses bras.

– Nous retrouverons votre frère ainsi que son ami Wellan, promit-elle.

Puis elle disparut en même temps qu'Abussos.

30

LE VORTEX

Ayant recouvré ses forces, Onyx se rendit à l'endroit où s'était formé le tourbillon et posa les paumes sur le sol pour voir ce qu'il pourrait apprendre. Fabian et Azcatchi le suivirent sans trop savoir quoi faire pour lui venir en aide, puisque tous les deux avaient perdu leurs pouvoirs magiques. Tenant Obsidia par la main, Napashni les rejoignit.

– Nemeroff est tombé dans le vortex en sauvant Obsidia, murmura Fabian, troublé. Et Wellan a subi le même sort en tentant d'aider Nemeroff.

Hadrian et le reste des troupes arrivèrent enfin sur le plateau principal et se massèrent autour de la fontaine. Kira leur résuma ce qu'ils avaient manqué.

– La bonne nouvelle, c'est que Kimaati est enfin mort, ajouta Marek.

– Mais Onyx et moi avons tous deux perdu un fils, se désola la Sholienne.

– Nous le retrouverons, maman. Regarde ! Tu viens de me retrouver, moi !

Kira l'étreignit si fort qu'elle faillit l'étouffer, puis recula en plantant un regard noir dans le sien.

— Qu'est-ce que tu faisais avec cet homme ailé ? lui reprocha-t-elle.

— Ce n'est pas ma faute ! Il m'a kidnappé chez les Fées !

— Je ne t'ai pas entendu appeler à l'aide, remarqua Lassa en s'approchant.

— Tu ne semblais pas non plus être son prisonnier quand tu es arrivé en même temps que lui, nota Kira.

— Avant cet affrontement, Kimaati l'a grièvement blessé, alors je l'ai soigné avec mes mains comme vous le faites, papa et toi. J'ai même réussi à le transporter magiquement du précipice où il était tombé jusqu'à sa grotte.

— Ce qui m'amène à ma deuxième question, fit Kira, toujours mécontente. Pourquoi t'a-t-il enlevé ?

— Pour que je lui serve d'appât.

— Quoi ? s'exclamèrent les parents.

— C'était la seule façon de faire sortir Kimaati de son trou, mais le plan n'a pas fonctionné comme prévu.

— Mais qu'est-ce qu'on va faire de toi ? se désespéra Kira.

— Vous devriez être fier de mon esprit d'initiative. Malgré tout ce qui m'est arrivé depuis que je suis né, je suis toujours en vie et j'ai tous mes morceaux. Avouez que je me débrouille plutôt bien.

— Marek... commença Lassa.

— J'ai aidé Sappheiros à guérir ! le coupa l'adolescent. C'est donc grâce à moi que Kimaati a enfin été vaincu !

— Nous en reparlerons à la maison. Pour l'instant, nous devons retrouver Wellan.

— Ce vortex peut les avoir emportés n'importe où, Nemeroff et lui, soupira Kira.

— Peut-être que Kimaati a confié à ses prisonniers où il irait se réfugier si les choses devaient mal tourner ? suggéra Marek.

— Tu es bien trop intelligent pour un garçon de ton âge, marmonna Lassa.

Des cris de joie s'élevèrent du château. Kira se retourna en espérant que c'était son fils aîné qui sortait de nulle part. Elle vit plutôt ses nièces franchir les grandes portes en courant, sous leur forme d'eyras, suivies de Myrialuna, Fan et Anyaguara qui transportaient les trois bébés. Derrière elles marchaient Danalieth, Solis et Corindon.

Les filles reprirent leur apparence humaine une fois qu'elles furent devant leurs sauveteurs.

— Qu'est-il arrivé à vos cheveux ? s'étonna Marek.

— Une idée de Kimaati pour nous reconnaître plus facilement, expliqua Lavra.

— Où est-il, en passant ? s'enquit Léia.

— Il est mort et son père a emporté son corps, expliqua Kira pour empêcher que son fils ne se lance dans une description plus sanglante de ce qui s'était passé.

— Maman, tu m'as pourtant déjà raconté que lorsqu'un sorcier perd la vie, ses envoûtements disparaissent avec lui, fit Marek. Alors pourquoi leurs cheveux n'ont-ils pas repris leur couleur initiale ?

— C'est peut-être différent dans le cas des dieux, tenta Kira.

— Mais quand Lycaon a été tué, les volcans se sont tous refroidis.

— Ce n'est pas le moment de parler de tout ça, Marek.

Kira étreignit Myrialuna en faisant attention de ne pas écraser son neveu qui dormait contre sa poitrine.

— Merci de nous avoir arrachés des griffes de ce tyran, fit la femme aux cheveux roses.

— Le mérite revient à un dieu étranger qui s'est volatilisé avant que nous puissions lui exprimer notre reconnaissance. Mais dis-moi, Kimaati vous a-t-il maltraités ?

— Non, mais je ne sais pas ce qui nous serait arrivé si nous avions passé le reste de notre vie ici.

Kira se tourna vers sa mère et reconnut sur son visage ce sens du devoir qu'elle affichait jadis, au moment où Amecareth tentait de s'emparer d'Enkidiev.

— Ne me dites pas que Kimaati et vous... s'étonna Kira en lisant ses pensées.

— J'ai agi pour le bien de tous.

— Étiez-vous aussi dans sa confidence ?

— Parfois, lorsqu'il était sobre.

— Vous a-t-il parlé d'un plan de secours pour lui-même, au cas où quelqu'un réussirait à l'évincer d'An-Anshar ?

— Non. Au contraire, il était persuadé de devenir incessamment le maître indiscuté de ce monde.

Myrialuna allait demander à sa sœur de la ramener à Shola avec les enfants lorsqu'elle vit approcher le jeune homme qui lui était si souvent apparu en songe, lui donnant le courage de supporter sa captivité. Elle remit son bébé à Kira et alla à la rencontre de Briag. Heureuse de le voir en chair et en os, Myrialuna saisit les mains du moine en trépignant.

— Vous avez tenu parole ! s'exclama-t-elle.

— Votre libération est plutôt le résultat d'un effort collectif, belle dame.

— Mais vous en avez fait partie !

Elle se faufila dans les bras de Briag pour le serrer avec gratitude. Pris au dépourvu, le moine ne sut pas quoi faire.

— Dites-moi que nous pourrons poursuivre nos conversations même si je suis libre, le supplia Myrialuna.

— J'allais justement vous le proposer.

— Accepteriez-vous de passer quelques jours chez moi ? Puisque mon château ne se situe pas trop loin du sanctuaire, vous n'auriez aucune difficulté à y retourner quand bon vous semblera.

— Rien ne me ferait plus plaisir, assura Briag, préférant ne pas lui avouer tout de suite qu'il ne désirait pas reprendre sa vie de cénobite.

Anyaguara et Kira s'approchèrent des nouveaux amis et déposèrent les bébés dans leurs bras.

— J'imagine que vous voudrez rentrer à Shola, fit Kira.

— Je m'en occupe, décida Lassa.

— Tu pourrais en profiter pour aller chercher nos enfants au Royaume des Fées et à Irianeth. J'aimerais rester ici pour discuter avec Onyx.

— Je m'en doutais. Prends tout le temps qu'il te faut.

Lassa embrassa Kira et demanda à la famille de Myrialuna de se réunir autour de lui. Il fit un clin d'œil à sa femme et disparut avec toute la bande.

Anyaguara, qui ne voulait pas rester plus longtemps dans cet endroit de malheur, prit la main de Danalieth. En un instant, ils réapparurent dans leur maison d'Espérita.

— Qu'il est bon de revenir chez soi, se réjouit la panthère.

— Je suis ravi de te voir de si belle humeur, ma chérie, mais j'étais en train de remercier les soldats qui ont rendu possible notre libération.

— Je suis désolée, Danalieth, mais je voulais m'éloigner de cette prison le plus rapidement possible. J'ai toujours été libre, que ce soit dans le monde des dieux ou dans les forêts de Jade.

— Mahito était parmi nos sauveteurs et tu ne lui as pas accordé un seul regard.

— Nous irons lui exprimer notre gratitude plus tard. C'est un félin, lui aussi, alors il a déjà compris pourquoi je devais partir.

Anyaguara effleura les lèvres de Danalieth d'un baiser et recula pour se transformer en panthère noire. Elle bondit dehors pour aller courir dans la prairie d'Espérita.

✳ ✳ ✳

Solis non plus ne s'attarda pas plus longtemps sur les volcans. Il prit le temps de s'informer du sort de Kimaati, mais ne manifesta pas la moindre émotion en apprenant qu'il avait péri. Il ne voulut même pas savoir qui l'avait tué. Son besoin de liberté l'emporta sur ses bonnes manières. Il se dématérialisa et réapparut sur la plage de Zénor, non loin du château où il habitait depuis sa reconstruction.

Solis était un dieu félin, mais il avait passé tellement de temps au milieu des humains dans la peau du Prince Zach, qu'il avait fini par en devenir un lui-même. Il contempla sa belle forteresse sur le bord de la mer puis s'en rapprocha sans se presser. En le voyant arriver dans la cour, les palefreniers accoururent.

— Sire, nous vous avons cherché partout !

— Je vous en remercie, mes braves, mais j'étais trop loin pour que quiconque puisse me trouver.

— Mais vous êtes enfin de retour !

Plus Solis avançait dans le palais, plus grandissait le cortège de serviteurs qui se formait autour de lui. Lorsqu'il arriva au pied du grand escalier, le prince s'immobilisa. Sur le palier, sa femme le fixait, en état de choc.

— J'ai eu envie de faire une longue balade, plaisanta Solis.

— Oh Zach...

Alassia dévala les marches au risque de se rompre le cou et sauta dans les bras de son mari.

— Je n'ai pas cessé de prier pour ton retour...

— Alors, tu as été exaucée.

— Où étais-tu ? Lassa m'a raconté des choses invraisemblables à ton sujet.

— Si tu veux bien, je t'avouerai tout en présence de mon père et de ma mère.

— Ils sont dans la salle de lecture. Allons-y.

Solis se laissa entraîner dans l'escalier, heureux de sentir les odeurs familières de son palais.

✳ ✳ ✳

La seule personne qui ne semblait pas à sa place sur le grand plateau, c'était Corindon. Immobile, il observait les Chevaliers qui bavardaient entre eux et Onyx qui arpentait l'endroit où son fils avait disparu. Impuissants, Napashni et Fabian se tenaient près du dieu-loup et surveillaient Obsidia qui marchait derrière son père en l'imitant. Il était évident que le dieu-caracal ne savait plus ce qu'il devait faire. Kira décida alors de lui venir en aide.

— Kimaati vous a-t-il enlevé, vous aussi ? demanda-t-elle.

— Non. Je suis entré ici de mon plein gré, mais je n'ai pas pu repartir.

— Puis-je vous conduire chez vous ?

— Mon monde n'existe plus.

— Vous êtes un dieu félin ?

— C'est exact. Je m'appelle Corindon.

— Où viviez-vous avant d'arriver à An-Anshar ?

– J'étais mort.

Kira possédait de puissantes facultés magiques, mais elle ne pouvait pas raccompagner une divinité dans le hall des disparus.

– Connaissez-vous quelqu'un à Enkidiev ou à Enlilkisar qui pourrait vous accueillir ?

Corindon prit le temps de réfléchir.

– Orlare est-elle morte en même temps que les autres rapaces dans le piège de Moérie ?

– Non, je l'ai côtoyée à Fal. Elle vit désormais chez les Elfes.

– De quel côté leur pays se trouve-t-il ?

– J'ai bien peur que ce soit à l'autre bout du continent, vers l'ouest. Venez, je vais vous y emmener.

Elle lui prit la main et le transporta instantanément dans la clairière royale, au beau milieu du royaume du Roi Cameron.

– Où pouvons-nous trouver Orlare ? demanda la Sholienne aux Elfes qui s'étaient immobilisés en les voyant apparaître.

Ils pointèrent tous le même endroit dans la forêt.

– Je peux continuer seul, affirma Corindon.

– Bonne chance et longue vie.

Kira ne s'était pas encore dématérialisée que le caracal s'élançait à la recherche de la seule personne qui avait été gentille avec lui durant ses courts séjours dans le monde des humains. Il arriva au pied d'un grand chêne et en flaira l'écorce.

— Qui est là ? fit Maayan en captant une présence inconnue.

— Corindon.

Le visage souriant d'Orlare apparut dans la trappe du plancher de la hutte.

— Vous êtes vivant ?

L'ancienne déesse harfang descendit l'échelle de corde.

— Un Immortel m'a redonné la vie et je suis désormais condamné à vivre parmi les hommes.

— Quelle excellente nouvelle ! Que diriez-vous de partager l'existence sereine des Elfes ?

— Si c'est à vos côtés, alors j'accepte avec plaisir.

Elle glissa les doigts entre les siens et l'entraîna sur un sentier.

— Maintenant, racontez-moi tout ce qui vous est arrivé !

✳ ✳ ✳

Lorsque tous les Chevaliers eurent enfin traversé le plateau où se dressaient les tentes des taureaux et qu'ils eurent contourné la forteresse, ils se massèrent devant les grandes portes où les attendait un bien curieux spectacle : Onyx tournait en rond comme s'il était en proie à une terrible obsession.

— Nous devons retrouver Wellan ! s'exclama Bergeau.

— Ce sera notre prochaine quête, mes amis, mais pour l'instant, nous ne savons pas où il a abouti et encore moins comment aller le chercher. Merci mille fois d'avoir répondu à notre appel et d'avoir accepté d'affronter un ennemi qui aurait pu nous infliger de nombreuses pertes.

— Le troupeau de petits veaux ? fit moqueusement Nogait. Un jeu d'enfant !

— Je vais vous ramener au château pour que vous puissiez rentrer chacun chez vous, annonça Hadrian. Dès que nous en saurons plus au sujet de la disparition de Wellan et de Nemeroff, nous nous réunirons à nouveau.

Fabian en profita pour accompagner les Chevaliers à Émeraude, de façon à pouvoir annoncer lui-même à Kaliska qu'elle venait de perdre son mari. Les ouvriers du palais étaient déjà en train de réparer les dommages causés par les bombardements de Tayaress. Fabian prit le temps de saluer les soldats avant qu'ils montent sur leurs chevaux et se remettent en route, puis il grimpa les marches en rassemblant son courage. Il était probablement le seul sujet du royaume qui ne pleurerait pas la perte de son roi. Il monta l'escalier quatre à quatre et frappa à la porte des appartements royaux. Une servante lui ouvrit.

— Prince Fabian ?

— J'aimerais voir la reine.

— Elle est absente, mais je peux faire prévenir la princesse que vous êtes là.

— La princesse ? s'étonna Fabian.

— Suivez-moi, je vous prie.

Il accepta de s'asseoir dans un petit salon en attendant de découvrir l'identité du mystérieux personnage. La jeune femme se rendit chez Aquilée pour lui annoncer l'arrivée de son époux.

— Je vous en prie, versez-nous deux coupes de vin. Je vais l'accueillir comme il se doit.

Aquilée fouilla dans son armoire et choisit la robe la plus moulante qu'elle trouva. Elle l'enfila, se parfuma et serra dans sa main l'une des deux petites bouteilles qui contenaient son philtre d'amour. « C'est maintenant que nous allons voir si cette sorcière est aussi douée qu'elle le prétend », se dit-elle en quittant sa chambre. Elle arriva à l'entrée du salon en même temps que la servante qui transportait un joli plateau en argent.

— Laissez, je m'en occupe, ordonna Aquilée.

Elle attendit que la domestique se soit éloignée et versa le philtre dans l'une des coupes, puis elle entra dans la pièce. Elle faillit s'esclaffer devant la surprise de son mari, mais s'efforça de demeurer charmante.

— Mais qu'est-ce que tu fais ici ? bafouilla Fabian.

— Abussos m'a retiré mes pouvoirs et je suis désormais forcée de vivre parmi les humains. La reine a eu la gentillesse de m'accueillir à Émeraude, puisque je n'avais nulle part où aller.

Elle lui tendit le vin.

— Je ne connais pas encore toutes vos coutumes, mais je sais que nous devons accueillir les princes en leur offrant à boire.

Pour se redonner du courage, Fabian avala le vin d'un seul trait.

— Tu vis ici, désormais ?

— Je suis ta femme, donc la Princesse d'Émeraude.

La potion magique commença à circuler dans les veines du jeune homme et atteignit enfin son cœur.

— C'est une excellente nouvelle ! se réjouit-il.

— Si tu me racontais ce que tu faisais pendant que je me morfondais ici ?

Il laissa tomber sa coupe et se précipita sur la déesse-aigle pour l'étreindre et la couvrir de baisers.

— Finalement, ça peut bien attendre...

Fabian commença à lui arracher fiévreusement ses vêtements. Aquilée aurait préféré l'intimité de leur chambre à coucher, mais le grand sofa ferait l'affaire.

— Tu ne sais pas à quel point tu m'as manqué, fit-il entre deux baisers.

— Nous ne serons plus jamais séparés, mon mari adoré.

Il se jeta sur elle pour lui faire l'amour. Heureusement, Lassa avait décidé de ramener Kaliska et ses enfants à Shola afin de lui annoncer la disparition de son mari, pour qu'elle soit entourée des gens qui l'aimaient dans cette épreuve. Sans le savoir, il venait de lui éviter un double choc.

✳ ✳ ✳

Après avoir reconduit tous les Chevaliers à Émeraude, Hadrian fut soulagé de rentrer chez lui. Il avait enfin affronté

Onyx, mais sans réussir à récupérer son médaillon. Dans l'état où se trouvait son ancien lieutenant, ce n'était pas le moment de lui en reparler. Il attendrait quelques jours et retournerait le voir. « Sans doute en aura-t-il appris davantage sur l'endroit où Wellan et Nemeroff ont été emportés », se dit-il, car il savait qu'Onyx était un homme têtu, qui trouvait toujours ce qu'il cherchait.

Il réapparut sur le bord de la rivière Mardall, non loin de sa tour. En s'en approchant, il aperçut Meyah assise sur le dos de Staya. La jument s'était couchée dans l'herbe et laissait la jeune Itzaman lui tresser la crinière en poussant de petits gémissements de plaisir.

– Je vois que vous êtes devenues des amies, toutes les deux.

– Elle est tellement gentille ! Elle comprend tout ce que je lui dis !

Meyah caressa une dernière fois Staya et vint à la rencontre de son mari.

– Est-ce que tu as faim ?

– Ne me dis pas que tu as aussi appris à faire la cuisine en mon absence ? la taquina Hadrian.

– Ma mère me l'a enseigné quand je vivais à Itzaman, mais les aliments sont différents, ici. J'ai donc fait des expériences.

– Je suis soulagé que tu ne te sois pas empoisonnée.

Main dans la main, ils montèrent dans la tour.

– Ça sent vraiment bon, remarqua-t-il.

– J'ai chassé la poussière et j'ai mis des fleurs dans des vases. Elles sont moins belles que celles d'Enlilkisar, mais leur parfum est exquis.

Hadrian trouva la grande pièce dans un ordre impeccable.

– Ça me donne envie de rester ici pour toujours, plaisanta-t-il.

– Je l'espère bien, parce que je n'ai pas envie d'élever nos enfants toute seule, fit-elle en mettant la main sur son ventre, qui commençait à grossir.

– Si tu n'y vois pas d'inconvénients, j'aimerais n'en avoir que deux.

– Juste deux ? s'étonna la jeune femme, qui avait une multitude de frères et de sœurs.

– Pour pouvoir plus facilement leur faire découvrir le monde.

– Je croyais que tu voudrais en avoir autant que ton ami Onyx.

– Sur ce point, nous sommes aux antipodes, crois-moi... et sur plusieurs autres aussi, en fin de compte. Tu veux que je t'aide à préparer le repas ?

– Non. Après la guerre, un homme doit se reposer. Tu me raconteras tout ce que tu as fait dès que ce sera prêt.

Hadrian alla s'asseoir à la table en se demandant s'il était prêt à élever une autre famille. «Tant que la paix durera, pourquoi pas ?» se dit-il finalement.

✳ ✳ ✳

Pendant qu'Onyx arpentait le plateau devant la forteresse, Napashni retourna à Djanmu avec Obsidia grâce à son propre vortex et alla chercher le reste de la famille. Assis sur le bord de la fontaine, Azcatchi suivait le dieu-loup des yeux sans se lasser. Il ne comprenait pas encore toutes les émotions humaines, mais il respectait son chagrin.

Comme elle l'avait annoncé, Kira revint du pays des Elfes quelques minutes plus tard. Elle se planta devant Onyx, lui barrant la route.

— Arrête de sonder cet endroit, lui dit-elle. Il n'a plus rien à nous apprendre.

— Je marche pour m'aider à réfléchir.

— Allons nous asseoir dans ton hall pour le faire ensemble, d'accord?

Elle lui prit le bras et l'entraîna vers les portes majestueuses. Azcatchi se leva et leur emboîta le pas sans poser de question. Ils traversèrent le vestibule et entrèrent dans la grande salle, où l'énergie de Kimaati était encore très présente. D'un geste de la main, Onyx purifia l'air et enleva toute trace de son passage. Puis, il se laissa tomber dans une bergère devant l'âtre, où il alluma un feu magique.

— Si nous avions pu conserver au moins sa tête, peut-être que nous pourrions en tirer quelque chose, soupira-t-il.

— On pourrait la réclamer à Achéron, suggéra Kira. Par le biais d'Abussos, bien sûr.

— Il a dû la planter sur une pique pour qu'elle serve d'avertissement à ses sujets.

— La vérité finit toujours par se savoir. Espérons que nos fils puissent survivre là où ils se sont retrouvés en attendant que nous élucidions ce mystère.

Les Hokous arrivèrent alors dans le hall comme un essaim d'abeilles en manifestant leur joie de revoir le véritable maître des lieux. Ils lui versèrent du vin et en offrirent à ses invités.

— Sire, si vous permettez ? fit alors une voix derrière les serviteurs.

— Lyxus ! s'exclama Onyx. Vous avez survécu à la tyrannie du lion ?

— Grâce à votre magie. Il n'a jamais su que j'étais là.

Le vieil homme déposa un gros livre sur la table et se joignit à eux.

— Du haut de mon balcon, j'ai assisté à tout ce qui s'est passé aujourd'hui. Si j'ai bien compris, ceux qui sont tombés dans le vortex l'ont fait par accident.

— Malheureusement...

— J'ai tout de suite pensé que vous seriez intéressé par ce vieux livre, qui traite des limitations de ces raccourcis entre les mondes.

Onyx et Kira s'approchèrent en même temps de l'ouvrage, mais furent incapables d'en déchiffrer l'écriture.

— Je ne connais pas cette langue, avoua l'empereur.

— Je peux vous en faire la lecture.

— Mais ça prendra des semaines !

— Pendant que tu t'y mets, fit Kira, je vais tenter de trouver les souvenirs de Kimaati. Et si une autre piste s'ouvre devant nous, nous nous rencontrerons ici. Est-ce que ça te convient ?

— Parfaitement, accepta Onyx, qui n'avait pas vraiment le choix.

Kira commença par lui serrer les bras à la façon des Chevaliers, puis l'attira dans ses bras et le pressa contre elle en lui transmettant une vague d'apaisement. Elle recula de quelques pas et disparut dans son vortex. Onyx écouta donc le vieil homme lui lire le premier chapitre de l'ouvrage. Ils furent alors interrompus par des cris de joie et des pas pressés qui arrivaient du vestibule.

Anoki, Ayarcoutec, Jaspe et Obsidia déboulèrent dans le hall et coururent se jeter sur leur père pendant que Napashni marchait derrière eux, Kaolin dans les bras. Onyx les étreignit en fermant les yeux. Lorsqu'il les ouvrit, ils étaient chargés de larmes.

— Tu l'as retrouvé une fois, tu peux le faire encore, l'encouragea Napashni, aussi triste que lui.

Elle déposa Kaolin dans ses bras et l'embrassa sur le front.

Après avoir planté une épée enflammée dans le corps de son ennemi juré, Sappheiros s'était volatilisé pour réapparaître près du cours d'eau souterrain qui alimentait la fontaine de la forteresse d'An-Anshar, car il avait découvert en l'explorant qu'elle donnait accès à son monde. Il émergea dans la mer de Girtab et grimpa sur les rochers de l'île défendue.

– J'ai tué ton fils, Achéron ! hurla-t-il. Et tu seras le prochain à mourir ! Ton panthéon n'est pas digne de gouverner ce monde ! Le règne des hommes-oiseaux approche !

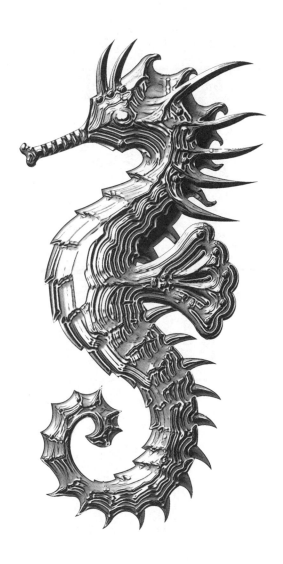

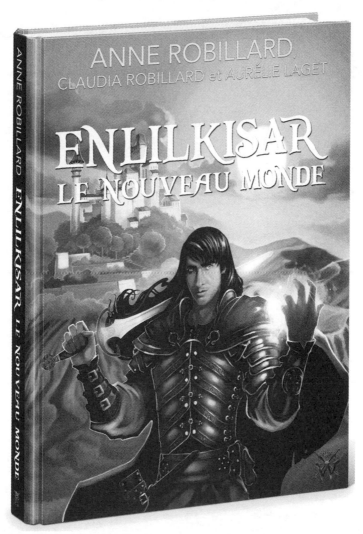

OÙ SONT DISPARUS WELLAN ET NEMEROFF ? DÉCOUVREZ-LE EN FÉVRIER 2016 !

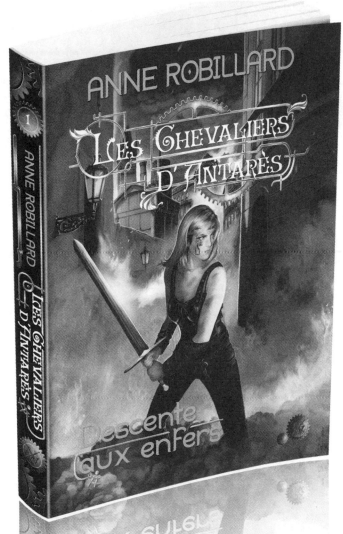

www.anne-robillard.com

MARQUIS

Imprimé au Québec, Canada
Novembre 2015